Les ouvrages de **Maya Banks** figurent régulièrement sur les listes des best-sellers du *New York Times* et de *USA Today*, aussi bien en romance érotique, contemporaine et suspense, qu'en romance historique. Maya vit au Texas avec son mari et ses trois enfants, des chats et un chien. C'est une lectrice de romance passionnée, qui adore partager ses coups de cœur avec ses fans sur les réseaux sociaux.

Maya Banks

FLAMME

À FLEUR DE PEAU — 3

Traduit de l'anglais (États-Unis) par Laurence Boischot

MILADY ROMANTICA

Milady est un label des éditions Bragelonne

Titre original : *Burn*
Copyright © 2013 by Maya Banks

Originellement publié par Berkley Publishing Group
Penguin Group (USA) Inc.

© Bragelonne 2014, pour la présente traduction

ISBN : 978-2-8112-1246-9

Bragelonne – Milady
60-62, rue d'Hauteville – 75010 Paris

E-mail : info@milady.fr
Site Internet : www.milady.fr

À ma famille, de cœur sinon de sang.

Chapitre premier

Debout au milieu de Bryant Park, en plein cœur de Manhattan, Ash McIntyre respirait l'air printanier, les mains dans les poches. Le vent était frais, comme s'il transportait dans son souffle les derniers souvenirs de l'hiver. Malgré cela, sur les bancs et aux tables disposés alentour, des gens lisaient, buvaient du café, pianotaient sur des ordinateurs ou écoutaient de la musique.

C'était une journée magnifique. Pourtant, Ash ne s'offrait jamais le luxe d'une balade dans le parc, surtout pas pendant les heures de bureau, qu'il passait à échafauder des plans, à envoyer des mails ou à répondre au téléphone. Il n'était pas du genre *carpe diem*, mais, ce jour-là, il avait ressenti le besoin de prendre un peu l'air. Il s'était retrouvé dans le parc avant même d'en avoir formulé l'intention consciente.

Le mariage de Gabe et de Mia approchait à grands pas, et son associé passait le plus clair de son temps à s'assurer que la cérémonie serait à la hauteur des rêves de la jeune femme. Quant à Jace…, son autre associé était accaparé par sa relation récente mais intense avec Bethany, sa fiancée.

Résultat : quand ses deux meilleurs amis n'étaient pas au bureau, ils étaient avec la femme de leur vie. Ash n'avait plus souvent l'occasion de les voir seuls en dehors du travail. Ils étaient restés très proches, évidemment, et tant que Gabe et Jace avaient bien pris soin d'inclure Ash dans leur nouvelle existence, mais ce n'était plus pareil.

Il était très heureux pour ses amis, mais les rapides changements des six derniers mois lui avaient laissé une étrange impression de vertige. Pour la première fois depuis que Gabe, Jace et lui s'étaient rencontrés à l'université, il se retrouvait à la périphérie de leur petit groupe.

Évidemment, s'il avait fait part de ces réflexions à ses amis, ils lui auraient assuré qu'il se trompait, qu'ils restaient liés comme des frères. De fait, il les considérait comme sa vraie famille, contrairement à la bande de vautours parmi lesquels il avait grandi. Pourtant, même si leur lien demeurait plus fort que jamais, il n'était plus du même genre. Ash faisait toujours partie de la famille, certes, mais il n'était plus au centre.

Pendant des années, les trois hommes avaient travaillé d'arrache-pied tout en cultivant leur liberté, mais ce n'était plus possible à présent que ses deux amis menaient chacun leur vie de couple. Dorénavant, ils se consacraient avant tout à leur compagne, et Ash le comprenait parfaitement. Ils auraient baissé dans son estime s'il en avait été autrement, mais il avait l'impression d'être la cinquième roue du carrosse.

C'était d'autant plus dur pour lui que, jusqu'à ce que Jace rencontre Bethany, les deux hommes avaient pour habitude de fréquenter les mêmes femmes. Aussi absurde que cela puisse paraître, Ash ne savait pas vivre ses relations en dehors du cadre d'un plan à trois.

Il se sentait fébrile, mal à l'aise, comme s'il lui manquait quelque chose sans qu'il puisse définir quoi. Il ne recherchait pourtant pas le genre de bonheur qu'avaient trouvé Gabe et Jace. Ou alors il n'osait pas se l'avouer. Sa seule certitude, c'était qu'il ne se reconnaissait plus, et cela lui mettait les nerfs à vif.

Jusque-là, il s'était toujours enorgueilli de savoir précisément ce qu'il voulait et de se donner les moyens de l'obtenir. Quant aux femmes, il n'avait jamais eu aucun mal à trouver des candidates heureuses de se plier à ses moindres désirs. Sauf que cela ne l'aidait pas beaucoup à présent que lui-même ignorait ce qu'il désirait.

Il observa le parc envahi de poussettes et essaya de s'imaginer en père de famille, mais cette idée le fit frémir. Il avait trente-huit ans, bientôt trente-neuf, un âge où la plupart des hommes avaient déjà fait l'expérience de la paternité. Pas lui. Gabe, Jace et lui avaient passé leur vingtaine et l'essentiel de leur trentaine à monter leur entreprise et à la mener à la réussite. Ash était particulièrement fier d'y être parvenu sans l'aide de sa famille.

C'était peut-être justement la raison du ressentiment de ses parents. Très jeune, il s'était détourné de leurs tendances mesquines et manipulatrices, mais, surtout, il avait commis la faute impardonnable de se faire un nom par son seul mérite et d'accumuler une fortune supérieure à la leur. Supérieure même à celle de son grand-père. À vrai dire, ce dernier était le seul à avoir jamais mouillé sa chemise. Sa descendance n'avait fait que profiter de ses largesses. Il avait construit un empire financier qu'il avait vendu pour une somme colossale alors qu'Ash était encore enfant. À sa connaissance, le reste de sa famille avait toujours vécu dans l'oisiveté.

Il secoua la tête, à la fois écœuré par ce souvenir et heureux de ne rien devoir à ces gens. Il était par ailleurs déterminé à ne pas se laisser attendrir par ces sangsues qui avaient ouvertement manifesté l'intention de profiter de son influence un jour.

Il tourna les talons, pressé de retourner à la tâche. Il avait mieux à faire que de se prendre la tête, planté au beau milieu d'un parc. Il fallait qu'il se ressaisisse et qu'il se concentre sur la seule chose qui n'avait pas changé dans sa vie : les affaires. Ils avaient plusieurs projets sur le feu concernant leur entreprise, HCM Global Resorts and Hotels. Ils s'étaient fait une petite frayeur en janvier, quand quelques investisseurs s'étaient désistés de leur contrat parisien, mais ils avaient rattrapé le coup, et l'hôtel était déjà en construction. Ce n'était vraiment pas le moment de se relâcher : à présent que Gabe et Jace étaient accaparés par leur vie sentimentale, il revenait à Ash de compenser le temps et l'énergie qu'ils ne pouvaient plus consacrer à l'entreprise.

Il tourna les talons et, aussitôt, aperçut une jeune femme assise à une table un peu à l'écart. Il s'immobilisa, captivé. De longs cheveux blonds, doucement agités par le vent, encadraient un visage d'une beauté saisissante, aux yeux si lumineux qu'Ash en distinguait la couleur bleue même de là où il se trouvait.

Elle portait une longue jupe ample qui se soulevait avec chaque bourrasque, révélant une jambe galbée. Elle était chaussée de sandales ornées de clous discrets, et, lorsqu'elle remua le pied, le regard d'Ash fut attiré par un anneau d'argent à l'un de ses orteils et par une mince chaîne à breloques qui soulignait la délicatesse de sa cheville.

Les sourcils froncés, elle semblait entièrement absorbée par le croquis qu'elle exécutait en de vifs coups de crayon. Sur la chaise voisine se trouvait un gros sac, dont dépassaient plusieurs grandes feuilles de papier roulées ensemble.

Soudain, l'attention d'Ash fut attirée par le ras-du-cou de la jeune femme. Ce bijou ne lui allait pas du tout. Il était parfaitement ajusté à sa gorge fine mais ne correspondait pas au reste de sa personne.

L'imposante rivière de diamants était sans nul doute authentique et de réelle valeur, pourtant elle paraissait presque vulgaire sur cette jeune femme à la beauté si naturelle. Ash savait que ce genre d'objet avait souvent une signification bien plus profonde que ne le soupçonnait le commun des mortels. Était-il tombé en arrêt devant la soumise d'un autre homme ? Si c'était le cas, le dominateur de cette jeune personne avait fort mal choisi l'emblème de sa possession. Soit il ne la connaissait pas vraiment, soit il ne s'était guère préoccupé de trouver un bijou qui corresponde à cette femme qu'il proclamait sienne.

Ash avait compris tout cela en quelques secondes. Comment ce type avait-il pu ne pas s'en rendre compte ? Peut-être avait-il choisi ce collier selon ses propres goûts uniquement, ce qui était à la fois stupide et arrogant. Le cadeau d'un dom à sa soumise symbolisait notamment l'engagement du maître à prendre soin de sa belle et à anticiper ses désirs.

Ash avait sans doute tort de laisser son imagination s'emballer ainsi. La jeune femme s'était peut-être acheté ce bijou elle-même, tout simplement. Pourtant, il ne croyait pas une seconde à cette explication.

Il n'aurait pas su dire depuis combien de temps il l'observait ainsi quand, soudain, elle releva la tête vers lui. Aussitôt, elle écarquilla les yeux avec une expression proche de la panique. Elle cessa de dessiner et commença à ranger ses affaires à la hâte.

Lorsqu'elle fit mine de se lever, Ash comprit qu'elle comptait s'en aller et il s'avança sans prendre le temps de réfléchir. Il était animé par un instinct primaire – le frisson du défi, de la découverte. Il voulait savoir qui était cette personne et ce que signifiait son collier.

Il pressa le pas, conscient que, si le bijou avait bien le sens qu'il croyait, il s'apprêtait à empiéter sur le territoire d'un autre.

Il s'en fichait complètement.

Draguer une soumise marquée comme telle faisait partie des interdits de base dans ce milieu, mais Ash n'aimait guère s'encombrer de règles. Sauf quand il les avait établies lui-même. Cette femme était belle et l'intriguait. C'était peut-être précisément ce dont il avait besoin pour se changer les idées, mais il ne le saurait jamais s'il la laissait filer.

Il arrivait à sa hauteur lorsqu'elle fit volte-face, son sac sur l'épaule. Emportée par son élan, elle faillit le percuter. Elle sursauta et fit un pas en arrière, cognant son sac contre la chaise avec tant de force qu'il tomba et que l'intégralité de son contenu se répandit par terre.

—Oh zut! marmonna-t-elle.

Elle se pencha pour ramasser les papiers épars, et Ash alla rattraper une feuille que le vent avait emportée à quelques mètres de là.

—Non, ne vous embêtez pas! Je m'en occupe! lança-t-elle.

Il saisit la feuille et se retourna vers la jeune femme.

—Ça ne m'embête pas du tout, voyons. Je m'excuse si je vous ai fait peur.

—Disons que vous m'avez surprise, répliqua-t-elle avec un petit rire nerveux.

Elle tendit la main pour récupérer le croquis, mais Ash y jeta un coup d'œil et cilla en se reconnaissant.

—Qu'est-ce que…?

—Rendez-moi ça, s'il vous plaît, plaida-t-elle à voix basse.

Elle semblait avoir peur de quelque chose, mais Ash ne réagit pas tout de suite. Il était fasciné par le tatouage chatoyant que révélait le débardeur ample de la jeune femme.

Situé sous son bras, il représentait un motif floral, et Ash devinait qu'il devait s'étendre telle une liane le long de son corps. Il aurait aimé en voir davantage, mais elle laissa retomber sa main.

— Pourquoi m'avez-vous dessiné? demanda-t-il, curieux.

Elle rougit légèrement. Elle avait le teint pâle, à peine hâlé par le soleil. Avec ses cheveux dorés et ses yeux d'un bleu limpide, elle était magnifique. Et visiblement très douée.

Ash s'était reconnu au premier coup d'œil : son regard perdu au loin, l'air plongé dans ses pensées, un peu soucieux… Elle l'avait croqué sur le vif, les mains dans les poches, et le fait qu'une inconnue ait su sentir et restituer son humeur incertaine en quelques coups de crayon le fit se sentir terriblement vulnérable. Elle avait décelé des émotions que, d'habitude, il dissimulait soigneusement.

— Parce que j'en avais envie, c'est tout, répondit-elle enfin, sur la défensive. Je dessine beaucoup de gens, vous savez. Pas seulement des gens, d'ailleurs. Tout ce qui attire mon attention.

Ash lui sourit tout en soutenant son regard si bleu, si expressif, capable de mettre un homme à terre. Il percevait également l'éclat de ce collier qui semblait le narguer.

— Donc vous êtes en train de me dire que j'ai retenu votre attention.

Elle rougit de plus belle, et il décela dans sa gêne une pointe de culpabilité. Elle l'avait remarqué avant même qu'il l'aperçoive et l'avait détaillé avec autant d'intérêt qu'il en avait éprouvé pour elle. Elle s'était juste montrée un peu plus subtile dans sa démarche, mais, après tout, Ash ne s'était jamais distingué par sa subtilité.

—Je trouvais que vous détonniez dans ce paysage, expliqua-t-elle brusquement. Vous avez des traits marquants; j'avais très envie de les capturer sur le papier. Vous avez un visage intéressant, et, clairement, quelque chose vous préoccupe. Les gens laissent souvent transparaître leurs émotions quand ils croient que personne ne les voit. Si vous aviez posé pour moi, le résultat aurait été complètement différent.

—C'est très réussi, en tout cas, commenta-t-il en baissant les yeux vers le croquis. Vous avez beaucoup de talent.

—Vous voulez bien me le rendre, maintenant? Je dois y aller, je suis en retard.

Il croisa son regard et haussa un sourcil.

—Pourtant, vous n'aviez pas l'air pressée de partir jusqu'à ce que vous me voyiez approcher.

—C'était il y a déjà cinq minutes. Je n'étais pas encore en retard, mais maintenant si.

—En retard pour quoi?

Elle fronça les sourcils, puis la surprise céda la place à la colère.

—Je ne vois pas en quoi ça vous regarde!

—Ash, dit-il lorsqu'elle se tut. Je m'appelle Ash.

Elle acquiesça sans un mot, et il en éprouva une étonnante déception. Il aurait donné n'importe quoi pour l'entendre prononcer son prénom.

Il se pencha vers elle et effleura son ras-du-cou.

— Est-ce que votre retard a quelque chose à voir avec ça ?

Elle recula d'un pas, méfiante.

— Votre dom vous attend, peut-être ? insista-t-il.

Elle écarquilla les yeux et porta une main à son collier, mais ne répondit pas.

— Comment vous appelez-vous ? Je vous ai donné mon prénom. La politesse voudrait que vous me rendiez la pareille.

— Jodie, murmura-t-elle si bas qu'il l'entendit à peine. Jodie Carlysle.

— À qui appartenez-vous, Jodie ?

Elle lui lança un regard courroucé puis empoigna son sac, où elle rangea les derniers crayons tombés à terre.

— À personne, marmonna-t-elle enfin.

— Vous voulez dire que j'ai mal compris la signification du bijou que vous portez ?

Elle l'effleura de nouveau, et Ash en eut des frissons. Il brûlait d'envie de lui retirer ces diamants ostentatoires qui lui correspondaient si peu.

— Non, vous avez bien compris, finit-elle par avouer d'une voix rauque qui le fit frissonner. Sauf que je n'appartiens à personne, Ash.

Une intense satisfaction le prit aux tripes lorsqu'il entendit son prénom sur les lèvres de la jeune femme. Il aurait aimé l'entendre de nouveau, susurré dans un soupir de plaisir.

— Alors, c'est peut-être vous qui avez mal compris la portée de ce bijou, rétorqua-t-il.

Elle éclata de rire.

— Non, mais je maintiens ce que j'ai dit : je n'appartiens à personne. C'est juste un cadeau, et je le porte parce qu'il me plaît. C'est tout.

Ash se rapprocha, et, cette fois, elle ne recula pas. Elle le défiait du regard avec une lueur de curiosité, d'anticipation. Elle aussi ressentait l'extraordinaire attirance qui crépitait entre eux, c'était évident. Indéniable.

— Si c'était mon collier que vous portiez, vous sauriez sans le moindre doute à qui vous appartenez, gronda-t-il. Surtout, vous ne regretteriez pas de vous être soumise à ma volonté et n'hésiteriez pas une seconde à avouer le nom de votre dom. Vous ne ressentiriez pas le besoin de prétendre que ce n'est qu'un bijou sans conséquence. Ça aurait du sens, Jodie. Ça donnerait tout son sens à votre vie, et vous n'en douteriez pas un seul instant.

Elle écarquilla les yeux, sans voix, puis éclata de rire.

— Dommage que je ne vous appartienne pas, alors !

Sur ce, elle fit volte-face et s'éloigna d'un pas vif, le laissant planté là. Il tenait toujours à la main l'esquisse qu'elle avait faite de lui.

Il la suivit du regard – ses longs cheveux agités par le vent, ses pieds chaussés de fines sandales et la chaîne dont les breloques tintaient doucement à chaque pas. Puis il baissa les yeux vers le croquis.

— Dommage, en effet, murmura-t-il.

Chapitre 2

Assis à son bureau, derrière des portes closes, Ash réfléchissait au dossier qu'il venait de lire. Il ne s'agissait ni d'un rapport financier, ni d'une expertise immobilière, ni d'un mail urgent. Cela concernait une certaine Jodie Carlysle.

Il n'avait pas perdu de temps pour contacter l'agence grâce à laquelle il s'était renseigné sur le passé de Bethany, ce qui avait fortement déplu à Jace à l'époque. Ces types étaient des pros et, surtout, ils étaient rapides.

Ash n'avait pas cessé de penser à Jodie depuis leur rencontre dans le parc. Il ne savait pas très bien comment qualifier l'intérêt entêtant qu'il éprouvait pour elle, mais cela ressemblait étrangement à l'obsession de Jace pour Bethany. Lorsque son ami avait écumé Manhattan à la recherche de la jeune femme, Ash ne s'était pas privé de le traiter d'imbécile aveuglé par un joli minois. Que dirait Jace, à présent, s'il savait qu'Ash avait lui-même fait suivre Jodie pour en apprendre davantage sur elle?

Il dirait sans doute qu'Ash avait complètement perdu la boule. Après tout, c'était ce qu'avait pensé Ash en voyant son ami à l'œuvre – et il avait raison : Bethany lui avait bel et bien fait perdre la tête.

D'après le rapport de l'agence, Jodie avait vingt-huit ans et un diplôme d'arts plastiques. Elle vivait dans un appartement en sous-sol d'un immeuble traditionnel de l'Upper East Side. Le bail de l'appartement était à son nom, et rien n'indiquait la présence d'un homme dans sa vie à part le fait qu'un individu était venu la chercher en voiture à plusieurs reprises. Cela dit, les observations du détective ne couvraient que quelques jours.

Le plus souvent, elle allait s'installer dans le parc pour travailler soit au crayon soit à l'huile. Quelques-unes de ses œuvres étaient exposées dans une petite galerie sur Madison Avenue, mais rien ne s'était vendu depuis qu'Ash avait lancé son enquête. Par ailleurs, Jodie créait des bijoux fantaisie qu'elle vendait en ligne. Son site Internet précisait qu'elle exécutait également des commandes.

La jeune femme paraissait libre et sans attaches. Elle menait une vie sans contrainte, nullement régulée par un emploi du temps précis. Elle allait et venait comme bon lui semblait et, d'autant qu'Ash pouvait en juger après quelques jours seulement, c'était un esprit solitaire. Le détective ne l'avait vue qu'en compagnie d'un seul homme, dont Ash supposait tout naturellement qu'il s'agissait de son dom.

Il ne comprenait pas la logique de leur arrangement. Si Jodie avait été avec lui, Ash savait qu'il lui aurait consacré le plus clair de son temps au lieu de la laisser livrée à elle-même. Il avait l'impression que ce type la gardait à sa disposition pour satisfaire des caprices passagers, mais qu'il ne prenait pas cette relation très au sérieux – à moins que ce ne soit la jeune femme qui ne prenne pas cela au sérieux.

N'était-ce qu'un jeu ?

Ash n'était pas du genre à juger les pratiques des autres, mais, pour lui, la domination n'était pas que décorative. Il n'avait pas de temps à perdre avec des femmes qui s'amusaient à jouer les soumises sans y croire et à faire exprès de lui désobéir pour recevoir une punition. Il en avait rencontré une ou deux de ce genre, et il avait vite coupé court à leurs simagrées.

Cela dit, jusque-là, il avait partagé la plupart de ses conquêtes avec Jace. Les deux amis énonçaient leurs règles dès le début et s'y tenaient strictement. Et puis Bethany était arrivée et avait tout chamboulé. Jace ne voulait pas la partager, et Ash le comprenait, même s'il lui avait fallu un peu de temps pour se faire à l'idée. Pourtant, il lui arrivait encore de regretter le lien particulier qu'il avait entretenu pendant si longtemps avec son meilleur ami.

D'un autre côté, Ash se retrouvait enfin seul maître à bord. Il n'avait plus à se préoccuper de ménager son ami ou de respecter d'autres règles que celles qu'il établissait lui-même.

Cette idée ne lui déplaisait pas. Bien au contraire. Les gens se méprenaient souvent à son sujet. En les voyant tous les trois,

Gabe, Jace et lui, beaucoup croyaient voir en lui le plus cool du groupe, le moins rigoureux, le moins exigeant.

C'était une erreur.

Il était sans doute le plus dominateur des trois, même s'il avait muselé ses instincts tant qu'il partageait ses partenaires avec Jace. Il savait que, livré à lui-même, il aurait repoussé les limites bien au-delà de ce que son ami était prêt à accepter. Sans compter qu'il aurait pris les commandes et n'aurait pas laissé Jace exprimer ses propres envies. Il s'était donc maîtrisé, ce qui n'avait pas été très difficile, vu qu'aucune femme n'avait réveillé ses pulsions les plus possessives.

Jusqu'à présent.

C'était parfaitement stupide de sa part. Il ne savait rien de Jodie Carlysle. Certes, il avait appris quelques détails sur sa vie, mais il ne la connaissait pas en personne. Il ignorait complètement quelle serait sa réaction face à ce qu'Ash pourrait lui offrir – à ce qu'il exigerait d'elle.

C'était là le cœur du problème : il était capable de donner beaucoup, mais ce qu'il comptait obtenir en retour dépassait de loin les standards du genre.

Il jeta un nouveau coup d'œil au rapport. Son détective suivait les déplacements de Jodie, pourtant il n'aimait pas l'idée de la savoir seule dans Manhattan. D'ailleurs, son dom savait-il où elle passait ses journées ? Lui offrait-il une certaine protection ? Ou ne se préoccupait-il d'elle que quand il avait envie de la voir ?

Ash réprima un grondement sourd. Il fallait vraiment qu'il se calme. Cette femme n'était pas sous sa responsabilité ; elle ne représentait rien à ses yeux. Pourtant, aussitôt qu'il eut formulé cette idée, il comprit que c'était un mensonge. Elle représentait quelque chose, même s'il ignorait encore ce que c'était.

Son téléphone portable sonna, et il fronça les sourcils en découvrant le nom du contact : il s'agissait justement du détective.

—Ash à l'appareil.

—Monsieur McIntyre, ici Johnny. Je viens d'observer quelque chose qui devrait vous intéresser.

Ash se redressa dans son fauteuil.

—Qu'est-ce qui se passe ? Il lui est arrivé quelque chose ?

—Non, monsieur, mais elle sort tout juste de chez un prêteur sur gages. Elle a vendu des bijoux. J'étais dans la boutique et j'ai entendu leur conversation. Apparemment, elle avait besoin d'argent pour payer son loyer et, quand le type lui a demandé si elle voulait vendre son lot ou le laisser en dépôt, elle a répondu qu'elle préférait vendre parce que, à moins d'un changement radical, elle ne pensait pas avoir les moyens de venir le récupérer de sitôt. Je ne sais évidemment pas à quel changement elle faisait allusion, mais je souhaitais vous informer sans tarder.

Une colère sourde fit trembler Ash. Comment se faisait-il que Jodie soit obligée de vendre des bijoux à un prêteur sur gages ? Si elle était à court d'argent, pourquoi n'en parlait-elle pas à son dom ? Cela faisait partie de ses responsabilités de s'assurer qu'elle ne manque de rien et de la protéger ! Si Jodie avait appartenu à Ash, elle n'aurait pas eu besoin d'aller traîner chez les prêteurs sur gages !

—Achetez ce qu'elle vient de déposer, dit-il d'une voix sèche. Emportez le tout ; je me moque du prix.

—Oui, monsieur.

Ash raccrocha et se laissa aller contre le dossier de son fauteuil, l'esprit en ébullition. Brusquement, il se leva et appela son chauffeur pour lui demander de l'attendre devant l'immeuble.

Il faillit percuter Gabe en sortant dans le couloir.

—Ash ! Tu as une seconde ? cria son ami tandis qu'il s'éloignait sans ralentir.

—Pas maintenant ! lança-t-il par-dessus son épaule. J'ai un truc à régler, mais je te fais signe après. OK ?

—Ash ! insista Gabe.

Ash s'arrêta, bouillant d'impatience, et se retourna vers son ami, qui l'observait d'un air inquiet.

—Ça va, mon pote ?

—Oui, t'inquiète. Mais il faut vraiment que je file. À tout à l'heure.

Gabe acquiesça, mais il ne semblait pas plus rassuré. Pourtant, il était hors de question qu'Ash lui raconte ce qui le préoccupait tant. Gabe avait déjà fort à faire avec son mariage. *Le mariage ! C'est demain !* Gabe avait peut-être besoin de lui parler de détails de dernière minute.

—Tout est prêt pour demain, Gabe ? Mia est contente ? Tu as besoin de quelque chose ?

Gabe sourit.

—Tout va bien. Évidemment, ça ira encore mieux après la cérémonie, quand Mia sera réellement ma femme. On se voit ce soir, de toute façon ? Jace est bien décidé à m'organiser un enterrement de vie de garçon, même si ça n'enchante pas Mia. Je suis à peu près sûr que Bethany n'aime pas cette idée non plus, mais il m'a promis qu'on allait juste boire un verre au *Rick's* et que ces dames n'auraient aucune raison de râler.

Malheur ! Ash était tellement obnubilé par Jodie qu'il avait complètement oublié le mariage de Gabe et son enterrement de vie de garçon.

— Oui, j'y serai sans faute. Vingt heures, c'est ça ? Je vous retrouverai là-bas, Jace et toi.

— OK, à tout à l'heure, conclut Gabe. J'espère que tu vas réussir à régler ton problème urgent.

Clairement, son ami cherchait à lui tirer les vers du nez, mais Ash ne réagit pas. Il appela l'ascenseur, impatient. Il devait se dépêcher s'il voulait arriver à la galerie avant la fermeture.

Ash entra dans la boutique et jeta un coup d'œil alentour. Visiblement, il avait affaire à un commerce d'envergure modeste, qui ne pouvait pas se permettre d'exposer de grands noms. Il s'occupait sans doute de jeunes artistes qui avaient encore toute leur carrière devant eux – pour autant qu'on les remarque.

Une toile accrocha son regard, et Ash sut aussitôt qu'il s'agissait d'une des œuvres de Jodie. Ce tableau était à l'image de la jeune femme : vivant, coloré, lumineux. Ash ressentait sa présence en admirant son travail ; il se rappelait son sourire, ses yeux d'un bleu hypnotique, son parfum… Aucune erreur possible : il s'agissait bien d'elle.

—Puis-je vous aider?

Ash se retourna et aperçut un homme âgé qui lui souriait gentiment. Il portait un costume élimé et des chaussures éculées, et ses lunettes attiraient l'attention sur les rides qui lui barraient le front.

—Jodie Carlysle, déclara Ash sans préambule. Vous exposez ses œuvres?

Le galeriste parut surpris mais ne se départit pas de son sourire.

—Oui, en effet, dit-il en désignant la toile qu'admirait Ash. Elle est douée, mais un peu brouillonne. C'est sans doute pour ça qu'elle ne s'est pas encore fait un nom. Elle a un côté touche-à-tout qui la rend difficile à identifier. Elle n'a pas encore de style reconnaissable, si vous voyez ce que je veux dire.

—Non, je ne vois pas bien, rétorqua Ash, impatient. J'aime beaucoup ce qu'elle fait. C'est tout ce que vous avez d'elle? Cette toile, là?

Le vieil homme écarquilla les yeux.

—Non. Pas du tout. J'ai plusieurs de ses œuvres, mais je n'en prends que quelques-unes à la fois. Je ne dispose pas de beaucoup d'espace et je dois privilégier ce qui se vend. Malheureusement, j'ai dû réduire le nombre de toiles que je lui prenais parce que ça ne partait pas assez bien. Je n'en ai vendu que deux, jusqu'à présent.

—Je les veux toutes. Je vous achète tout ce que vous avez d'elle.

Avant même d'être revenu de sa surprise, le galeriste s'empressa de décrocher le premier tableau qui avait attiré l'attention d'Ash. Il n'aimait pas le cadre dont le vieil homme l'avait affublé et se promit de trouver quelque chose de plus approprié, mais le plus urgent pour lui était d'acquérir toutes les créations de Jodie.

Il ne fallut que quelques minutes au galeriste pour rassembler tous les tableaux et pour se diriger vers le bureau placé près de l'entrée. Là, il s'immobilisa un instant avant de se retourner vers Ash, l'air pensif.

— J'ai encore une de ses œuvres dans la réserve. Elle me l'a apportée avant-hier, et je n'ai pas eu le courage de la refuser. Je venais déjà de lui dire que je ne pourrais rien prendre de plus tant que je n'aurais rien vendu.

— Je la veux aussi, déclara Ash.

— Sans même l'avoir vue ?

— Exactement. Si c'est d'elle, ça m'intéresse.

— Magnifique ! s'écria le galeriste, tout sourires. Elle va être ravie ! Je suis impatient de voir sa réaction quand je vais lui annoncer la nouvelle.

Ash retint d'un geste le vieil homme, alors qu'il s'apprêtait à se rendre dans la réserve.

— Que les choses soient claires : vous lui racontez ce que vous voulez, mais ne lui révélez surtout pas mon identité. Je tiens à ce qu'elle ignore tout de moi. C'est à prendre ou à laisser. Entendu ? Par ailleurs, j'aimerais acquérir toutes les œuvres qu'elle pourrait vous soumettre. Je vous offre le double des tarifs que vous pratiquiez jusqu'à maintenant, à la condition que vous en fassiez autant avec la part qui lui revient. Si vous essayez de l'arnaquer, je finirai par le savoir, alors inutile d'y songer. Voici ma carte : appelez-moi si elle vous apporte d'autres œuvres et mettez-les-moi de côté. Vous n'avez évidemment aucun intérêt à lui refuser quoi que ce soit. Nous sommes d'accord ?

—Euh… bien sûr, monsieur, bredouilla le galeriste. Comme il vous plaira. Je lui dirai uniquement qu'un client a été très impressionné par son travail et a emporté toutes ses toiles. Elle sera enchantée, surtout quand je vais lui annoncer qu'elle peut m'apporter autant de tableaux qu'elle veut.

—Bien.

—Parfait. Je vais à la réserve, je reviens. Voulez-vous emporter vos nouvelles acquisitions ou préférez-vous que je les fasse livrer chez vous ?

—J'emporte ce tableau-ci, déclara Ash en désignant le premier qu'il avait remarqué. Faites livrer le reste à mon adresse.

Le vieil homme acquiesça avant de disparaître dans l'arrière-boutique, dont il revint avec la toile débarrassée de son cadre et soigneusement emballée.

Quelques instants plus tard, Ash lui tendit sa carte bancaire et régla. Il ignorait quelle était la commission que touchait Jodie, mais, vu ce qu'il venait de payer, elle n'aurait pas à se soucier de ses finances pendant quelque temps.

Quant à son avenir… Jodie était loin de se douter de cela, mais Ash était bien décidé à en faire partie intégrante.

Chapitre 3

À 20 h 10, Ash entra dans la salle privée qu'occupaient Gabe et Jace au *Rick's Cabaret*. Les deux amis levèrent la tête à son approche et le saluèrent.

—Salut, mon pote! Qu'est-ce que tu bois? Comme d'habitude? demanda Gabe.

Jace s'installa à côté de lui, et, aussitôt, une serveuse s'approcha avec un sourire aguicheur.

—Alors comme ça vous allez disparaître de la circulation? lança-t-elle à Gabe en posant le coude sur son épaule. Quel dommage!...

Gabe s'abstint de tout commentaire mais jeta un regard appuyé à son épaule, jusqu'à ce que la jeune femme retire son bras avec un soupir. Elle se tourna vers Ash.

—Qu'est-ce qui vous ferait plaisir, ce soir?

Ash n'était pas d'humeur à boire, mais il ne voulait pas gâcher le plaisir de son ami. Après tout, cette soirée marquait la fin d'une époque. Certes, la cérémonie du lendemain ne concernait que Gabe, mais Jace ne tarderait pas à marcher dans ses traces. Après une vingtaine d'années de liberté totale, les trois hommes se retrouvaient en célibataires pour la dernière fois.

Ash était certain que ses amis se sentaient parfaitement libres et heureux dans leurs relations respectives. Il n'avait aucun mal à le croire, connaissant Mia et Bethany. C'étaient des filles formidables.

— Un whisky, s'il vous plaît, dit-il enfin.

— Eh bien, tu vois, ce n'était pas si difficile ! le taquina Jace en riant.

Ash se força à sourire, sans grande conviction. Un instant plus tard, la serveuse revint lui apporter sa commande, et les trois amis levèrent leur verre.

— À Gabe, le premier de nous trois à faire le grand plongeon. Enfin, pour être plus précis, le premier et le deuxième, déclara Ash.

Il avait tendance à oublier que Gabe avait été marié par le passé. Cette histoire n'avait pas duré très longtemps et s'était mal terminée.

Comme Ash s'y attendait, Gabe fit une petite grimace.

— Mia est la seule qui compte.

— Je suis d'accord. Elle éclipse complètement Lisa, renchérit Jace.

— Tu dis ça parce que c'est ta petite sœur ! railla Ash.

— Serais-tu en train d'insinuer que ma sœur n'est pas à la hauteur ? rétorqua Jace en haussant un sourcil.

— Certainement pas ! Gabe se sentirait obligé de me botter les fesses, et ça ferait désordre que le marié se pointe devant l'autel avec un œil au beurre noir.

— Qui te dit que ce serait moi qui aurais un œil au beurre noir ? s'esclaffa Gabe. Je te réduis en miettes quand tu veux, microbe !

Ash éclata de rire et se cala au fond de son fauteuil moelleux.

— Voilà donc à quoi on en est réduits ? À boire un verre bien sagement la veille de ton mariage ?

— Ça se voit que tu n'as pas de femme qui t'attend à la maison, rétorqua Jace. Mia et Bethany n'apprécieraient pas qu'on se livre aux clowneries d'usage pour les enterrements de vie de garçon. Donc, oui, on en est réduits à ça. Désolé.

— De toute façon, on est trop vieux pour ces conneries, renchérit Gabe. Ce n'est pas maintenant qu'on va se comporter comme des étudiants en chaleur qui n'ont jamais vu une fille de leur vie.

— C'est clair ! lança Jace en souriant.

— Présenté comme ça…, convint Ash. Vous croyez qu'on était comme ça, quand on était plus jeunes ?

Gabe éclata de rire.

— Peut-être pas tout à fait, mais tu ne me feras pas croire que tu as oublié nos années de fac. On a passé plus d'une soirée à boire des bières et à emballer des filles – pas forcément dans cet ordre.

—Au moins, je me souviens de toutes les filles avec qui j'ai couché, annonça Jace.

—Ça, c'est parce qu'Ash est là pour te le rappeler, intervint Gabe. Je n'ai pas l'avantage d'avoir un coéquipier pour compenser ma mémoire défaillante, moi. Je n'ai jamais mélangé le sexe et les amis.

—C'est vrai, ça! s'écria Ash. S'il y a un truc qu'on n'a jamais essayé, c'est un ménage à quatre, avec toi.

Jace éclata de rire, et Gabe se joignit à eux.

Quelques verres plus tard, Gabe commença à consulter sa montre de plus en plus régulièrement. Cela amusait grandement Ash de le voir aussi impatient de retrouver sa dulcinée. Ils avaient décidé de ne pas se plier à la tradition qui exigeait que le marié ne voie pas sa promise la veille ou le matin de la cérémonie. Gabe et Mia comptaient bien dormir dans les bras l'un de l'autre et se réveiller ensemble – et, si possible, prendre un peu d'avance sur la lune de miel.

—On ne voudrait surtout pas te retenir, tu sais, railla Ash.

Gabe releva la tête d'un air coupable qui fit rire Jace.

—Au fait, combien de temps va durer votre lune de miel? demanda-t-il lorsqu'il eut retrouvé son sérieux. Tu ne nous l'as pas dit, et je n'ai pas souvenir d'avoir vu tes jours de congé sur le planning, au bureau.

Gabe fronça les sourcils.

—Ah bon ? Pourtant j'ai pris deux semaines entières, et je n'emporte ni mon téléphone ni mon ordinateur avec moi. Vous allez devoir vous débrouiller seuls, comme des grands, mais je vous préviens : si l'entreprise coule en mon absence, je vous botte les fesses.

—Genre ! s'esclaffa Ash. C'est Jace et moi qui faisons tout le sale boulot. Toi, tu te contentes de jouer les patrons.

—Seulement deux semaines ? fit remarquer Jace. Je pensais qu'on ne te verrait pas pendant au moins un mois.

—J'aurais bien aimé, mais pour l'instant deux semaines, c'est déjà bien. J'ai l'intention de prendre des vacances plus souvent, à l'avenir. Il y a plein d'endroits que Mia a envie de découvrir, et je tiens à l'y emmener.

—Tu l'as mérité, mon pote, intervint Ash avec un sourire chaleureux. Sérieusement, ça fait des années que tu te donnes à fond dans ton travail, et tu as déjà un mariage raté derrière toi. Là, tu as trouvé une femme formidable et tu as plus d'argent qu'il n'en faut pour être heureux, alors profite un peu de la vie. Surtout, débrouille-toi pour combler Mia. Elle t'aime de tout son cœur, elle, contrairement à ton ex.

—Ne parlons pas d'elle, si tu veux bien. Je ne voudrais pas gâcher cette soirée, grommela Gabe.

—Tu as raison, renchérit Jace. Où en êtes-vous sur la question des enfants ? Mia t'a convaincu ?

—Elle n'a pas besoin de ça ! rétorqua Gabe. Je ne rajeunis pas, mais je ne voulais pas la brusquer. Je veux être sûr qu'elle soit prête, vous comprenez. Je serais tout disposé à attendre un peu si elle me le demandait, mais elle a envie qu'on ait une famille nombreuse, alors…

— … alors tu t'emploies à faire en sorte que ça arrive le plus vite possible, dit Ash.

Gabe leva son verre en guise de commentaire, et Jace fit une petite grimace avant de boire une grande gorgée.

— Pitié, n'en jetez plus ! Je vous rappelle que c'est de ma petite sœur qu'il s'agit. Je vais déjà devoir me désinfecter les oreilles !

Gabe secoua la tête, et Ash ricana doucement. Soudain, Gabe se rembrunit et regarda ses amis tour à tour.

— Je suis vraiment content que vous soyez là, tous les deux. Ça compte énormément pour Mia mais surtout pour moi. On est amis depuis des années, et il n'y a personne d'autre avec qui je souhaiterais partager ce moment. En ce qui me concerne, ça me suffirait que les seules personnes présentes demain soient Mia et vous deux – et Bethany, bien sûr.

— Quelle éloquence ! Je suis ému, lança Jace avec un sourire amusé.

— Je suis sincère, insista Gabe.

Ash lui donna une tape virile sur l'épaule.

— Félicitations, mon pote. Je suis super heureux pour toi. Prends bien soin de Mia, et tu peux être sûr qu'on sera toujours avec toi, Jace et moi.

Jace acquiesça.

— Ça va mieux, toi ? Tu avais l'air stressé, tout à l'heure.

Ash cilla lorsqu'il comprit que Gabe s'adressait à lui. Il remua sur son fauteuil, mal à l'aise face au regard interrogateur de ses amis.

—Oh, ça va! J'avais un truc à faire, c'est tout.

—Un truc urgent, alors. Tu m'as foncé dedans comme un bolide. Est-ce que je devrais être au courant? Je vais m'absenter pendant deux semaines; alors, si tu as quelque chose à m'annoncer, c'est le moment ou jamais.

—Non, ne t'inquiète pas, c'était une affaire privée, répondit Ash avec calme.

—Oh merde! C'est encore ta famille qui te fait des misères? demanda Jace. Je croyais que tu avais recadré tes parents une bonne fois pour toutes après le dîner avec ton grand-père.

—Non, rien à voir avec eux. Ça fait des semaines que je ne leur ai pas parlé. J'ai vu mon grand-père, je me suis montré patient, puis je leur ai fait comprendre que c'était la dernière fois.

—J'aurais aimé être là pour voir la tronche de tes parents! lança Gabe en riant.

Ash appréciait énormément le soutien de ses amis face à la mesquinerie de sa famille, mais, depuis quelque temps, il avait essayé de leur épargner cela autant que possible. Il ne voulait pas mêler Mia ou Bethany à ces histoires sordides – surtout pas Bethany, que son passé rendait vulnérable.

—Tu es sûr? Parce que, s'ils t'en font baver, tu sais que tu peux compter sur Bethany et moi, lui assura Jace.

— C'est gentil, mais je suis un grand garçon, maintenant ; je sais me défendre tout seul. Et puis, de toute façon, ils se tiennent tranquilles depuis ce fameux dîner. Je vous avoue que je trouve ça un peu suspect, mais bon… Tout ce que je peux faire, c'est rester sur mes gardes.

— Bon, si tout va bien de ce côté-là et que vous me promettez de tenir les rênes de l'entreprise en mon absence, je vais aller retrouver Mia. Plus tôt cette nuit sera passée, plus tôt elle sera ma femme, et plus tôt je pourrai l'emmener en lune de miel.

— Tiens, en parlant de tenir les rênes, intervint Ash avant qu'ils se lèvent, tu ne nous as jamais raconté ce qui s'était passé avec Charles Willis. Tu l'as laissé tomber, mais tu ne nous as donné aucune explication. On a trimé pour sauver le projet parisien, après ça, alors j'aimerais bien comprendre.

Aussitôt, Gabe se rembrunit et pinça les lèvres. Jace lui jeta un regard interrogateur à son tour. Gabe leur avait annoncé que Willis ne lui inspirait pas confiance sans leur donner plus de détails. Quelques semaines après, deux autres investisseurs avaient retiré leur offre, notamment un Texan fortuné dont la défection les avait mis dans l'embarras. Jace et Ash avaient eu fort à faire pour remettre le projet sur les rails et, à l'époque, ils n'avaient pas eu le temps de poser de questions.

— Ce n'était pas l'homme de la situation, tout simplement, répondit Gabe d'une voix grave. Je l'ai compris quand on s'est rencontrés à Paris. Ses choix ne me paraissaient pas fiables, alors j'ai préféré ne pas faire affaire avec lui. C'était une décision stratégique, et je n'ai pas vu l'intérêt de me justifier. On n'avait pas de temps à perdre, l'essentiel était de se remuer pour trouver d'autres investisseurs.

Jace fronça les sourcils, visiblement peu convaincu. Ash n'était pas davantage satisfait par cette explication, mais Gabe leur fit comprendre d'un regard qu'il n'en dirait pas plus. Pourtant, Ash aurait parié que la décision d'écarter Willis n'avait rien de stratégique. Il s'agissait d'un choix personnel. Clairement, il s'était passé quelque chose à Paris pour que Gabe rejette un partenaire potentiel de façon aussi catégorique. Après cela, Willis avait pour ainsi dire disparu de la circulation.

Ash écarta ces réflexions d'un haussement d'épaules. Ils avaient retourné la situation à leur avantage, et c'était tout ce qui comptait. Cela n'aurait servi à rien de revenir là-dessus. C'était du passé.

— Si vous n'avez pas d'autres questions, j'aimerais bien rentrer chez moi et retrouver ma future épouse, annonça Gabe.

Joignant le geste à la parole, il se leva, aussitôt imité par Jace. Ils commençaient vraiment à se faire vieux ! Il n'était même pas 22 heures, pourtant ils pliaient déjà bagages. Ash aurait peut-être fait pareil s'il avait eu une femme qui l'attendait à la maison.

Il sortit du club en compagnie de ses amis et regarda Gabe monter dans sa voiture.

— Je te raccompagne, ou ton chauffeur est dans les parages ? proposa Jace.

Ash hésita un instant. Il n'était pas d'humeur bavarde et redoutait les questions que Jace n'allait pas manquer de lui poser après la remarque de Gabe. Pourtant, s'il refusait l'offre de son ami, ce dernier risquait de se douter qu'il n'était pas dans son état normal. Il décida donc de prendre son mal en patience.

Ils montèrent à l'arrière de la voiture de Jace, et Ash aborda un sujet qui n'allait pas manquer de retenir l'attention de son ami.

—Comment va Bethany?

—Bien! répondit Jace avec un grand sourire. Elle est très impatiente de commencer les cours!

—Et Kingston, qu'est-ce qu'il devient?

Jack Kingston était en quelque sorte le frère adoptif de Bethany. Sa bêtise avait failli coûter la vie à la jeune femme, et il se trouvait à présent en cure de désintoxication. Ash considérait que Jace s'était montré bien trop généreux avec ce naze. Personnellement, il lui aurait volontiers mis des claques jusqu'à ce que mort s'ensuive, mais Jace avait décidé d'épargner Bethany. Il avait obtenu que Jack soit placé en liberté conditionnelle avec mise à l'épreuve en cure de désintoxication plutôt que condamné à une peine de prison.

—On est sans nouvelles de lui, ce qui m'arrange.

—Et Bethany? Elle le vit bien?

Jace poussa un soupir.

—Certains jours mieux que d'autres. Tant qu'elle est occupée, tout va bien, mais dès qu'elle a le temps de cogiter elle s'inquiète pour lui. Elle a beau reconnaître qu'il a mérité ce qui lui arrive, elle l'aime comme un frère, et ça lui fait mal d'imaginer ce qu'il doit traverser.

—Pas facile…, commenta Ash.

—Non, en effet.

Le chauffeur s'arrêta devant l'immeuble d'Ash, et ce dernier fut soulagé que Jace n'ait pas eu le temps de lui poser des questions sur ce qui le tracassait. Il savait pertinemment que, à sa place, il ne se serait pas gêné, et il était d'autant plus content d'avoir esquivé un interrogatoire en règle.

—À demain! lança Jace tandis qu'Ash descendait de voiture.

—Oui! Je ne raterais ça pour rien au monde. Je suis impatient de te voir conduire Mia à l'autel. (Jace sourit, ému.) D'ailleurs, on n'aurait pas dû faire une répétition générale ou un truc dans ce genre?

Son expérience en la matière se limitait au premier mariage de Gabe, des années auparavant, mais il n'ignorait pas que cela se faisait, surtout pour des cérémonies d'une pareille envergure.

Jace éclata de rire.

—Si! C'était hier, mais visiblement tu as oublié. Ce n'est pas grave, cela dit; tu n'avais rien à faire à part rester debout à côté de Gabe. En revanche, attends-toi à ce que Mia te vole dans les plumes. J'ai dû lui raconter que tu étais resté coincé au bureau et que, si tu ne t'étais pas dévoué, Gabe lui-même aurait manqué la répétition. Heureusement, elle m'a cru.

—Quel con! s'écria Ash. Ça m'était complètement sorti de la tête! Cela dit, j'aurais carrément oublié que le mariage avait lieu demain si je n'avais pas croisé Gabe dans le couloir.

—C'est vrai que je ne t'ai pas vu beaucoup, ces derniers temps, fit remarquer Jace avec une pointe de curiosité dans la voix. Tout va bien? Il me semble que la situation est plutôt tranquille côté boulot puisque Gabe s'est employé à boucler tout ce qu'il pouvait avant sa lune de miel. Est-ce qu'il se passe quelque chose dont je devrais être au courant?

—Non, pas du tout. Je suis un peu préoccupé, c'est tout. Rien de grave.

Ash allait refermer la portière lorsque Jace se pencha vers lui.

—Écoute… Je sais que rien n'est plus comme avant depuis que j'ai rencontré Bethany, mais je veux que tu saches que tu fais toujours partie de la famille. Ça, c'est quelque chose qui ne changera jamais.

—Ne t'inquiète pas, je comprends. Ce qui compte plus que tout, c'est que tu sois heureux et que tu rendes Bethany heureuse.

—Tu es sûr que tu ne m'en veux pas? insista Jace. Parce que tu ne sembles pas dans ton assiette en ce moment, et je ne suis pas le seul à l'avoir remarqué.

—Mais non, je ne t'en veux pas! répondit Ash avec un franc sourire. Arrête de te prendre pour ma nounou et va retrouver ta chérie. Je te vois demain – en smoking. C'est bien pour faire plaisir à Mia…

Jace éclata de rire.

— Tu m'étonnes! Je te jure : Bethany et moi, on ira se marier en secret, quelque part.

— Vous avez choisi une date?

Jace et Bethany s'étaient fiancés lors du vingt-quatrième anniversaire de la jeune femme, mais Ash n'en savait pas davantage sur leurs projets précis. Cela dit, il avait réellement la tête ailleurs, depuis quelques jours.

— Non, pas encore. Je préfère que cette histoire avec Jack soit derrière nous avant de remettre le sujet sur le tapis. Une fois qu'il aura fini sa cure et qu'il aura retrouvé une vie saine, j'emmènerai Bethany en voyage, et on se mariera sur une plage.

— Bonne idée! Allez, à demain.

Ash referma la portière et, tandis que le chauffeur redémarrait, il se dirigea vers l'entrée de son immeuble.

Une fois chez lui, il se rendit dans sa chambre, et son regard fut attiré par le tableau que le galeriste était allé chercher dans la réserve – celui qui était encore emballé et qu'il n'avait pas eu le temps d'exposer.

Les autres toiles étaient soigneusement appuyées le long du mur du salon, mais Ash avait rangé celui-là à part pour le contempler à son retour. Pris d'une curiosité fébrile, il défit l'emballage avec mille précautions et retourna le tableau.

— Oh putain!

C'était une œuvre magnifique, provocante et terriblement sexy.

C'était elle.

Ou, plutôt, son tatouage, si l'imagination d'Ash ne le trompait pas. Il n'en avait eu qu'un bref aperçu, mais ce qu'il avait sous les yeux y ressemblait grandement.

Le tableau représentait une femme nue, de profil. Elle avait ramené les bras devant elle pour dissimuler sa poitrine, mais on devinait la courbe d'un sein, discrète mais coquine. Un tatouage représentant une liane fleurie aux couleurs vives serpentait le long de son corps et épousait sa hanche avant de disparaître entre ses jambes.

Le motif continuait sans doute à l'intérieur de sa cuisse, et Ash mourait d'envie de savoir s'il s'agissait effectivement du tatouage de Jodie. Il aurait donné n'importe quoi pour pouvoir en tracer les contours fins et fluides du bout des doigts – puis du bout de la langue.

Il contempla longuement le tableau pour en retenir les moindres détails. Le galeriste avait été bien bête de ne pas exposer cette toile. L'avait-il seulement regardée ? Elle était d'un érotisme torride tout en demeurant d'une exquise pudeur.

Les longs cheveux blonds du modèle ondulaient dans son dos, comme animés par une brise invisible, et elle avait refermé une main sur le bras qui couvrait sa poitrine d'un geste protecteur. Sa silhouette et sa pose étaient d'une délicatesse toute féminine, et d'une telle beauté qu'Ash en avait presque mal.

Il était bel et bien obnubilé par une femme qu'il n'avait rencontrée qu'une seule fois – et ce tableau n'allait pas arranger son affaire.

Il résolut de le faire encadrer dès le lendemain et de l'accrocher au-dessus de son lit afin de le voir chaque fois qu'il entrerait dans sa chambre. Ou, mieux, de l'exposer sur le mur opposé. Comme ça, ce serait la première chose qu'il verrait en se réveillant le matin, et il s'endormirait en l'admirant.

OK, il était plus qu'obnubilé ; il était complètement obsédé par cette fille. Il fallait absolument qu'il se ressaisisse.

Johnny avait promis de lui apporter les bijoux qu'il avait récupérés chez le prêteur sur gages le surlendemain, puisque l'entreprise serait fermée le lendemain en l'honneur du mariage de Gabe. Ash n'avait pas encore réfléchi à la façon dont il comptait s'y prendre pour les rendre à la jeune femme. Il aurait pu les lui envoyer par la poste, tout simplement, mais cela impliquait qu'il ne la verrait pas. Or il avait la ferme intention de la revoir, et le plus tôt serait le mieux.

Chapitre 4

Le lendemain du mariage de Gabe et de Mia, Ash était assis à son bureau et examinait l'écrin contenant les bijoux que Jodie avait vendus pour payer son loyer. Il les souleva un à un avant de les reposer doucement sur le tissu soyeux.

Il n'avait pas besoin d'être un expert en la matière pour reconnaître qu'il s'agissait de pièces de qualité, et de facture ancienne. L'ensemble valait bien plus que ce que le prêteur sur gages avait donné à Jodie, et, vu ce qu'Ash avait dû débourser pour récupérer le tout, cet escroc le savait pertinemment.

Ash n'aimait pas du tout imaginer le désespoir qui avait dû pousser la jeune femme à faire une chose pareille – à vendre des bijoux de valeur pour une somme ridicule juste parce qu'elle n'avait plus le choix. Il comptait bien lui redonner ce choix, mais ce serait sans doute le seul qu'il lui laisserait. Pour le reste, ce serait lui qui déciderait.

Il n'ignorait pas que cela faisait de lui un connard arrogant, mais il s'en moquait. C'était dans sa nature de savoir ce qu'il voulait, et il voulait Jodie. Il ne lui restait plus qu'à lancer l'offensive.

Soudain, son interphone sonna, et il sursauta, agacé.

— Monsieur McIntyre, votre sœur demande à vous voir, annonça Eleanor, la réceptionniste, d'une voix qui trahissait une irritation certaine.

Personne n'ignorait la nature des sentiments qu'Ash nourrissait pour sa famille. Eleanor travaillait pour eux depuis toujours et n'appréciait sans doute pas d'avoir à le déranger avec une nouvelle de ce genre.

Qu'est-ce qui pouvait bien amener Tiffany dans ses bureaux ? Sa mère l'avait-elle envoyée faire son sale boulot à sa place ? Ash sentit son sang s'échauffer, et s'en voulut de réagir ainsi aux provocations de sa famille.

— Faites-la entrer, dit-il d'une voix sèche.

Il ignorait ce que sa sœur lui voulait, mais il n'avait pas l'intention que cela sorte des murs de son bureau. Il allait lui accorder cinq minutes, écouter ce qu'elle avait à lui dire, puis la renvoyer poliment mais fermement en lui faisant comprendre qu'elle n'était pas la bienvenue sur son lieu de travail. Aucun membre du clan McIntyre n'avait encore mis les pieds dans les locaux de HCM. En général, ils se contentaient de déverser leur venin lors de réunions de famille.

En venant lui rendre visite au siège de son entreprise, ils auraient été obligés de reconnaître sa réussite professionnelle au lieu de traiter celle-ci comme un vilain secret dont il valait mieux ne pas parler. Cela les aurait confrontés au fait qu'il n'avait pas besoin d'eux – de leur fortune ou de leur influence. Ils n'allaient certainement pas tenter une expérience aussi désagréable.

—Entrez! lança-t-il lorsqu'on frappa discrètement.

La porte s'ouvrit lentement, et sa sœur entra, le visage empreint d'une appréhension qui confinait à la terreur.

—Ash? Tu as une minute, s'il te plaît? demanda-t-elle d'une voix douce.

Tiffany était une copie conforme de leur mère, une femme dont la fascinante beauté avait été peu à peu gâchée par sa laideur intérieure. Lorsque Ash regardait sa mère, il ne voyait que son esprit calculateur et avide. Il la croyait incapable d'aimer une autre personne qu'elle-même et ne comprenait toujours pas pourquoi elle avait eu des enfants – à plus forte raison, quatre.

À part Tiffany, Ash avait deux frères qui marchaient allégrement sur les traces de leurs parents. Tiffany était la plus jeune et approchait de la trentaine – à moins qu'elle n'ait déjà franchi ce cap. Ash ne s'en souvenait plus et n'en éprouvait pas la moindre tristesse. Sa sœur était entièrement sous la coupe de sa mère, peut-être même plus que ses frères.

Alors que Tiffany venait tout juste de terminer ses études, leur mère l'avait mariée à un homme plus âgé qu'elle, riche et influent, comme il se devait. Quand ils avaient divorcé à peine deux ans plus tard, Mme McIntyre avait accusé sa fille d'être seule responsable de cet échec. Pourtant, l'enquête qu'Ash avait menée discrètement avant le mariage lui avait appris que son futur beau-frère n'était pas franchement quelqu'un de fréquentable.

Il avait essayé d'alerter sa sœur et de la prévenir que Robert Hanover n'était pas l'homme qu'elle croyait connaître, mais Tiffany s'était soumise à la volonté de leur mère.

Au moins, elle avait eu le courage de mettre un terme à cette union, ce qui avait surpris Ash à l'époque.

— Qu'est-ce qui t'arrive ? demanda-t-il d'une voix neutre.

Il lui fit signe de prendre place en face de lui, et elle s'assit au bord de la chaise, visiblement très mal à l'aise.

— J'ai besoin de ton aide, avoua-t-elle dans un souffle.

— Ah bon ? fit-il en haussant un sourcil. Et pourquoi ? Tu t'es fâchée avec notre très chère mère ?

Tiffany lui lança un regard peiné.

— Arrête, Ash. S'il te plaît ! Je sais que j'ai mérité tes railleries et ton mépris. J'ai mérité pas mal de choses, mais je veux me sortir de là, et c'est pour ça que j'ai besoin de ton aide. Je ne suis pas fière de venir te supplier comme ça, mais je n'ai personne d'autre vers qui me tourner. J'ai pensé à demander l'aide de grand-père, mais il risquerait de mettre maman au courant. Tu es son préféré ; il ne nous supporte pas, nous autres.

Ash fut surpris – et un peu ému – par la sincérité avec laquelle parlait sa sœur. Il se pencha vers elle en fronçant les sourcils.

—Qu'est-ce que tu veux dire exactement par «je veux me sortir de là», Tiffany?

—Je voudrais échapper à l'influence de notre famille, répondit-elle d'une voix tremblante. De toute notre famille.

—Pourquoi? Qu'est-ce qu'ils t'ont fait?

Tiffany secoua la tête.

—Rien… Enfin, rien de pire que d'habitude. Tu les connais aussi bien que moi, Ash. Si tu savais combien je t'envie! Depuis toujours. Tu les as envoyés paître et tu as fait ta vie comme bon te semblait. Moi, tout ce que j'ai fait, c'est épouser un homme que ma mère avait choisi pour moi, faire de mon mieux pour que ça marche et échouer lamentablement. Je n'ai pas obtenu de pension alimentaire lors du divorce, et ça m'était bien égal parce que je ne pensais qu'à retrouver ma liberté, mais je me retrouve dépendante de papa et de maman, une fois de plus. Sauf que, comme tu t'en doutes, ils ne me donnent rien sans contrepartie, et je n'en peux plus de cette situation. C'est infernal! J'ai trente ans et je n'ai rien du tout: ni argent ni travail… J'ai l'impression que même ma vie ne m'appartient pas!

La gorge d'Ash se serra lorsqu'il perçut le désespoir dans la voix de sa sœur. Il ne comprenait que trop bien ce qu'elle ressentait. Il aurait très bien pu se trouver dans la même position intenable. C'était sans doute le cas de ses frères. Cela lui faisait mal au cœur de voir les cernes sous les yeux de Tiffany et son allure abattue. Il regrettait presque l'époque où elle arborait la même expression hautaine que leur mère.

—Qu'est-ce que tu comptes faire? demanda-t-il d'une voix douce.

—Je n'en ai aucune idée. C'est pathétique, hein? Je ne sais même pas par où commencer. Je suis venue te voir parce que je n'avais personne d'autre à qui me confier. Mes amis… Disons que ce ne sont pas de vrais amis. Ils étaient super tant que tout allait bien, mais j'ai compris que je ne pouvais pas compter sur eux en cas de coup dur.

—Ne t'inquiète pas, je vais t'aider, déclara Ash avec calme. Jace est propriétaire d'un appartement que personne n'occupe en ce moment. C'est là que Mia habitait avant d'emménager avec Gabe, et, plus récemment, la fiancée de Jace y a passé quelque temps, mais il est de nouveau libre. Je suis sûr qu'il ne verrait pas d'inconvénient à me le vendre ou, du moins, à me le louer le temps qu'on te trouve une situation un peu plus stable.

Tiffany écarquilla les yeux, médusée.

—Tu m'as bien dit que tu n'avais pas de travail? demanda-t-il.

Elle rougit et baissa la tête sans répondre.

—Je ne te juge pas, Tiffany. Si je te pose cette question, c'est pour savoir de quoi tu as besoin exactement.

Elle poussa un soupir.

—Non, je n'ai pas de travail. Depuis mon divorce, je vis chez papa et maman. J'aimerais bien travailler, mais je ne sais rien faire.

—Ne dis pas ça! rétorqua Ash. Tu es intelligente et tu as une licence de droit, ce n'est pas rien. En plus, je suis sûr que tu as plein de compétences que tu ignores. Ton seul problème, c'est que tu as peur de te confronter au monde réel.

La jeune femme acquiesça lentement.

—Je peux facilement te trouver un emploi dans un de nos hôtels, mais je te préviens : tu n'auras pas de traitement de faveur. Si tu ne fais pas ton travail sérieusement, tu risques de le perdre, et je ne pourrai rien pour toi.

—Je comprends bien et je te remercie, Ash. Je ne sais pas quoi te dire. On a été horribles avec toi, moi la première, murmura-t-elle, les yeux brillants de larmes. Ils t'en veulent parce qu'ils n'ont aucun contrôle sur toi. Jusqu'à présent, je leur avais toujours obéi, mais, maintenant que j'ai décidé de m'affranchir de leur influence, ils vont s'en prendre à moi aussi.

Ash tendit le bras et lui prit gentiment la main.

—Tu n'as pas besoin d'eux, Tiffany. Tu es jeune et intelligente, tu as la vie devant toi. Tu as besoin d'un petit coup de pouce pour démarrer, mais je suis sûr que tu vas très bien te débrouiller. En revanche, tu as raison de te méfier d'eux. Maman est une vraie vipère, elle ne reculera devant rien pour te faire payer ta décision de lui échapper.

—Merci, Ash. Je te revaudrai ça, je te le promets.

Il lui serra doucement la main.

—Commence par vivre ta vie, sans te laisser abattre par cette bande de rapaces mesquins. Je ferai tout ce qui est en mon pouvoir pour te protéger de leurs attaques, mais tu vas devoir être forte. Malgré tout, ça me fait plaisir qu'on se retrouve, toi et moi, tu sais.

—Oui! À moi aussi, dit-elle en refermant ses deux mains sur celles de son frère, les yeux brillants.

—Je vais appeler Jace au sujet de l'appartement. S'il n'est pas libre, on contactera une agence immobilière. Est-ce que tu veux que je t'accompagne chez les parents pour récupérer tes affaires?

Tiffany secoua la tête.

—J'ai déjà tout emporté. Il s'agissait juste de mes vêtements, de toute façon. Je suis venue en taxi et j'ai pris mes valises avec moi. Elles sont à la réception. Je ne sais pas vraiment ce que j'aurais fait si tu avais refusé de me voir.

—OK, je vais appeler Jace, puis on va aller chercher tes affaires. Pour ce soir, je vais t'installer dans une chambre de notre hôtel. À mon avis, les placards de l'appartement doivent être complètement vides. Je vais m'occuper de ça ce soir et te donner un peu de liquide pour que tu puisses tenir jusqu'à ta première paie. Prends un jour ou deux pour t'installer. Quand tu reviendras me voir, j'aurai un emploi à te proposer.

Brusquement, elle se leva et vint se jeter dans ses bras. Il la serra contre lui en souriant.

—Tu es le meilleur, Ash. Tu m'as tellement manqué! Si tu savais comme je m'en veux pour la façon dont je t'ai traité! Tu aurais tout à fait le droit de me mettre à la porte et de ne plus jamais vouloir me parler. Je n'oublierai jamais ce que tu viens de faire pour moi. Jamais!

Il rit doucement en percevant la chaleur dans sa voix et attendit patiemment qu'elle le lâche. En se levant ce matin-là, il n'aurait jamais imaginé voir sa sœur débarquer dans son bureau pour renouer avec lui. Gabe et Jace n'allaient pas en revenir quand il leur annoncerait la nouvelle – ce qui, dans le cas de Gabe, devrait attendre deux semaines.

Jace considérerait sans doute qu'il avait perdu la tête, mais tant pis. Malgré son histoire compliquée avec le reste de sa famille, il ne pouvait se résoudre à tourner le dos à sa petite sœur. Peut-être serait-ce l'occasion pour eux de retrouver une relation normale et affectueuse ? Cela ne lui faisait pas plaisir d'être en froid avec ses parents, mais ces derniers ne lui avaient pas laissé le choix. Il aurait voulu profiter de ce qui paraissait naturel à la plupart des gens : une famille unie par des liens solides et un amour inconditionnel.

Il avait trouvé cet équilibre précieux avec Gabe et Jace, puis avec Mia et Bethany, qui s'étaient ajoutées récemment à leur clan, mais il n'avait jamais connu ce réconfort au sein du clan McIntyre. Tiffany allait peut-être réussir à changer la donne. Certes, il ne s'attendait pas à reformer une heureuse petite famille avec ses parents et ses frères, mais il serait déjà heureux de renouer des liens avec sa sœur.

—Je vais appeler mon chauffeur pour qu'il vienne t'aider avec tes valises et qu'il te conduise à l'hôtel. Je vais également demander à Eleanor de te réserver une chambre dès maintenant, comme ça elle sera prête quand tu arriveras. Détends-toi, passe une soirée tranquille, et demain on t'installe dans un appartement. OK ?

De nouveau, elle lui passa les bras autour du cou avec une affection qui le fit sourire. Quand elle s'écarta, il vit qu'elle essuyait une petite larme.

—Merci, Ash. Tu n'imagines pas à quel point ça me rassure de savoir que tu m'aides. Ça change tout. Je te revaudrai ça, un jour.

—Je te l'ai déjà dit : la meilleure façon de me remercier, c'est d'être heureuse et de ne pas laisser les parents te miner le moral. Je suis sérieux, Tiffany : maman ne va pas te laisser filer sans rien dire. Si jamais elle essaie de te faire culpabiliser, viens m'en parler, et on s'en occupera ensemble.

Tiffany sourit faiblement puis se dirigea vers la porte, où elle s'arrêta un instant, la main sur la poignée.

—Je t'ai toujours admiré, tu sais. Pour être tout à fait honnête, j'étais un peu jalouse de toi. Papa et maman ont essayé de ternir ton nom, mais je sais que rien de ce qu'ils racontent n'est vrai. Je leur en veux terriblement pour tout ce qu'ils t'ont fait subir. Mais le pire, c'est que je m'en veux de m'être laissé entraîner dans leurs combines.

—Ils ne méritent pas que tu gaspilles de l'énergie à nourrir du ressentiment, rétorqua Ash doucement. C'est encore leur accorder trop d'importance – trop de pouvoir. Je suis bien placé pour savoir que ça ne va pas être facile, mais tu dois t'affranchir de leur influence.

Elle hocha la tête avec un sourire timide.

—À demain, alors. Est-ce que ça te dirait, quand je serai installée, que je nous prépare à dîner pour tous les deux ?

—Oui, ça me ferait plaisir, dit-il avec un sourire sincère. Passe une bonne soirée, Tiffany, et n'hésite pas à m'appeler si tu as besoin de quelque chose.

Aussitôt qu'elle eut refermé la porte derrière elle, il appela Eleanor et lui donna toutes les instructions nécessaires.

Quelle journée ! Il n'était pas mécontent de découvrir que Tiffany n'était pas la petite fille docile que sa mère avait cru former à son image, même s'il lui avait fallu du temps pour trouver le courage de s'affirmer. Leurs deux frères aînés ne l'avaient jamais eu, quant à eux. Ash n'avait guère de respect pour eux. La quarantaine bien tassée, ils étaient toujours incapables de subvenir aux besoins de leurs familles respectives et comptaient sur la fortune héritée de leur grand-père. Ash n'avait que très rarement eu l'occasion de rencontrer ses neveux et nièces, et ne savait rien de ses belles-sœurs, sinon qu'elles avaient épousé des hommes faibles.

Heureusement, il avait échappé à ce triste sort, et Tiffany aussi. Il se promit de tout faire pour l'empêcher de retomber dans le piège.

Elle n'aurait peut-être pas la force nécessaire pour échapper aux griffes de leur mère, mais, si c'était réellement ce qu'elle voulait, alors il l'aiderait de son mieux. Elle était jeune, belle et intelligente. Certes, elle avait commis quelques belles erreurs par le passé, mais elle avait encore largement le temps de retrouver le droit chemin – et le bonheur.

Après tout, personne n'était à l'abri d'une ou deux belles bourdes, et tout le monde méritait la chance de se racheter.

Il espérait seulement que Tiffany aurait le courage d'aller jusqu'au bout de sa démarche.

Il ouvrit le tiroir où il avait rangé en vitesse l'écrin à bijoux quand Eleanor lui avait annoncé la venue de Tiffany. Il effleura du doigt l'arête de la boîte, pensif.

À présent qu'il avait réglé la situation de Tiffany, il était temps pour lui de se consacrer à sa préoccupation première.

Jodie.

Chapitre 5

—Quoi ?! Vous les avez déjà vendus ?

Jodie perçut la note de panique dans sa voix. Elle était venue récupérer les bijoux de sa mère, qu'elle avait déposés chez un prêteur sur gages quelques jours auparavant.

—Oui, je les ai vendus, répondit-il calmement. Ils ont plu à un client, et il les a tous achetés.

Jodie se tordit les mains, éperdue.

—Est-ce que vous pourriez me donner son nom ? Ou son adresse ? J'aimerais les racheter.

—Mademoiselle Carlysle, je vous ai proposé de me les laisser en dépôt, mais vous avez insisté pour les vendre, lui rappela l'homme avec patience. Je ne peux pas vous aider.

—Oui, mais la commission que vous me proposiez pour vous les laisser en dépôt n'était pas suffisante, protesta Jodie. J'avais besoin de payer mon loyer, ça ne pouvait pas attendre, mais la situation a changé. J'ai eu une rentrée d'argent. Il faut absolument que je récupère les bijoux de ma mère ! C'est tout ce qui me reste d'elle. C'est ma grand-mère qui les lui avait offerts. Oh, quelle galère ! Je n'en reviens pas que vous les ayez vendus aussi vite !

L'homme la regarda d'un air compatissant, mais ne fit pas de commentaire. Jodie eut la certitude qu'il la prenait pour une folle.

— Est-ce que vous pouvez me donner les coordonnées de l'acheteur, s'il vous plaît ? plaida-t-elle, au désespoir.

— Vous savez bien que je n'ai pas le droit, répondit-il sans méchanceté.

Elle se passa une main sur le visage, fébrile. Si seulement elle avait attendu un jour de plus ! Cela dit, elle n'aurait jamais pu prévoir qu'un inconnu allait entrer dans la galerie et tomber amoureux de ses œuvres au point de les rafler toutes d'un coup, à un prix supérieur à ce qu'en demandait le marchand. C'était complètement fou ! Elle était ravie de cette aubaine, évidemment, mais elle ne pouvait s'empêcher de se dire que, si elle avait attendu ne serait-ce qu'un jour, elle n'aurait pas eu besoin de confier les bijoux de sa mère au prêteur sur gages et qu'elle ne serait pas en train de s'arracher les cheveux au milieu de la boutique.

— Pourriez-vous au moins contacter le vendeur et lui donner mon numéro de téléphone ? Dites-lui que je suis prête à payer le double de ce que les bijoux lui ont coûté, mais que je tiens absolument à les récupérer. S'il vous plaît…

L'homme poussa un soupir et lui tendit un bloc-notes et un stylo.

— Je ne peux rien vous promettre, mais laissez-moi vos coordonnées, et je ferai ce que je peux. Normalement, une fois que c'est vendu, c'est vendu, vous savez. Il faut prendre ses responsabilités quand on décide de se séparer d'un bien.

— Oui, je sais, bredouilla Jodie tout en notant son nom et son numéro de téléphone. Je suis bien consciente que vous avez seulement fait votre travail. C'est ma faute, j'aurais dû me montrer plus patiente. En tout cas, c'est très gentil à vous.

L'homme haussa les épaules.

— Encore une fois : je veux bien l'appeler, mais je ne vous promets rien.

— Merci ! souffla-t-elle avant de sortir de la boutique, le cœur lourd.

Elle aurait dû bondir de joie, pourtant. Ses œuvres s'étaient vendues ! Toutes d'un coup ! Et M. Downing lui avait demandé d'apporter toutes les créations qu'elle voulait. Elle ne savait rien de l'homme qui avait acquis ses toiles, à part le fait qu'il appréciait son style et semblait attendre ses prochains tableaux avec impatience.

La journée aurait donc été parfaite si les bijoux de sa mère n'avaient pas disparu. Jodie ne savait même pas si elle les reverrait un jour. Elle était tellement heureuse lorsque M. Downing lui avait remis son chèque. Elle avait cru rêver en voyant le montant : elle avait de quoi payer son loyer et ses factures, et de quoi se nourrir pendant plusieurs mois.

Cela lui laisserait le temps de produire de nouvelles œuvres qu'elle pourrait exposer à la galerie. Mais, surtout, elle avait cru pouvoir racheter les bijoux de sa mère, même si elle devait payer le prix fort.

Elle s'était rendue chez le prêteur sur gages aussitôt qu'elle avait encaissé le chèque, en se promettant de ne plus jamais se séparer de ce précieux héritage.

Sauf qu'elle était arrivée trop tard : les bijoux lui avaient échappé et, avec eux, le dernier souvenir tangible qui lui restait de sa mère.

Une fois sur le trottoir, elle hésita un instant avant de partir à droite. Aussitôt, elle se trouva nez à nez avec un visage familier et cilla, surprise de reconnaître l'homme qu'elle avait rencontré dans le parc quelques jours auparavant. Lui, en revanche, ne semblait pas étonné du tout. Au contraire, aussi absurde que cela puisse paraître, on aurait dit qu'il l'attendait.

—Jodie, murmura-t-il.

—Euh… bonjour, bredouilla-t-elle.

—Je crois que je suis en possession de quelque chose qui vous revient.

Il sortit de sa poche un écrin qu'il ouvrit avant de le lui présenter. Elle jeta un coup d'œil au contenu et crut que son cœur allait cesser de battre.

Puis elle leva vers lui un regard interrogateur.

—D'où sortez-vous ça ? Je ne comprends pas… Comment saviez-vous que ça m'appartenait ?

Il sourit, mais ses yeux verts demeurèrent très sérieux.

—J'ai acheté ces bijoux aussitôt que vous les avez mis en vente. Étant donné que vous ressortez de chez le prêteur sur gages, je suppose que vous aimeriez les récupérer.

—Oui, évidemment que j'aimerais les récupérer, mais vous n'avez pas répondu à ma question.

Il haussa un sourcil.

—Si, je viens de vous le dire : je les ai achetés dès que vous les avez confiés à cette boutique.

Jodie secoua la tête d'un geste impatient, et c'est alors qu'il remarqua qu'elle ne portait rien à son cou. Ce constat le fit sourire, et, aussitôt, la jeune femme porta la main à sa gorge.

Le large collier avait laissé une marque de bronzage sur sa peau, ce qui semblait indiquer qu'elle l'avait porté longtemps.

—Ça ne m'explique pas comment vous avez su que ces bijoux m'appartenaient, insista-t-elle.

—Vous tenez tant à le savoir ? demanda-t-il doucement.

—Oui ! Vous m'avez suivie ?

—Pas personnellement, non.

—J'en déduis que vous m'avez fait suivre par quelqu'un d'autre… C'est censé me rassurer ? Parce que je trouve ça flippant, à vrai dire.

—Est-ce que vous voulez récupérer vos bijoux ? Oui ou non ?

—Bien sûr que oui ! s'écria-t-elle, irritée. Combien en demandez-vous ?

—Je ne veux pas d'argent.

Elle recula d'un pas sans le quitter des yeux, méfiante. Ils avaient beau se trouver dans une rue passante en pleine journée, cela ne l'aiderait pas beaucoup si elle avait affaire à un fou furieux.

— Qu'est-ce que vous voulez, alors ?

— Qu'on dîne ensemble. Ce soir. J'apporterai les bijoux et je vous les remettrai à ce moment-là. Tout ce que je vous demande en échange, c'est votre compagnie pour la soirée.

— Pas question, décréta-t-elle en secouant la tête. Je ne vous connais pas. Je ne sais rien de vous.

— Justement, répliqua-t-il avec un sourire patient. Si on dîne ensemble, vous aurez l'occasion d'apprendre à me connaître. Et vice versa.

— Clairement, vous en savez déjà pas mal à mon sujet, rétorqua-t-elle sèchement. Trop à mon goût.

— Pourquoi ne portez-vous pas votre collier ?

De nouveau, son regard s'attarda sur sa gorge, et elle se sentit extrêmement vulnérable. Elle avait l'impression d'être mise à nu.

Elle posa sa main à la base de son cou, comme pour se protéger.

— Ça ne vous concerne pas, répondit-elle à voix basse.

— J'ai bien l'intention que ça change.

Elle écarquilla les yeux.

— Vous croyez vraiment que je vais accepter de dîner avec vous ? Vous m'avez fait suivre comme un pervers, vous me posez des questions intimes et vous utilisez les bijoux de ma mère pour essayer de me faire du chantage !

—Ah, donc ils appartenaient à votre mère, fit-il remarquer d'une voix douce. Vous devez beaucoup y tenir.

Une douleur fulgurante lui coupa le souffle, et il lui fallut quelques secondes pour se ressaisir.

—Évidemment, murmura-t-elle. J'étais dégoûtée de devoir les vendre… Si seulement j'avais attendu un jour de plus ! Mais, maintenant, il faut que je les récupère. C'est le seul souvenir qui me reste d'elle. Dites-moi combien vous les avez payés, et je vous rembourserai. Je vous en prie.

—Je vous le répète : je ne veux pas de votre argent, Jodie. Je vous demande simplement quelques heures de votre temps. Un dîner, dans un restaurant, sans autre contrainte. J'apporte les bijoux, et vous repartez avec eux.

—Et après ? Vous promettez de me laisser tranquille ?

—Non. Ça, je ne peux pas le promettre, répondit-il d'une voix douce. Quand je veux quelque chose, je n'abandonne pas facilement. Si je baissais les bras au moindre obstacle, je n'aurais pas beaucoup de succès dans la vie.

—Vous ne me connaissez même pas ! s'écria-t-elle, agacée. Je refuse de croire que vous me vouliez. C'est absurde ! Vous ne savez rien de moi ! Enfin, rien d'important…

—D'où l'intérêt d'aller dîner ensemble.

Malgré le calme qu'il affichait, elle devinait qu'il était sur le point de perdre patience. Ses yeux lançaient des éclairs, même si le ton de sa voix demeurait posé. De toute évidence, cet homme avait pour habitude d'obtenir ce qu'il désirait. Ce qu'elle ne comprenait pas, en revanche, c'était comment il pouvait la vouloir, elle.

Ce type ne devait avoir aucun mal à trouver des compagnes. Au contraire, il était sans doute obligé de repousser des candidates. Il était riche, cela crevait les yeux. Il portait ses vêtements faits sur mesure avec cette confiance – cette arrogance! – que lui donnait sans doute la certitude que rien ne lui résistait jamais.

Jodie ne considérait pas l'arrogance comme une qualité, et pourtant elle devait admettre que cela lui allait comme un gant. Il la portait avec autant d'élégance que son luxueux costume. Par ailleurs, il y avait quelque chose dans son regard qui la touchait profondément. Elle avait déjà ressenti cela la première fois qu'ils s'étaient rencontrés. Son estomac avait fait un bond quand elle l'avait vu approcher, et elle s'était prise à désirer des choses qu'elle n'aurait même jamais envisagées auparavant.

C'était sans doute pour cela qu'elle lui en voulait tant : il avait déboulé dans sa petite existence bien ordonnée et y avait flanqué la pagaille. Enfin, son existence n'était pas ordonnée au sens strict du terme, mais Jodie aimait sa vie tranquille et libre de toute routine. Elle était bien dans sa peau et savait parfaitement où elle allait. Jusqu'à ce qu'elle croise cet inconnu au parc et qu'il réveille des doutes et des questions dont elle se serait bien passée.

La vie avec cet homme ne serait jamais tranquille, Jodie en avait la certitude viscérale. Si elle le laissait entrer dans son intimité, il bouleverserait son univers. Il était évident qu'il aimait exercer un contrôle absolu. Cela se voyait à sa façon de se tenir et de s'exprimer. Il avait tout de suite compris la portée de son collier et semblait avoir une longue expérience du style de vie que ce bijou indiquait.

Pourtant, Jodie devinait qu'il ne serait pas du tout comme Michael, et cela l'effrayait autant que cela l'intriguait. Elle était franchement curieuse – inutile de le nier. De même qu'il était inutile de nier que c'était à cause d'Ash qu'elle avait cessé de porter le collier de Michael.

Et voilà que cet homme se tenait justement devant elle et qu'il exigeait qu'elle dîne avec lui, en échange de quoi il lui remettrait les bijoux de sa mère. Évidemment, son regard lui promettait bien plus…

Elle n'était pas du genre à se voiler la face. Elle avait immédiatement ressenti une attirance pour ce type et savait que c'était réciproque. L'intérêt qu'il lui manifestait était aussi intense qu'inexplicable. Quant à savoir combien de temps il durerait… Dans l'expérience de Jodie, les femmes comme elle ne retenaient jamais bien longtemps l'attention des hommes comme lui. Elle n'avait aucune envie de remplir le rôle d'amusement temporaire – de défi à surmonter, puis à oublier.

—Alors, ce dîner ?

Elle soupira et baissa les yeux vers l'écrin qu'il tenait toujours à la main. Elle tenait absolument à récupérer ce bien si précieux à ses yeux. Elle aurait dû être soulagée qu'il ne lui demande pas d'argent en échange. La somme qu'elle avait touchée grâce à la vente de ses œuvres allait lui permettre de vivre tranquillement pendant plusieurs mois, mais elle ne savait pas ce que l'avenir lui réservait au-delà. Pourtant, elle regrettait presque qu'il n'ait pas énoncé un prix, en échange duquel elle aurait pu repartir avec les bijoux. Sortir de sa vie. Éviter cet homme qui risquait de tout chambouler.

Il n'exigeait qu'une soirée. Un sage dîner au restaurant. Ce ne serait pas la première fois, après tout, et elle pourrait toujours lui faire comprendre qu'elle ne souhaitait pas le revoir.

—Bon, d'accord, accepta-t-elle dans un souffle. Où et quand ?

—Je viens vous chercher à 19 heures.

—Non, on se retrouve au restaurant. Donnez-moi simplement l'heure et l'adresse.

Il rit doucement.

—Vous aimez vous compliquer la vie, on dirait. Soit. Je cède pour cette fois, mais je vous préviens : ce sera sans doute la dernière.

—Si c'est censé m'inspirer confiance, c'est raté, rétorqua-t-elle en plissant les yeux.

—Je joue franc-jeu, c'est tout.

—Où et quand ?

—Au *Bentley Hotel*, sur Union Square, à 19 h 30, répondit-il d'une voix suave. Je vous attendrai dans le vestibule.

—Et vous apporterez les bijoux ?

Il jeta un coup d'œil à l'écrin qu'il tenait à la main avant de reporter son attention sur la jeune femme avec un demi-sourire.

— Si j'étais sûr que vous veniez ce soir, je vous les donnerais dès maintenant. Je n'ai nullement l'intention de vous priver de quelque chose qui a tant de valeur pour vous. Cela dit, si c'est ce qu'il faut pour vous décider, je les garde encore un peu. Mais je les apporterai ce soir, sans faute. Je tiens toujours mes promesses, Jodie. On dîne ensemble, et vous récupérez vos bijoux, quoi qu'il arrive.

Elle poussa un soupir de soulagement.

— D'accord. À ce soir, alors.

Il tendit le bras et lui effleura la joue.

— Je suis impatient, Jodie. Nous avons beaucoup de choses à nous dire.

Tout en parlant, il laissa glisser ses doigts jusqu'au creux de sa gorge, là où se trouvait sa marque de bronzage. Elle comprit sans mal la portée de ce geste : il voulait savoir quel était son statut et pourquoi elle ne portait plus son collier.

Elle pinça les lèvres et tourna les talons. Comment lui expliquer que c'était précisément à cause de lui ?

Chapitre 6

Debout dans le vestibule du *Bentley Hotel*, fleuron new-yorkais de la société HCM, Ash consulta sa montre avec un soupir agacé.

Elle était en retard.

À moins qu'elle n'ait changé d'avis.

Il aurait pourtant parié sa fortune qu'elle viendrait, étant donné la valeur affective qu'elle semblait accorder à ces bijoux. Techniquement, il lui avait fait du chantage, ce qui le rabaissait sans doute au rang d'odieux connard, mais il n'en éprouvait pas la moindre culpabilité. Pas s'il obtenait ce qu'il voulait.

Quelques heures en compagnie de Jodie.

Des dizaines de questions se bousculaient dans sa tête. Il voulait savoir pourquoi elle ne portait plus le collier, et si elle avait largué le type qui lui en avait fait cadeau. La détermination d'Ash n'en serait pas diminuée, mais cela lui faciliterait grandement les choses si la jeune femme était libre.

À 19 h 45, Ash redressa les épaules pour masquer sa déception. Elle ne viendrait plus. Pourtant, il n'allait pas se laisser décourager aussi facilement. Au contraire, en lui posant un lapin, elle l'avait piqué au vif et avait réveillé sa combativité.

Il était sur le point d'appeler son chauffeur lorsque Jodie poussa les portes de l'hôtel. Elle avait les joues roses et les cheveux emmêlés, comme si elle avait marché vite face au vent printanier.

Aussitôt qu'elle l'aperçut elle s'immobilisa, à quelques mètres de lui. Sans la quitter des yeux, il s'avança vers elle, ce qui ne lui ressemblait guère. D'habitude, les gens venaient à lui, pas l'inverse. Et pourtant il était pressé de réduire la distance entre eux.

— Jodie, dit-il d'une voix douce.

— Désolée pour mon retard, lança-t-elle, essoufflée. J'étais en train de peindre et j'ai perdu toute notion du temps.

Il examina le gros sac qu'elle portait à l'épaule et les traces de couleur qui maculaient ses doigts fins. Puis il l'étudia tout entière pour se souvenir de chaque détail.

— Il n'y a pas de mal. Je nous ai réservé une table et je suis sûr que personne ne nous la prendra. Voulez-vous prendre un apéritif pour commencer ?

— Je bois rarement, répondit-elle avec une petite grimace. Ce n'est pas une question de principe, c'est juste que je suis difficile : j'aime les cocktails de filles, sucrés et colorés, mais j'apprécie aussi un bon verre de vin de temps en temps.

Ash rit doucement.

— Vous vous entendriez bien avec Mia et Bethany.

— Qui sont Mia et Bethany ? demanda-t-elle en inclinant la tête.

Il lui offrit son bras et l'entraîna vers le restaurant.

— Mia est la femme d'un de mes associés, Gabe, et la sœur de mon autre associé, qui s'appelle Jace. Bethany est la fiancée de ce dernier.

— On dirait une grande famille, fit-elle remarquer dans un murmure.

— Oui, en quelque sorte.

Dès qu'ils eurent passé les portes, le maître d'hôtel les conduisit à la table que se réservaient toujours Gabe, Jace ou Ash lorsqu'ils dînaient là.

Jodie prit place en face de lui, visiblement un peu nerveuse. Elle était assise au bord de sa chaise et jetait des coups d'œil alentour au lieu de le regarder, lui. Elle semblait regretter sa décision et chercher un moyen de lui échapper. L'ego d'Ash s'en trouvait cruellement malmené. D'ordinaire, il n'avait pas besoin de recourir à du chantage pour qu'une femme accepte de dîner avec lui.

— Voulez-vous commander du vin ? demanda-t-il lorsqu'un serveur s'approcha de leur table.

— Non, merci. Un verre d'eau, s'il vous plaît.

— Deux verres d'eau, dit Ash au serveur.

— Si vous avez envie d'un verre de vin, ne vous privez surtout pas pour moi. Je préfère boire de l'eau parce que l'alcool me monte vite à la tête et que je n'ai pas envie de traverser Manhattan en pleine nuit avec la tête qui tourne.

— Donc, si je comprends bien, vous ne tenez pas l'alcool, mais, quand vous vous autorisez à boire, votre choix se porte sur les cocktails de filles. J'en prends bonne note.

Elle lui lança un regard en coin et esquissa un demi-sourire malgré elle. On aurait dit qu'elle avait affaire à un ogre ! Il n'avait pourtant pas l'habitude que les femmes résistent à son charme. Cela dit, il devait bien reconnaître qu'il ne s'était pas montré particulièrement charmant avec Jodie. Cette femme semblait réveiller ses instincts primaires, et il s'estimait déjà heureux de réussir à formuler des phrases cohérentes au lieu de grogner comme un sauvage et de l'attraper par les cheveux pour la traîner jusqu'à sa grotte.

Jodie n'était pas du genre à se laisser séduire par une brute épaisse.

Il allait devoir se surveiller s'il ne voulait pas la faire fuir.

Le serveur revint prendre leur commande, et, lorsqu'il se fut éloigné, Jodie leva vers Ash un regard interrogateur.

— Est-ce que vous avez apporté les bijoux ? demanda-t-elle d'une voix douce.

Sans un mot, il sortit de la poche de sa veste l'écrin en velours et le posa sur la table. Il le fit glisser en direction de la jeune femme, mais le retint un instant lorsqu'elle fit mine de le saisir.

— Vous avez accepté de dîner avec moi, lui rappela-t-il. Je vous remets ces bijoux, mais j'espère que vous n'allez pas vous enfuir avant qu'on nous apporte nos plats.

Elle rougit, et il se demanda si c'était parce qu'elle avait précisément envisagé de prendre ses jambes à son cou une fois les bijoux en sa possession.

— Mon pauvre ego… Vous le mettez à rude épreuve, vous savez, avoua-t-il avec un petit sourire. Suis-je si repoussant que ça ? Je n'ai pourtant pas rêvé : quand on s'est rencontrés au parc, le courant passait entre nous, et vous n'y étiez pas insensible. Et voilà que vous vous comportez comme si j'étais un pestiféré.

Elle referma les doigts sur l'écrin de velours et effleura les siens au passage. Aussitôt, une onde de chaleur remonta dans son bras. Ce simple contact, si bref et si innocent, avait suffi à mettre tous ses sens en éveil et à transformer l'atmosphère autour d'eux. Il comprit aussitôt qu'il n'était pas le seul à ressentir cela. En revanche, il était le seul à l'admettre.

— Vous savez très bien que vous n'êtes pas repoussant, dit-elle sur un ton détaché. Vous n'avez pas besoin que je vous le rappelle. Je suis sûre que vous n'êtes pas en manque de compliments et que les femmes n'hésitent pas à vous manifester de l'intérêt.

— Je me moque complètement des autres femmes, rétorqua-t-il. C'est votre avis qui m'importe.

D'un geste prudent, elle ramena sa main vers elle, le poing serré autour du boîtier, comme si elle craignait qu'il ne le retienne. Puis, voyant qu'il ne semblait pas vouloir lui reprendre son bien, elle l'ouvrit et révéla deux bagues, un collier et un bracelet.

Un soulagement ému transparut sur son visage, et elle traça du bout des doigts les contours des bijoux, le regard perdu dans le vague. Lorsque, enfin, elle leva les yeux vers Ash, ils étaient brillants de larmes.

—Merci de me les avoir rendus, murmura-t-elle. C'est tout ce qui me reste de ma mère et de ma grand-mère. Un jour, j'aimerais en faire cadeau à ma propre fille, à mon tour. Ma mère et ma grand-mère étaient des femmes formidables, et j'aimerais transmettre leur souvenir, leur héritage.

—Qu'est-ce qui est arrivé à votre mère ? demanda Ash d'une voix douce.

Il vit les lèvres de Jodie trembler un instant, mais elle se ressaisit, même si son regard était plus luisant que jamais.

—Un cancer.

—C'est récent ?

Il ne voulait surtout pas remuer le couteau dans la plaie, mais il éprouvait une satisfaction indéniable en voyant la jeune femme se confier à lui. Cela semblait annoncer le début d'une communication franche et sincère, et il s'en réjouissait, même s'il devinait qu'il allait devoir se montrer plus patient qu'à son habitude.

Un pic d'adrénaline lui fouetta le sang. Jodie représentait pour lui un défi, et il se délectait déjà à l'idée de la conquérir. Cela faisait longtemps qu'il n'avait pas ressenti un tel enthousiasme, un tel élan.

—Non, elle est morte il y a deux ans, mais la maladie a duré bien plus longtemps que ça. À la fin…

Sa voix se brisa, et elle s'interrompit, les yeux embués par la tristesse.

—À la fin… ? l'encouragea Ash.

—À la fin, ça a été un soulagement de lui dire au revoir, même si j'étais écrasée par le chagrin. Elle souffrait tellement… Je ne supportais pas de la voir dans cet état-là. Elle-même, ça lui répugnait de dépendre de moi pour les moindres gestes du quotidien. Elle s'inquiétait de me priver de ma vie, de ma carrière. Pourtant, c'était ma mère ! J'aurais fait l'impossible pour elle ! Je ne regrette absolument rien et je suis contente d'avoir pu passer du temps avec elle pendant que j'en avais encore la chance. À la fin, elle était prête, résignée. Elle n'avait plus la force de se battre, et je crois que ça a été le plus dur pour moi : de voir ma mère, si courageuse, s'étioler lentement. Je voulais qu'elle retrouve la paix. Alors, oui, je l'admets : j'ai été soulagée quand elle est morte, même si ça peut paraître horrible.

—Ce n'est pas horrible, Jodie, la rassura Ash en secouant doucement la tête. C'est tout simplement humain. Personne n'aime voir un être cher souffrir.

La jeune femme acquiesça lentement et essuya une larme du dos de sa main.

—Pardon ! Ce n'est pas le sujet de conversation idéal. Je suis désolée de vous avoir infligé ça.

—Ne vous excusez pas : c'est moi qui vous ai posé la question, déclara-t-il. Et votre père ? Vous avez des frères et sœurs ?

Jodie poussa un soupir dépité.

—Je suis fille unique. Mes parents auraient voulu avoir d'autres enfants, mais ça n'a pas été possible. Ma mère a eu un premier cancer peu de temps après ma naissance, et le traitement l'a rendue stérile – en plus de l'affaiblir considérablement. Ce qui comptait, c'était qu'elle ait vaincu la maladie. Je… enfin… on pensait qu'elle était tirée d'affaire, mais, vingt ans après, la tumeur est revenue, de façon beaucoup plus agressive. Le traitement n'a pas eu les mêmes résultats que la première fois.

Elle s'interrompit et secoua la tête.

—Pardon, je recommence à vous barber.

Ash tendit la main et la posa gentiment sur celle de la jeune femme.

—Je vous assure que vous n'avez pas à vous excuser, Jodie. C'est un sujet de conversation tout à fait valable entre deux personnes qui cherchent à faire connaissance. Votre histoire m'intéresse, autrement je ne vous aurais pas posé la question. Si c'est trop pénible pour vous d'en parler, n'insistons pas, mais sachez que je suis curieux de vous. J'ai envie de tout savoir sur votre vie, votre famille, ce que vous aimez…

Elle sourit et ne fit rien pour retirer sa main, ce qui emplit Ash d'une joie démesurée.

—Vous avez mentionné vos parents : qu'est-il arrivé à votre père ? Il est mort, lui aussi ?

Jodie pinça les lèvres, et son regard se durcit.

—Il l'a quittée – il nous a quittées– après son premier cancer. Pas tout de suite : il a attendu qu'elle soit suffisamment rétablie, puis il a pris ses cliques et ses claques, et il est parti. Vous voulez savoir la raison qu'il lui a donnée ? Il ne supportait pas l'idée que le cancer puisse revenir et qu'il la perde. Il ne voulait pas la voir mourir, alors il s'est barré. Vous avez déjà entendu une connerie pareille, vous ? Parce que moi, non. Je n'ai jamais compris qu'il puisse quitter sa femme et sa fille parce qu'il avait peur de la mort. Le résultat, c'est qu'il l'a perdue, de toute façon – et moi avec. Je ne lui ai jamais pardonné de nous avoir abandonnées alors que, plus qu'à aucun moment, on avait besoin de lui. Surtout ma mère. Après avoir survécu à un traitement super lourd, elle a dû retrouver un emploi pour pouvoir subvenir à nos besoins.

—Je suis d'accord, c'est n'importe quoi, convint Ash d'une voix grave. Vous ne l'avez pas revu, depuis ? C'était il y a combien de temps ?

—Dix-huit ans, répondit-elle sèchement.

Sous la colère de la jeune femme, qu'il comprenait parfaitement, il décelait également une profonde douleur – une immense déception. Il lui caressa la main avec le pouce d'un geste apaisant pour l'encourager à poursuivre.

Elle semblait commencer à lui faire confiance, et il ne voulait pas rompre le charme.

—J'avais dix ans quand il est parti. Pendant longtemps, il n'a même pas essayé de nous contacter, mais, quand j'ai fini le lycée, il m'a appelée. Il voulait m'offrir un cadeau pour me féliciter de mes résultats aux examens! Je lui ai clairement signifié où il pouvait se le coller, son cadeau.

Au fur et à mesure qu'elle parlait, le bleu de ses yeux s'assombrissait, et sa bouche esquissait une grimace de dégoût.

—Il n'a pas insisté et ne m'a rappelée qu'à la mort de maman. (De sa main libre, elle cueillit une larme.) Oh, décidément… Je suis désolée, je n'en parle jamais. Je ne sais pas pourquoi je vous raconte tout ça, à vous. C'est sorti tout seul; je ne m'étais pas rendu compte à quel point j'étais en colère, encore aujourd'hui.

—C'est compréhensible, la rassura-t-il. C'est dur de porter un secret pareil pendant si longtemps.

Elle acquiesça avec un faible sourire.

—Si j'ai bien compris, il vous a contactée après la mort de votre mère… Il savait que la maladie était revenue?

—Oui, mais il n'est jamais venu la voir et n'a même pas essayé de l'appeler. Ce n'est qu'après sa mort qu'il s'est manifesté. Il m'a dit qu'il était désolé de ce qui était arrivé mais qu'il voulait qu'on redevienne une famille, lui et moi. Je lui ai dit que, dans une famille digne de ce nom, on ne se comportait pas comme il l'avait fait et que ma seule famille était morte. C'était il y a deux ans. Il n'a pas retenté de me contacter depuis. Je ne sais même pas où il habite. Il a beaucoup déménagé après le divorce, à cause de son travail.

— Ça vous arrive de regretter de ne plus le voir ?

Cette question parut la prendre par surprise.

— Non, pas du tout. Je crois que ça me mettrait dans une rage folle de me retrouver face à lui. Le pire, c'était juste après la mort de maman. S'il avait été là, je lui aurais sans doute sauté à la gorge. J'étais furieuse et malheureuse, et je lui en voulais toujours d'avoir fait preuve d'une telle lâcheté alors que ma mère avait tant besoin de soutien.

— Je comprends. Croyez-moi, je vous comprends. Je ne vois quasiment jamais ma famille. Ça va peut-être changer parce que ma sœur est venue solliciter mon aide, mais c'est tout récent.

Jodie l'observait d'un air pensif, la tête inclinée sur le côté. Il lui tenait toujours la main et traçait lentement des lignes de ses phalanges à son poignet. Il se délectait de ce contact, qui n'avait pourtant rien de sexuel. Il se contentait d'apprécier la douceur satinée de sa peau, ému par les taches de peinture qui lui coloraient les doigts.

— Que vous a fait votre famille pour que vous ne vouliez plus les voir ? demanda-t-elle d'une voix douce.

— Oh, c'est une longue histoire ! Je vous la raconterai un jour, mais, pour l'instant, c'est la vôtre qui m'intéresse.

— Ah non ! Ce n'est pas juste, déclara-t-elle en fronçant les sourcils. Je vous ai parlé de ma famille, alors maintenant c'est à votre tour. Je ne dirai plus un mot tant que vous ne m'aurez pas rendu la pareille.

Il rit doucement et raffermit un peu sa prise sur la main de la jeune femme. Elle écarquilla les yeux et jeta un rapide regard à leurs doigts entremêlés. Il avait la certitude qu'elle ressentait la même émotion que lui, même si elle s'en défendait encore.

—Bon, d'accord. Je vous raconte une anecdote, mais après c'est de nouveau à votre tour.

—Ça dépend, rétorqua-t-elle. Il faut que votre anecdote soit de valeur équivalente à ce que je vous ai livré, sinon ce n'est pas du jeu.

—Je doute que ce soit possible, murmura-t-il en plongeant son regard dans le sien, prêt à se noyer dans ce bleu limpide. Rien de ce que je pourrais vous dire sur moi n'a autant de valeur que vos confidences.

Les joues de la jeune femme s'empourprèrent, et elle baissa la tête. Ash sentit sa main tressaillir sous la sienne, mais il ne la laissa pas s'échapper.

—Ça, c'est ce que vous dites, souffla-t-elle d'une voix rauque, mais peut-être que j'accorde plus de valeur à vos confidences qu'aux miennes. Après tout, vous avez une longueur d'avance : vous avez enquêté sur moi et en savez certainement plus que ce que j'aimerais. La moindre des choses, ce serait donc que vous compensiez cet avantage en me racontant tous vos plus noirs secrets.

Il se rendit compte qu'elle flirtait avec lui, même si c'était avec une adorable timidité, comme si elle n'était pas sûre de savoir s'y prendre. Il ressentit une bouffée d'excitation d'une intensité sans pareille, mais il ne s'agissait pas seulement de désir. Il avait sincèrement, viscéralement, envie de connaître cette femme, de découvrir comment elle pensait, ce qui l'enthousiasmait, ce qui la faisait rire… Plus que tout, il tenait à obtenir sa confiance, même s'il ne s'en était pas montré digne lors de leurs premières rencontres.

Si seulement elle lui donnait une chance, il s'emploierait à lui prouver qu'elle pouvait compter sur lui.

—Mes plus noirs secrets? Je suis désolé, mais vous risquez d'être déçue. Je suis d'un ennui mortel: marié à mon boulot, en froid avec mes parents, que je méprise et qui me détestent en retour. Ma vraie famille, ce sont mes deux associés et leurs compagnes.

—Et votre sœur, non? Vous ne m'avez pas dit que vous vous étiez réconciliés récemment?

Il lâcha la main de Jodie pour pouvoir se reculer contre le dossier de sa chaise. Il jeta un regard alentour avant de reporter son attention sur son joli visage.

—En quelque sorte, mais je ne suis pas tout à fait sûr de ses motivations. J'ai appris à me montrer méfiant, mais j'espère sincèrement qu'elle désire s'affranchir de nos parents et je suis tout disposé à l'aider si c'est le cas. Ce sont de vrais requins.

—À ce point? Qu'est-ce qu'ils vous ont fait?

Ash soupira.

—Je n'en sais rien… Ils nous ont mis au monde? Ma mère a un instinct maternel proche de zéro, pourtant j'ai aussi deux frères. Je ne comprends toujours pas qu'une femme aussi égocentrique ait continué à faire des enfants alors que, clairement, elle nous considère comme un fardeau.

Jodie fit une petite grimace compatissante.

— Vous ne vous êtes jamais entendu avec eux ? Même quand vous étiez petit ?

— Je ne les voyais pas souvent, à l'époque, répondit-il un peu sèchement. Ils nous envoyaient en pension et, même quand on rentrait à la maison pendant les vacances, ils nous confiaient aux bons soins d'une nounou. Ils passaient le plus clair de leur temps à voyager ou à se montrer à des réceptions huppées. Mon grand-père a fait fortune quand il était encore jeune, mais mes parents ont toujours été oisifs. Cela fait d'eux des nouveaux riches, en quelque sorte – un fait que ma mère n'a jamais digéré. Elle se verrait plutôt en héritière d'une vieille famille au patrimoine bien établi.

— Elle a l'air horrible, souffla Jodie. Pardon ! se reprit-elle. Je tire des conclusions hâtives.

— Non, vous avez raison : mon père et ma mère sont d'affreux personnages, en plus d'être de mauvais parents. À mon avis, s'ils ont eu quatre enfants, c'était uniquement pour faire plaisir à mon grand-père, qui venait d'une famille nombreuse. C'est la seule explication possible. Ma mère vit dans la terreur de ce bonhomme, vu qu'elle dépend entièrement de sa générosité. En gros, elle nous a mis au monde, mais c'est lui qui a financé notre éducation. Les rares fois où mon père et elle nous ont manifesté un peu d'affection, c'était en présence du vieux. Je ne sais pas ce qui était le pire : avoir des parents indignes ou les voir feindre de la tendresse pour nous en public.

—C'est nul ! s'écria Jodie. Moi, j'adorais ma mère et ma grand-mère. C'étaient des femmes formidables… Mais alors qu'est-ce qui s'est passé avec votre sœur ? Quel âge a-t-elle ?

—Tiffany est la petite dernière. Elle a trente ans, maintenant. Dès qu'elle a eu fini ses études, ma mère l'a plus ou moins forcée à épouser un type plus âgé qu'elle mais fortuné. Ça a duré deux ans, puis Tiffany a craqué. Elle n'a même pas cherché à obtenir une pension alimentaire. Ma mère s'est montrée vraiment très dure avec elle. Elle estimait que, après tout le mal qu'elle s'était donné pour dégotter un mari à sa fille, celle-ci aurait pu avoir la décence de prendre son mal en patience et de rester une épouse modèle jusqu'à ce que son mari crève et lui lègue une fortune qu'elle aurait ensuite partagée avec ses chers parents.

—Non ! souffla Jodie, médusée. C'est complètement dingue ! Enfin, je veux dire… c'est une histoire digne d'une saga historique. Je ne pensais pas qu'il existait encore des gens comme ça, de nos jours.

Ash éclata de rire.

—Désolé de vous infliger cette triste réalité.

—Mais alors pourquoi Tiffany a-t-elle choisi de venir vous voir maintenant ?

—Parce qu'elle voudrait échapper à l'emprise de ma mère, expliqua Ash en retrouvant son sérieux. Comme je vous le disais, elle n'a pas obtenu de pension alimentaire lors du divorce, ce qui fait qu'elle vit avec mes parents depuis des années. Elle a un diplôme de droit mais n'a jamais travaillé de sa vie. Bref : elle est venue me demander mon aide. Financièrement, évidemment, mais je crois aussi qu'elle avait besoin d'un allié – un soutien émotionnel, en quelque sorte.

—Et vous avez accepté de l'aider ?

—Oui, bien sûr. Je lui ai trouvé un appartement et lui ai donné assez d'argent pour tenir jusqu'à son premier salaire. Dans quelques jours, elle va commencer à travailler dans un de mes hôtels. À partir de là, la balle est dans son camp. Je lui ai donné les moyens d'entamer une nouvelle vie, mais c'est à elle d'en faire une réussite. Ma mère ne va pas la laisser tranquille. Telle que je la connais, elle va faire des pieds et des mains pour ramener Tiffany sous sa coupe. J'espère que ma petite sœur aura le cran de lui tenir tête.

—Je trouve ça génial que vous lui donniez un tel coup de pouce. C'est déjà énorme. Elle devait se sentir tellement seule !

—Elle m'a dit qu'elle n'avait personne d'autre vers qui se tourner, et je la crois. Et puis, même si elle m'a traité comme un moins que rien par le passé, je me dis qu'elle n'avait pas le choix. Ma mère lui dictait sa conduite, et Tiffany n'osait pas désobéir. J'ai envie de croire qu'elle est sincère et de l'aider du mieux que je peux. Je me moque complètement de l'opinion de mes parents et de mes frères. Tiffany n'est pas encore aussi détachée que moi, évidemment, mais ça va venir.

—Vos frères sont plus jeunes ou plus âgés que vous ?

—Plus âgés. Ils ont tous les deux la quarantaine bien entamée, mais eux aussi dépendent financièrement de mon grand-père.

—C'est triste! Mais alors, si vous n'avez plus de contact avec eux, comment avez-vous réussi à monter votre entreprise? C'est évident que vous vous en sortez plutôt bien.

—Hum… Il me semble que c'est à votre tour de me raconter quelque chose. Non?

—Vous aurez le droit de me poser une question quand vous aurez répondu à la mienne.

—J'aurai droit à deux questions, alors, rétorqua-t-il en haussant un sourcil amusé. Vous avez déjà dépassé votre quota.

Elle esquissa un demi-sourire.

—Vous vous rendez compte à quel point cette histoire de quota est absurde?

—Non, je ne trouve pas, mais d'accord: je réponds à votre question, et ensuite c'est à votre tour.

—Ça marche, conclut-elle en souriant.

—J'ai rencontré Gabe Hamilton et Jace Crestwell à l'université. On est devenus amis et, même si on faisait toujours en sorte d'avoir des résultats corrects, on se préoccupait surtout de boire de la bière et de draguer des jolies filles. Notre perspective a changé lorsque les parents de Jace ont été tués dans un accident de voiture, quand on avait vingt ans. Il a dû s'occuper de sa petite sœur, qui était encore gamine. On a monté notre entreprise aussitôt notre diplôme en poche. On a commencé avec un hôtel, dans lequel on a investi tout ce qu'on possédait et tout ce qu'on pouvait emprunter. Un an après, on a utilisé ce premier hôtel comme garantie pour obtenir des financements pour un autre établissement. On s'est agrandis progressivement, et, avec le temps, c'est devenu plus facile de trouver des investisseurs.

—Donc, si je comprends bien, votre succès ne doit rien à la fortune familiale.

—Non, rien du tout. Je n'aurais pas accepté le moindre dollar de leur part. Il y aurait forcément eu des contreparties désagréables, et je tenais absolument à éviter ça. Je ne veux pas qu'ils se mêlent de mes affaires.

—Ça n'a pas dû leur plaire, murmura-t-elle.

—Non, en effet, reprit Ash avec un grand sourire. Ils étaient furieux que je me débrouille très bien sans eux, d'une part, et que je ne partage pas ma fortune avec eux, d'autre part. Imaginez : c'est un peu comme si votre père débarquait un beau jour et vous réclamait un gros câlin.

Jodie pinça les lèvres, et son regard s'assombrit.

Ash se pencha en avant et, de nouveau, couvrit sa main délicate. Elle tressaillit légèrement, et il vit la chair de poule la gagner.

—Maintenant, c'est à mon tour de vous poser vingt questions.

—Vingt questions ?! Je ne vous en ai pas demandé autant.

—C'étaient des grosses questions, rétorqua-t-il avec un petit sourire.

—Bon, d'accord. Demandez-moi ce que vous voulez, dit-elle dans un soupir.

Aussitôt, son regard s'attarda sur la marque de bronzage qu'avait laissée le ras-du-cou. C'était la première chose qu'il avait remarquée lorsqu'elle était sortie de chez le prêteur sur gages, même s'il avait eu peur de prendre ses désirs pour des réalités. Pourtant, après avoir dû quasiment la forcer à accepter son invitation et redouté qu'elle ne vienne pas, il avait repris espoir en la voyant arriver, toujours sans son collier. Elle aurait pu choisir de le porter comme une sorte de barrière pour le maintenir à distance, mais n'en avait rien fait.

—Où est passé votre ras-du-cou? demanda-t-il à mi-voix.

Elle porta sa main libre à sa gorge d'un geste brusque, l'air alarmée, mais ne répondit pas.

—Jodie, pourquoi ne portez-vous plus votre collier?

—C'est de l'histoire ancienne, voilà pourquoi, admit-elle dans un soupir.

Ash dut contenir sa joie en ayant confirmation de ce qu'il espérait tant.

—Qu'est-ce qui s'est passé?

Elle retira sa main et la laissa retomber sur ses genoux, tête basse. Elle semblait éviter son regard, mais il ne comptait pas la laisser s'en tirer aussi facilement. Il tenait à tout savoir.

—Qui a décidé de rompre: vous ou lui? finit-il par demander.

—Moi.

—Pourquoi? Qu'est-ce qui vous est arrivé, Jodie?

Elle releva la tête d'un geste brusque, les yeux brillants.

—Vous, Ash. Ce qui m'est arrivé, c'est vous.

Chapitre 7

Ash n'essaya même pas de cacher sa surprise. Elle l'avait pris au dépourvu par la franchise de sa réponse. Elle avait reposé les deux mains sur la table, et il se pencha en avant pour les prendre entre les siennes, lui caressant doucement les paumes avec le pouce.

Cet homme était terriblement dangereux. Chacun de ses gestes entamait ses défenses, sans qu'elle sache s'il se rendait compte de l'effet qu'il avait sur elle. Elle aurait été prête à parier qu'il savait exactement ce qu'il faisait.

— Je ne vous crois pas. Si c'était vrai, vous seriez déjà dans mes bras, gronda-t-il d'une voix sourde qui fit frissonner Jodie.

Elle tenta de se dégager, mais il refusa de lui lâcher les mains.

— Si, c'est vrai, insista-t-elle. L'autre jour, dans le parc. Vous êtes arrivé et vous avez tout chamboulé. À cause de vous, j'ai commencé à me poser des questions, et ce que j'ai découvert ne m'a pas plu.

—Et… qu'est-ce que vous avez découvert?

Elle détourna la tête, mal à l'aise. Cette conversation était soudain devenue beaucoup trop intime à son goût. Ash lui demandait de dévoiler des émotions qu'elle préférait garder pour elle. Du moins, pour l'instant…

—Qu'est-ce qui vous a tant déplu, Jodie? insista-t-il.

—La signification de ce collier, répondit-elle enfin.

—Comment ça?

Elle poussa un profond soupir avant de poursuivre.

—Quand vous avez parlé de ce qu'impliquait ce collier à vos yeux, j'ai compris ce qu'il aurait dû représenter pour moi. Ça m'a pris beaucoup de temps et pas mal de réflexion, mais j'ai fini par comprendre. Quand je suis allée voir Michael pour lui demander ce que symbolisait ce bijou pour lui, il n'a même pas remarqué que je ne le portais plus. Peut-être que je me trompe, mais il me semble qu'il aurait dû s'en rendre compte – et s'en alarmer.

—Vous avez raison: il aurait dû réagir, intervint Ash.

—Ce n'était qu'un jeu pour lui. Pour moi aussi, au début. Il m'a dit que je prenais ça trop au sérieux, que le coup du collier, c'était sympa mais sans conséquence. Il prenait ça comme un jeu de rôle, en marge de sa vraie vie. C'est en comprenant cela que je me suis rendu compte de notre différence d'approche. Pour moi, il ne s'agit pas simplement de jouer, mais je ne suis pas sûre de vouloir régler toute ma vie là-dessus non plus.

Avec vous, je me dis que ce serait autre chose. Enfin, avec un homme comme vous…

— S'il croit que c'est sans conséquence, il n'a rien compris, gronda Ash avec une grimace agacée. Et, en effet, ce serait autre chose avec moi. En revanche, je vous promets que ça ne serait pas qu'un jeu. Ce serait bien réel et ça réglerait chaque aspect de votre vie.

— Qu'est-ce que vous voulez dire ? s'enquit-elle d'une voix tremblante tout en soutenant son regard.

— Je veux dire que vous seriez à moi, Jodie. Vous me feriez la promesse de vous soumettre à ma volonté, et, en échange, je me chargerais de subvenir à vos besoins et de prendre soin de vous. Et de vous faire l'amour.

Il était sans doute loin d'imaginer l'effet que ses paroles eurent sur elle. Elle eut l'impression qu'il venait de réveiller une partie d'elle restée jusque-là en sommeil. Pour Michael, tout cela n'avait été qu'un jeu. En soi, ce n'était pas un problème du tout, mais elle en attendait davantage.

Pourtant, l'idée d'appartenir à Ash de la façon qu'il décrivait la terrifiait. Elle se sentait complètement dépassée par tout ce que cela impliquait.

— J'ai envie de vous, Jodie, et vous le savez pertinemment. Je vous l'ai clairement fait comprendre, depuis le début. La question, c'est de savoir si vous, vous voulez de moi et de ce que j'ai à vous offrir. Mais attention : je ne fais pas que donner, je prends aussi beaucoup. Je suis presque aussi exigeant que je suis généreux.

Il dut sentir les mains de la jeune femme trembler sous les siennes, car il les serra doucement, d'un geste rassurant.

—Je ne sais pas quoi vous dire.

—Promettez-moi d'y réfléchir, murmura-t-il. C'est tout ce que je vous demande.

Elle s'humecta les lèvres, le souffle court. Promettre d'y réfléchir, ça ne l'engageait à rien. Ce n'étaient que des paroles, après tout, et elle avait besoin de temps pour y voir plus clair au sujet de toute cette histoire.

—Je vous promets d'y réfléchir, dit-elle enfin.

Aussitôt, un éclair de satisfaction – non, de triomphe – passa dans le regard d'Ash, comme si elle venait d'accepter de devenir sa chose. Ou alors cette réaction prouvait simplement qu'il n'appréciait guère les refus, ce qu'elle avait déjà remarqué.

Le serveur arriva avec leurs assiettes, et Ash attendit qu'il se soit éloigné pour relancer la conversation.

—Je ne vais pas vous le cacher : je sais déjà que vous êtes peintre et dessinatrice, en plus de créer des bijoux.

Elle hocha la tête et découpa un morceau de son steak, merveilleusement tendre et qui sentait délicieusement bon. Pourtant, elle en perçut à peine le goût tant elle était préoccupée par la proposition que venait de lui faire Ash.

—Vous arrivez à vivre de votre art ?

C'était une question pour le moins indiscrète, mais Ash ne semblait pas du genre à s'encombrer de politesses.

—Ça commence tout juste à décoller, répondit-elle avec un sourire en coin. Évidemment, je m'en suis sortie jusqu'ici, même si ça n'a pas toujours été facile. J'ai essayé de travailler en entreprise, mais ça ne m'a pas plu. Pas autant que mon art, en tout cas. C'est une véritable passion, et j'ai déjà vendu quelques œuvres ici et là, en plus de mes bijoux. Ce n'est pas grand-chose, mais ça me permet de payer mon loyer. Du moins, la plupart du temps, ajouta-t-elle avec une grimace. Par manque de chance, le mois dernier a été décevant, aussi bien côté bijoux que côté tableaux. C'est comme ça que je me suis retrouvée chez le prêteur sur gages. J'étais écœurée d'en arriver là, mais je ne voyais pas d'autre moyen de payer mes factures. Demander un emprunt à la banque me paraissait dangereux à long terme.

— Et Michael, dans tout ça? demanda Ash d'une voix brusque.

Jodie releva la tête de son assiette et cilla devant la férocité de son regard.

— Je ne comprends pas bien votre question.

— Vous vous êtes retrouvée dans une situation délicate, obligée de vendre des biens qui ont une valeur sentimentale juste pour éviter de vous retrouver à la rue! Michael aurait dû vous aider.

— Non, je ne lui aurais jamais demandé une chose pareille, protesta-t-elle. Notre relation ne fonctionnait pas comme ça. Il gagne bien sa vie, mais je ne voulais pas qu'il me donne de l'argent. J'aurais eu l'impression qu'il me payait en échange de mes bons et loyaux services.

Ash fronça les sourcils d'un air agacé.

—Vous avez une drôle de logique! Il s'agissait d'un coup de pouce pour payer votre loyer et vos factures, et puis vous étiez ensemble. Vous n'auriez même pas dû avoir à le lui demander. C'était votre dom, il aurait dû s'assurer que vous ne manquiez jamais de rien. Même s'il ne prenait pas ça au sérieux, un mec digne de ce nom se serait suffisamment intéressé à votre situation pour savoir que vous étiez sur le point de recourir à un prêteur sur gages et d'abandonner le seul souvenir qui vous restait de votre mère! À plus forte raison, un vrai dom vous aurait fait comprendre que vous pouviez lui demander n'importe quoi. Si vous vous soumettez à un homme, vous devez pouvoir lui faire une confiance absolue, et il doit la mériter en vous traitant comme le bien le plus précieux qui soit. Un des rôles du dom est d'anticiper et d'effacer le moindre de vos soucis, quelle qu'en soit la nature.

—Ouah… Je n'avais jamais envisagé les choses de cette façon, murmura-t-elle.

—Ça viendra, affirma-t-il avec une détermination qui la réduisit au silence.

Il semblait si sûr de lui – et d'elle.

—Est-ce que votre plat vous plaît? demanda-t-il pour détendre l'atmosphère.

Elle baissa les yeux, surprise de constater qu'elle avait mangé la moitié de son steak quasiment sans s'en rendre compte.

—Oui, c'est très bon, s'empressa-t-elle de répondre. Délicieux, même. C'est la première fois que je dîne ici. Comment avez-vous eu l'idée de m'inviter ici?

Il esquissa un sourire en coin.

—Oh, c'est facile : cet hôtel m'appartient ! Je suis ravi que le steak vous plaise.

Elle écarquilla les yeux.

—Quoi ? Vous êtes propriétaire de cet hôtel ?

—Oui. Je suis étonné de votre surprise ; je vous ai pourtant dit que mes associés et moi avions acquis plusieurs hôtels.

—C'est vrai, mais je m'imaginais une chaîne, quelque chose de plus modeste. Cet endroit est…

Elle chercha un mot adéquat, ne voulant pas passer pour la dernière des niaises.

—Cet endroit est quoi ? l'encouragea Ash.

—C'est tellement luxueux ! Je ne pensais pas que votre entreprise se situait à ce niveau-là.

—Ça vous ennuie ?

—Non, dit-elle en secouant la tête. J'ai été un peu surprise, c'est tout. Je me doutais que vous viviez bien, mais je n'avais pas mesuré à quel point.

—Et là vous vous dites que, en acceptant ma proposition, vous risquez de passer pour une croqueuse de diamants. Je me trompe ?

Au contraire, il l'avait percée à jour en une seule phrase, cet animal.

—Disons que, clairement, je ne joue pas dans la même catégorie que vous. N'importe qui, en nous voyant ensemble, me prendrait pour une opportuniste aux dents longues.

Personne ne me croirait si je disais que ce n'est pas votre argent qui m'intéresse.

— Mais… est-ce que ce serait un mensonge ?

Elle resta un instant bouche bée face à cette question brutale.

— Non ! Bien sûr que non ! Je ne veux pas de votre argent, Ash ! Tout ce que je veux, c'est…

Elle s'interrompit, horrifiée par l'énormité de ce qu'elle avait failli avouer, mais Ash saisit la balle au bond.

— C'est quoi ?

— Vous, murmura-t-elle. Tout ce que je veux, c'est vous.

Il esquissa un lent sourire, les yeux brillants.

— Alors il va falloir vous faire une raison, Jodie, parce que, si vous me voulez, vous allez devoir apprendre à accepter tout ce que j'ai à vous offrir. Je n'apprécierais pas que vous refusiez mes cadeaux. Après, tant que vous et moi sommes d'accord sur la nature de notre relation, je me moque éperdument de ce que pensent les autres, et ça ne devrait pas vous importer non plus.

Elle se passa la langue sur les lèvres en repensant à ce qu'il avait dit un peu plus tôt. Elle avait failli lui demander des explications sur le moment, mais le serveur était arrivé. Pourtant, elle brûlait de connaître la réponse à cette question qui lui trottait dans la tête.

— Vous avez dit tout à l'heure que vous étiez aussi exigeant que généreux… Qu'est-ce que vous entendiez par là ? Qu'est-ce que vous exigez, exactement ?

—Tout, répondit-il. Que vous partagiez mon lit, mon espace – que vous viviez sous ma protection. J'attendrais de vous que vous vous soumettiez entièrement et que vous me donniez tout ce que je pourrais vous demander, Jodie.

—Ça ne me paraît pas très équitable, murmura-t-elle.

—Non, en effet. En me soumettant votre volonté et en m'accordant votre confiance absolue, vous me feriez un cadeau d'une valeur inestimable, que rien ne saurait égaler. En échange, je m'emploierais à tout faire pour mériter ça, mais je resterais inévitablement en deçà de ce que vous m'offririez.

—Mais… et vous? Vous voudriez que je me donne tout entière, mais est-ce que vous vous donneriez, vous?

Il soutint son regard pendant un long moment.

—Je vous donnerais tout ce que je veux, pas plus. C'est à prendre ou à laisser.

Elle baissa les yeux et digéra ses paroles avant de redresser la tête, déterminée à poser sa question suivante – ou, plutôt, sa propre condition. Tant pis si cela le froissait; c'était un point sur lequel elle ne céderait pas.

—Je refuse de vous partager avec une autre, déclara-t-elle. Si nous entrons dans une relation, j'exige qu'elle soit exclusive. Je ne sais pas comment vous procédez d'habitude, si vous avez plusieurs femmes à la fois, mais je ne veux pas de ce genre de choses. Je ne veux pas passer mon temps à me demander avec qui vous êtes quand ce n'est pas avec moi. Si je vous donne tout ce que vous exigez, notamment ma confiance, alors j'estime que vous me devez fidélité.

—Je n'ai aucunement l'intention de coucher avec une autre femme ou même de voir une autre femme que vous, Jodie. Pourquoi aurais-je besoin de quelqu'un d'autre si vous promettez de vous soumettre entièrement à moi ? Ça n'a pas de sens. Ce serait un grossier manque de respect, or le respect est primordial. Tant que je m'engage à vous chérir et à vous protéger, je me consacre exclusivement à vous.

Jodie ne sut pas quoi répondre à cela. Il parlait avec une telle assurance ! On aurait dit que, pour lui, c'était déjà chose faite.

Il se pencha vers elle, et son regard s'intensifia tandis que sa voix se faisait plus persuasive, comme pour l'encourager à lui rendre sa réponse sans attendre au lieu de prendre le temps de la réflexion.

—Il y a une chose que vous devez comprendre : c'est que je ne compte pas plus que vous, Jodie. Certes, il s'agit d'une relation inégale, où je prends toutes les décisions, mais ça ne me place pas au-dessus de vous. Je ne vaux pas mieux que vous. Nous sommes égaux en termes d'importance. Vous n'avez pas à baisser les yeux en ma présence ou à vous considérer inférieure. Jamais, vous m'entendez ? Certes, c'est moi qui commande ; c'est moi qui décide si, oui ou non, vous vous mettez à genoux pour me sucer, mais ça n'implique pas un rapport de supériorité. En fait, votre soumission vous donne un pouvoir qui surpasse largement celui que j'exerce sur vous en apparence. Vous parlez de ce que l'on peut se donner mutuellement, mais réfléchissez un peu : vous n'avez pas besoin de moi. Vous pouvez très bien vous débrouiller toute seule, et d'ailleurs vous l'avez prouvé jusqu'ici. Moi, en revanche, j'ai besoin de vous, parce que la fortune et la réussite n'ont de réelle valeur que si on peut les partager. C'est vous qui avez l'ascendant sur moi dans cette histoire, et je compte bien m'employer à devenir aussi essentiel à vos yeux que vous l'êtes aux miens.

Elle écarquilla les yeux, ébranlée par la chaleur de son discours.

—Vous êtes sérieux, là ? Vous avez besoin de moi ? demanda-t-elle dans un murmure.

Il lâcha ses mains et se cala contre le dossier de son siège en s'ébouriffant les cheveux d'un air agité.

—Je ne m'explique pas bien ce que je ressens, mais oui, c'est un fait : j'ai besoin de vous. Je ne suis même pas sûr que le terme soit adapté. Ce que j'éprouve est plutôt de l'ordre de la pulsion irrationnelle. Je tiens absolument à être avec vous, à jouir de votre soumission. Ça ne m'était encore jamais arrivé. Jusqu'à maintenant, c'était quelque chose que je désirais et que j'appréciais, mais, avec vous, j'ai l'impression que je vais devenir fou si je n'obtiens pas ce que je vous demande. Alors, oui, je pense pouvoir affirmer que j'ai besoin de vous, Jodie. Je suis désolé si cela vous effraie, mais au moins je suis honnête avec vous. Je vais essayer de ne pas trop vous déstabiliser, mais je n'ai aucune envie de me brider en ce qui vous concerne. Si on doit vivre cette histoire, je veux que ce soit à fond.

Elle le dévisagea, interdite. Comment réagir à une déclaration pareille ? C'était pure folie ! Ils ne s'étaient vus que deux fois avant ce dîner – et encore, brièvement. Comment osait-il affirmer qu'il avait besoin d'elle alors qu'il la connaissait à peine? Plus étonnant encore: comment était-ce possible qu'elle-même ait déjà besoin de lui?

— Une dernière chose, ajouta-t-il avant qu'elle ait retrouvé l'usage de la parole. Il ne s'agit pas de jouer des fantasmes, Jodie. Pour moi, c'est la réalité. Peut-être que vos fantasmes correspondent à ma réalité, auquel cas tout va bien tant que vous acceptez que votre fantasme se réalise pour de vrai, en acte. Ne vous engagez pas là-dedans si vous ne pensez pas pouvoir le supporter sur le long terme, parce que, je vous préviens, il n'y aura pas de temps mort. Il n'est pas question de se raconter des histoires pour pimenter notre vie sexuelle sans vraiment y croire. Est-ce que vous me comprenez? Est-ce que vous vous sentez prête à entrer dans ma réalité de façon permanente?

— À vrai dire, je ne suis pas sûre de comprendre. Je perçois bien la frontière entre fantasme et réalité. Par ailleurs, j'ai compris que, pour Michael, il ne s'agissait que d'un jeu et que ça ne me suffisait pas. En revanche, je ne sais pas exactement ce que moi, je veux. Alors, si je n'en suis pas certaine, comment pouvez-vous anticiper mes désirs?

Il lui prit la main de nouveau, un grand sourire aux lèvres.

— Ça, justement, c'est ma responsabilité. Votre rôle est de soumettre votre volonté à la mienne de votre plein gré. À moi d'apprendre à vous connaître et à évaluer de quoi vous avez besoin et envie.

—Ça paraît trop beau pour être vrai, fit-elle remarquer. Vous prétendez que c'est du domaine du réel, mais ça me semble complètement fou.

—Ce n'est qu'en faisant le grand saut que vous comprendrez de quoi je parle, mais croyez-moi quand je vous assure qu'il ne s'agit pas d'un jeu futile. Vous en aurez vite la certitude ; je vous le garantis.

Elle hésita à dire oui sans attendre, à «faire le grand saut», pour reprendre son expression. Pourtant, elle ressentait le besoin d'y réfléchir posément, loin de ce regard séducteur et de cette voix hypnotique.

Il avait réveillé un coin de son âme resté jusque-là en sommeil, des désirs qu'elle n'aurait jamais soupçonnés. Une relation avec cet homme n'aurait rien en commun avec ce qu'elle avait vécu avec Michael, elle en avait la certitude. Serait-elle capable de vivre selon ses règles ? Là résidait toute la question. Ash était impressionnant, intimidant ; il l'effrayait autant qu'il l'intriguait.

—Je vais y réfléchir, annonça-t-elle enfin. J'ai besoin de temps, Ash. C'est une décision lourde de conséquences, que je ne peux pas prendre à la légère. Je trouverais ça irrespectueux d'accepter sur-le-champ au risque de revenir sur les termes de notre accord à la première occasion. Si je promets de vous donner ce que vous me demandez, ce sera parce que je m'en sens capable, or je n'en suis pas encore sûre.

—Prenez tout votre temps. Je ne vous cache pas que j'éprouve une certaine impatience, mais je ne veux pas vous presser. Je ne risque pas d'aller en draguer une autre sous prétexte que je n'ai pas de réponse de votre part. Il n'en est même pas question, et je tiens à ce que vous le sachiez. Je ne prends pas ça à la légère, Jodie. Pour être tout à fait honnête, je n'avais encore jamais envisagé une relation de ce genre.

—Ah bon? Pourtant, vous m'avez dit que c'était dans votre nature de vouloir tout contrôler. Seriez-vous puceau? demanda-t-elle d'un air malicieux.

Il éclata de rire.

—Non, loin de là. Les femmes avec qui je suis sorti par le passé n'ignoraient rien de mes tendances dominatrices, mais elles savaient également que ce qu'il y avait entre nous n'était qu'un arrangement temporaire. Je n'ai jamais considéré ces histoires comme de réelles relations.

—Mais… et moi? Je ne serais pas qu'un «arrangement temporaire»? s'enquit-elle.

C'était ce qu'elle redoutait le plus : qu'il se lasse d'elle au bout de quelques jours et passe à sa cible suivante.

Pourtant, elle-même se rendait bien compte du ridicule de cette crainte. Qu'espérait-elle, au juste? La promesse d'une relation durable alors qu'ils se connaissaient à peine? Alors qu'elle n'était pas certaine de le souhaiter? Elle ignorait encore si elle serait capable de tenir la distance, mais l'idée qu'il puisse la considérer comme une aventure passagère lui déplaisait profondément.

—Il n'est pas en mon pouvoir d'affirmer quoi que ce soit avec certitude, Jodie, répondit Ash d'une voix grave. En revanche, je suis d'ores et déjà convaincu que notre histoire ne sera pas que temporaire. J'ai bien l'intention de la faire durer très longtemps. Si ça peut vous rassurer, sachez que je n'ai jamais passé plus de quelques semaines avec la même femme et qu'aucune d'entre elles n'a jamais eu le pouvoir que vous exercez déjà sur moi.

Une onde de chaleur se répandit dans sa poitrine. C'était peut-être idiot d'éprouver un tel plaisir, mais il était toujours flatteur de se savoir au-dessus du lot.

Même si elle ne savait pas ce que l'avenir leur réservait, elle trouvait cela réconfortant et émouvant qu'il ressente pour elle quelque chose de nouveau.

—Je ne vous demande pas longtemps – juste quelques jours, histoire d'y voir un peu plus clair.

—OK, pas de problème, dit-il en hochant la tête. Je vais vous donner mon numéro de portable. Appelez-moi quand vous aurez pris votre décision, et nous dînerons chez moi. À ce moment-là, si vous acceptez, nous passerons en revue les termes de notre accord – ou, plutôt, la liste de mes exigences.

—Vous ne croyez pas qu'on devrait faire ça avant que je prenne ma décision ? rétorqua-t-elle en fronçant les sourcils.

Ash sourit.

—Non, justement. Rappelez-vous, Jodie : il s'agit de m'accorder votre confiance absolue. Vous connaissez déjà le principe, mais ce n'est qu'une fois que vous aurez accepté que nous pourrons discuter des détails les plus intimes de notre relation.

Chapitre 8

ASH N'ÉTAIT PAS QUELQU'UN DE PATIENT, SURTOUT QUAND il désirait quelque chose avec ardeur. Il avait l'habitude d'obtenir ce qu'il voulait, quand il le voulait. Il n'essuyait jamais de refus, aussi chaque jour qui passait depuis son dîner avec Jodie le mettait-il un peu plus sur les nerfs.

Même Tiffany ne suffisait pas à le distraire complètement.

Elle s'était installée dans l'ancien appartement de Mia et avait pris son poste parmi l'équipe administrative du *Bentley Hotel*. Le directeur lui envoyait des rapports réguliers sur le travail de sa sœur et, jusque-là, il n'avait que des compliments à son sujet. Elle se montrait ponctuelle, rigoureuse et motivée.

Ils avaient prévu de dîner ensemble ce soir, et Ash aurait été enchanté s'il n'avait pas été aussi préoccupé par le silence de Jodie. Il s'était déjà écoulé une semaine entière depuis leur rendez-vous, alors qu'Ash s'attendait à ce qu'elle l'appelle deux ou trois jours après. Il n'avait pourtant pas rêvé : la jeune femme le trouvait séduisant, et ce qu'il lui proposait l'intriguait. Il avait bien vu dans ses yeux qu'elle était sincèrement tentée.

Pourquoi mettait-elle autant de temps à se décider ? Avait-elle seulement l'intention de le contacter ? Peut-être avait-elle changé d'avis à peine rentrée chez elle ?

Il aurait dû exiger une réponse le soir même, alors qu'elle était sur le point de dire oui. Il l'avait deviné à son regard et à ses expressions. Elle ne se l'avouait peut-être pas, mais il était sûr qu'elle le désirait et qu'elle avait envie de se soumettre.

Il se trouvait en territoire inconnu. Cela ne lui était encore jamais arrivé de devoir attendre qu'une femme décide si, oui ou non, elle voulait bien de lui. Ses conquêtes passées avaient toutes accepté sans hésiter, quelles que soient les conditions ou l'échéance annoncée.

Certes, plusieurs d'entre elles n'avaient pas apprécié de se voir congédiées. La dernière femme qu'il avait partagée avec Jace – sans compter Bethany – leur avait mené une vie d'enfer lorsqu'ils lui avaient signifié que leur aventure était terminée. Elle avait joué l'amante trahie alors qu'ils s'étaient montrés très clairs dès le début.

Il se remémora la soirée qu'il avait passée avec Jodie. Il s'était montré d'une franchise presque brutale, ce qui avait peut-être été une erreur. Il l'avait sans doute effrayée alors qu'il cherchait surtout à éviter tout malentendu. Si elle s'engageait dans cette relation, il tenait à ce que ce soit en toute connaissance de cause.

—Salut !

Ash leva la tête et aperçut Jace, debout sur le seuil de son bureau. Il l'invita à entrer.

—Ça va ? demanda Jace en refermant la porte derrière lui. On ne te voit pas beaucoup, ces derniers temps. Des problèmes avec Tiffany ?

—Pas plus que ce que je craignais, répondit-il avec un soupir résigné.

Jace s'assit et se pencha en avant, l'air soucieux.

—Comment ça ?

—Oh ! Tu connais ma très chère mère et mon mollusque de père qui lui obéit au doigt et à l'œil sans jamais oser la contredire…

—Ils s'en sont pris à ta sœur ?

—Tu as deviné. Ils se sont pointés à l'appartement et lui ont ordonné d'arrêter de faire l'enfant et de rentrer à la maison. Évidemment, ils n'ont pas perçu l'ironie de la situation. Quand Tiffany a refusé de les suivre, ma mère lui a demandé de quoi elle vivait. Tiffany lui a répondu que ça ne la regardait pas, mais que, comme la plupart des gens, elle travaillait pour mériter un salaire. Je t'avoue que je suis assez fier d'elle.

—Tu m'étonnes ! s'écria Jace en riant. Je ne l'aurais pas crue capable de tenir tête à la sorcière de l'East End.

—Moi non plus, pour être honnête, mais elle semble réellement déterminée à s'en sortir, et j'admire son courage. Ma mère sait se rendre terriblement intimidante, et ça n'a pas dû être facile pour Tiffany de se rebeller après trente ans d'obéissance passive.

—Ça, je veux bien le croire, commenta Jace.

—Je dîne avec elle, ce soir. Est-ce que vous voulez vous joindre à nous, Bethany et toi ? Ça me ferait plaisir qu'elles se rencontrent, toutes les deux. Tiffany s'est rendu compte que ses soi-disant amies n'en étaient pas vraiment. Elles l'ont laissée tomber comme une vieille chaussette aussitôt qu'elle a demandé de l'aide.

—Ça me dirait bien. Il faut juste que j'appelle Bethany pour m'assurer qu'elle n'avait rien d'autre de prévu. Je te tiens au courant.

—Génial, merci ! Ça va me changer les idées.

Aussitôt, il se rendit compte de ce qu'il venait d'avouer. Comme il s'y attendait, Jace fronça les sourcils.

—Qu'est-ce qui t'arrive ? Est-ce que je peux faire quelque chose pour t'aider ?

—Non, laisse tomber. Sauf si tu connais une recette miracle pour convaincre une femme d'accéder à mes demandes.

—Une femme ? répéta Jace en écarquillant les yeux. Raconte !

—C'est compliqué, marmonna Ash. Elle se fait désirer.

Jace éclata de rire.

—C'est le propre de toutes les femmes, non ?

—Non, pas toutes, rétorqua Ash. Bethany te décrocherait la lune, et tu le sais très bien. Tu as de la chance de l'avoir trouvée.

—Quel est le problème avec ta copine du moment ?

—Je n'en sais rien, soupira Ash, mais ce n'est pas qu'une lubie passagère. Je ne comprends pas bien ce qui m'arrive, c'est complètement nouveau.

—Ça alors! s'écria Jace avec un sourire malicieux. Le gros malin qui s'est tant fichu de Gabe et de moi vient lui aussi de passer à la moulinette de l'amour! Et en plus on dirait bien qu'il est tombé sur un os.

Ash lui fit un doigt d'honneur.

—On n'en est pas encore là. Elle m'intrigue, c'est tout. J'ai envie d'elle et je ferais n'importe quoi pour qu'elle dise oui. Le problème, c'est qu'elle n'a pas l'air pressée.

—C'est trop drôle! D'habitude, ce sont les filles qui se jettent sur toi, irrésistiblement attirées par ton charme nonchalant, railla Jace.

Ash ne releva pas cette pique. Son ami se trompait sur son compte. Il donnait peut-être l'impression d'être joyeusement insouciant, mais c'était uniquement parce qu'il dissimulait bien ce qu'il désirait réellement. Cela faisait des années qu'il n'avait pas exprimé toute l'étendue de ses exigences avec une femme. Il lui arrivait encore de penser à Cammie avec une certaine tendresse. Il avait tout juste trente ans quand ils s'étaient rencontrés. Elle était un peu plus jeune que lui mais n'avait pas reculé quand il lui avait dévoilé ses tendances dominatrices. Au contraire, ils avaient exploré avec bonheur cet aspect de leur relation.

Ils s'étaient séparés en bons termes. À l'époque, Ash était entièrement focalisé sur sa carrière alors que Cammie aspirait à une vie de famille plus traditionnelle. Il se demandait parfois ce qu'elle devenait, si elle avait trouvé un homme qui puisse à la fois satisfaire son besoin de soumission et son désir d'enfants.

Il avait presque envisagé de l'épouser : elle était belle, pleine de vie, et ils s'entendaient à merveille. Il aurait sans doute fini par tomber amoureux d'elle, mais il avait préféré attendre. Il ne voulait pas se marier tant qu'il n'était pas absolument sûr de pouvoir subvenir aux besoins de sa famille.

À présent, leur entreprise était florissante, et les trois associés pouvaient se permettre de lever un peu le pied et de se consacrer à autre chose qu'à leur travail. C'était tout naturellement que Gabe et Jace avaient embrassé une nouvelle vie – une vie de couple.

Ils avaient eu la chance de rencontrer des femmes formidables, qui les aimaient sincèrement malgré tous leurs petits défauts. Ash, quant à lui, n'avait pas encore trouvé celle qui comblerait ses désirs les plus fous.

— Elle a envie de moi, finit-il par dire. Je sens bien qu'elle a envie d'essayer ce que je lui propose, mais elle hésite encore.

— Hum… c'est peut-être le moment pour toi de découvrir un concept intéressant qu'on appelle la patience.

Ash n'était pas d'humeur à goûter les taquineries de son ami – pas alors qu'il désirait Jodie avec une intensité presque douloureuse.

Il ne s'expliquait toujours pas sa réaction. Lorsque Jace avait rencontré Bethany, Ash avait qualifié son intérêt de « maladif » et n'avait pas caché sa méfiance. Au lieu de soutenir son ami, il avait essayé de le dissuader en menant une petite enquête sur le passé de Bethany.

Avec le recul, il regrettait cette réaction stupide. Bethany était la meilleure chose qui soit arrivée à Jace, et il se félicitait que ce dernier n'ait pas écouté ses conseils mal avisés. À présent, Ash avait l'impression de mieux comprendre ce qui était arrivé à son ami.

—Je peux te poser une question? demanda-t-il le plus sérieusement du monde. Au début, avec Bethany, est-ce que tu y es allé doucement ou est-ce que tu as annoncé la couleur d'entrée de jeu?

Jace esquissa une grimace.

—J'ai essayé de me montrer patient, mais ça n'a pas duré. Son histoire était atypique, alors je voulais lui laisser le temps de s'adapter. J'ai cru que j'allais devenir dingue quand j'ai appris qu'elle dormait dans des foyers ou dans la rue, mais, même une fois que je l'ai installée dans l'ancien appartement de Mia, ça me rendait fou de ne pas l'avoir près de moi en permanence. On se voyait chaque jour, mais ça ne me suffisait pas. J'avais besoin qu'elle vive chez moi pour sentir qu'elle m'appartenait vraiment. Pendant les quelques jours où elle a occupé l'appartement de Mia, j'étais mort de trouille à l'idée qu'elle puisse s'enfuir, malgré les deux gardes du corps que j'avais embauchés pour la surveiller.

—D'ailleurs, elle a réussi à leur échapper, une fois. Non?

—Oui, elle a disparu pendant un après-midi entier. J'étais fou ! J'ai cru qu'elle m'avait quitté, alors qu'elle était juste partie à la recherche de Jack. Rien que d'y penser, j'ai l'estomac noué.

—Je ne comprenais pas ce qui t'arrivait, à l'époque, admit Ash. J'avais l'impression que tu avais complètement perdu les pédales, mais j'y vois plus clair, maintenant. Ça ressemble beaucoup à ce que je ressens pour Jodie, même si on ne s'est vus que trois fois en tout, dont seulement un dîner où on a vraiment eu l'occasion de discuter. Quand j'y repense, j'ai envie de me mettre des baffes. J'aurais dû exiger une réponse sur-le-champ. Elle était sur le point d'accepter, mais moi, comme un con, je lui ai laissé le temps de la réflexion pour ne pas l'effrayer. C'était il y a une semaine, et je n'ai toujours pas de nouvelles.

—Qu'est-ce que tu comptes faire ? s'enquit Jace d'un air compatissant.

—Ce soir, je me consacre à Tiffany et à notre dîner, mais, dès demain, je relance l'offensive. J'en ai marre de tourner en rond. Si elle ne veut pas de moi, j'aimerais qu'elle me le dise en face au lieu de me faire poireauter comme ça.

—Bon courage, mon pote. J'espère que tout va se passer comme tu veux, déclara Jace, sincère. Je sais que je l'avais mal pris quand tu avais mené une enquête sur Bethany, mais… est-ce que tu as fait pareil avec Jodie ?

—Oui, juste après notre première rencontre. Elle n'a rien à cacher, pour autant que je sache.

—Bon. En tout cas, si je peux faire quoi que ce soit, n'hésite pas à me demander. Ce serait génial qu'elle accepte et qu'on puisse sortir tous ensemble, une fois que Gabe et Mia seront revenus de leur lune de miel. Mia, Bethany et leurs copines forment un bon petit groupe et, crois-moi, quand elles reviennent de leurs soirées entre filles…

Jace laissa sa phrase en suspens, mais son sourire en disait long.

—C'est bon, je sais, rétorqua Ash en levant la main comme pour se protéger. Tu m'as déjà raconté les exploits de Bethany toute pompette dans ses talons super sexy. Ne remue pas le couteau dans la plaie, s'il te plaît.

Jace se leva en riant.

—D'ailleurs, je vais appeler Bethany à propos de ce soir. Je te tiens au courant. Où est-ce que tu retrouves Tiffany ?

—Au *Bryant Park Grill* à 19 heures.

—OK, c'est noté.

Chapitre 9

Tiffany semblait terriblement nerveuse pendant le dîner, même si Bethany faisait de son mieux pour la mettre à l'aise.

Le *Bryant Park Grill* était plein à craquer, comme chaque soir. De nombreux hommes et femmes d'affaires venaient y boire un verre bien mérité après une longue journée de travail. L'endroit était réputé pour ses cocktails, mais ce n'était pas la raison pour laquelle Ash l'avait choisi.

Il espérait apercevoir Jodie même si, d'après les rapports réguliers du détective, elle n'était pas sortie de chez elle depuis plusieurs jours.

Peut-être était-elle concentrée sur son travail, pressée de terminer une nouvelle toile pour l'apporter à la galerie. Peut-être était-ce pour cela qu'elle n'avait pas eu le temps de réfléchir à sa proposition. Ash avait dit à Jace qu'il se manifesterait le lendemain s'il était toujours sans nouvelles, mais il avait du mal à s'intéresser à la conversation tant cela le démangeait de se rendre chez Jodie à l'improviste.

Jace l'avait exhorté à la patience, même s'il était conscient de l'ironie de la chose après son expérience avec Bethany.

On leur apporta leurs plats, et il remarqua que Tiffany commençait à se détendre. Tandis que les autres se concentraient sur leur assiette, elle se pencha discrètement vers lui.

— Merci, Ash, murmura-t-elle. Tu n'as pas idée de ce que ta générosité représente pour moi. Tu es la seule famille qui me reste maintenant que les autres ont coupé les ponts. Ils me considèrent comme une traîtresse parce que j'ai osé choisir la vie que je voulais mener, alors que toi, tu m'as comprise sans me juger et tu m'as offert ton aide sans hésiter une seule seconde.

— Bienvenue au club des exilés du clan McIntyre, répliqua Ash en souriant. Tu vas voir, tu vas vite prendre du recul et te rendre compte que c'était la meilleure chose à faire. Tu vas peut-être même te demander pourquoi il t'a fallu si longtemps pour rassembler ton courage, mais ce qui compte, c'est que tu as franchi le pas et que tu t'es libérée de leurs griffes. Je te promets que ça va s'arranger.

— Est-ce que ça t'ennuie, toi? demanda-t-elle d'un air anxieux. Je veux dire: est-ce que ça te fait de la peine qu'ils te traitent comme un paria et qu'ils regardent de haut ta réussite professionnelle?

—Un peu, au début, admit Ash en haussant les épaules. Ça fait longtemps que je n'y pense plus, tu sais. J'ai des amis formidables et je suis content de pouvoir t'accueillir dans la petite famille que nous formons tous.

Le visage de Tiffany s'éclaira d'un grand sourire.

—Ça me fait tellement plaisir qu'on se retrouve, toi et moi! Tu m'as manqué, tu sais. Je te promets que je ne te décevrai pas. Je suis bien consciente de ne devoir mon emploi qu'à ta générosité, mais je vais tout faire pour que tu n'aies pas à regretter ton geste.

Soudain, le téléphone d'Ash sonna, et il l'attrapa par réflexe tout en retenant son souffle. C'était peut-être Jodie. Enfin!

Pourtant, en voyant le contact s'afficher, il fronça les sourcils. Il ne s'agissait pas de Jodie mais du détective qu'il avait engagé pour la suivre.

—Excusez-moi, il faut que je prenne cet appel, annonça-t-il en se levant.

Il s'éloigna de leur table et trouva un coin plus au calme.

—Ash à l'appareil.

—Monsieur McIntyre, je vous appelle parce que Mlle Carlysle vient de sortir de chez elle pour la première fois depuis une semaine et que j'ai remarqué quelque chose de préoccupant.

—Quoi donc? s'enquit Ash.

—Elle a un œil au beurre noir et la lèvre fendue, comme si on l'avait battue. Je me trompe peut-être… Si ça se trouve, elle a eu un accident, mais j'en doute. Cela expliquerait aussi pourquoi elle n'a pas quitté son appartement depuis plusieurs jours.

Ash étouffa un juron.

— Dans quelle direction est-elle partie ? Vous êtes sur le coup ?

— Oui, je suis en train de la suivre. On dirait qu'elle se dirige vers la galerie d'art. Elle avait plusieurs toiles avec elle et a pris un taxi. Je vous tiens au courant.

— Merci.

Ash resta immobile pendant quelques secondes, bouillant de rage à l'idée que quelqu'un ait osé lever la main sur Jodie. Il se maudit de n'avoir pas demandé au détective si elle avait eu de la visite, puis se dit que ce dernier lui en aurait sans doute parlé si cela avait été le cas. Le problème, c'était qu'il n'avait relancé la filature que deux jours après leur dîner, quand il avait commencé à s'impatienter.

À ce stade, ce n'était plus de l'obsession, cela frôlait la démence. Son comportement ressemblait fort à celui d'un dangereux psychopathe, même si lui-même savait bien qu'il n'avait aucunement l'intention de faire du mal à Jodie. En revanche, il se mordait les doigts de ne pas avoir maintenu sa surveillance de façon permanente. Cela lui aurait permis de savoir qu'elle était blessée et, le cas échéant, de découvrir l'identité du coupable.

Pourquoi ne l'avait-elle pas appelé ? Elle aurait pu lui demander de l'aide. Elle aurait dû savoir qu'il prendrait soin d'elle, après tout ce qu'ils s'étaient dit.

Tout en soupirant, il retourna vers la table d'un pas vif. Tiffany, Jace et Bethany levèrent les yeux vers lui, l'air inquiet. Il devait paraître très anxieux pour leur communiquer une telle tension en si peu de temps.

— Je suis désolé de vous fausser compagnie, mais il faut vraiment que j'y aille. Tiffany, je me rattraperai, promis. Jace, Bethany, merci à vous d'être venus. Passez une bonne soirée. Encore toutes mes excuses.

Il tourna les talons, mais Jace l'appela.

— Ash ! Tout va bien ?

Il lui lança un regard lourd de sens, et son ami comprit sans mal qu'il s'agissait de Jodie. Il hocha la tête puis reporta son attention vers Tiffany et Bethany avec un sourire rassurant avant de relancer la conversation.

Ash se promit de rendre la pareille à son ami s'il avait besoin d'aide un jour puis appela son chauffeur. Jodie n'allait sans doute pas s'attarder puisqu'elle n'avait pas quitté son appartement depuis une semaine et que ses blessures étaient encore visibles. Il décida donc de l'attendre devant chez elle. Quand elle rentrerait, tous les deux auraient une sérieuse conversation.

Chapitre 10

Jodie poussa un soupir de soulagement lorsque le taxi la déposa au coin de sa rue. Elle avait hésité à sortir, mais elle tenait à apporter ses nouvelles toiles à M. Downing. Certes, la commission qu'elle avait touchée une semaine auparavant lui permettrait de vivre confortablement pendant quelques mois, mais elle ne voulait pas que le mystérieux client qui s'était entiché de ses œuvres se désintéresse d'elle ou s'imagine qu'elle était déjà à court d'inspiration.

Elle paya sa course et descendit de voiture tout en portant par réflexe la main à sa joue tuméfiée. Elle tressaillit de douleur lorsque ses doigts effleurèrent la coupure à la commissure de ses lèvres. Tête basse, elle se hâta en direction de chez elle, pressée d'échapper aux regards.

Elle savait pertinemment qu'elle n'avait rien à se reprocher, pourtant elle avait honte en repensant à ce qui s'était passé. Non, plus que de la honte elle éprouvait une espèce d'incrédulité choquée. Elle n'en revenait toujours pas que Michael ait osé débarquer chez elle à l'improviste et la frapper. Elle ne l'avait jamais vu en colère avant cela. Elle aurait dû aller porter plainte, mais, sur le coup, elle n'avait pas eu le courage. Elle s'était terrée dans son appartement et s'était concentrée sur son travail pour éviter de trop penser.

Elle n'avait pas oublié qu'Ash attendait une réponse de sa part. Une explication. Ne serait-ce qu'un signe de vie! Elle lui avait dit qu'elle n'aurait besoin que de quelques jours, mais, en même temps, elle n'envisageait pas de le revoir tant que son visage portait les cicatrices des coups que lui avait assenés son ancien dom.

La situation était presque risible. Michael n'était pas un vrai dominateur. Il s'était adonné à ce petit jeu parce que cela flattait son ego, rien de plus. Pourtant il avait complètement perdu les pédales quand il avait compris qu'elle comptait sérieusement mettre un terme à leur histoire. Elle avait commis l'erreur de parler d'Ash – sans mentionner son nom, évidemment. Elle avait expliqué à Michael qu'elle désirait quelque chose qu'il n'était pas en mesure de lui offrir mais qu'un autre homme lui avait promis.

Sauf qu'elle n'en était plus si sûre. Et si Ash ne valait pas mieux que Michael? Elle ignorait tout de lui. Elle avait pourtant pris sa décision et était prête à se lancer quand Michael avait débarqué. Après cela, elle avait commencé à douter, et son instinct de survie avait repris le dessus.

Clairement, Ash était beaucoup plus exigeant que Michael, beaucoup plus extrême. Devait-elle s'attendre à ce qu'il la traite de la même manière ? Ou pire ?

Une foule de questions se bousculaient dans son esprit, et elle n'était pas suffisamment sereine pour prendre une décision pareille. Il s'agissait de s'en remettre entièrement à Ash, de lui confier sa personne, son confort et sa volonté. Ne sachant plus quoi faire, elle s'était murée dans le silence le temps d'y voir un peu plus clair.

Elle avait peur, tout simplement, et c'était cette peur qui l'avait empêchée de trancher. Elle détestait cela – cette faiblesse. Elle voulait réfléchir à tête reposée afin de ne pas commettre l'erreur d'accorder sa confiance à un autre Michael.

Avec un nouveau soupir, elle sortit ses clés de sa poche et s'approcha de l'escalier qui descendait vers son sous-sol, tête basse. Soudain, elle aperçut une paire de chaussures luxueuses et releva la tête.

Surprise, elle croisa le regard courroucé d'Ash et recula d'un pas.

— Qu'est-ce qui vous est arrivé ? demanda-t-il d'une voix brusque.

Il fulminait, tremblant de rage, et n'avait plus grand-chose en commun avec le charmeur désinvolte du parc.

— Pas ici, murmura-t-elle. Je veux juste rentrer chez moi. Laissez-moi passer.

Elle fit mine de s'avancer, mais l'expression de son visage l'arrêta. Il la saisit par les épaules avec un étonnant mélange de fermeté et de douceur. Il la retenait sans pour autant que ses doigts mordent dans sa chair.

—Je veux savoir qui vous a fait ça, gronda-t-il.

Elle se voûta et faillit laisser tomber ses clés. Elle resserra le poing autour de son trousseau et leva le menton d'un air de défi.

—Laissez-moi passer, répéta-t-elle sans desserrer les mâchoires.

À son grand étonnement, il la lâcha et s'écarta, mais, lorsqu'elle commença à descendre les marches, il lui emboîta le pas.

Avec un soupir de soulagement, elle ouvrit la porte et entra, heureuse de retrouver la sécurité de son appartement. Sécurité toute relative d'ailleurs, étant donné ce que Michael lui avait fait entre ces murs. Mais elle savait à présent de quoi il était capable et ne commettrait plus l'erreur de le laisser approcher à moins d'un kilomètre.

Elle posa son sac dans l'entrée et s'avança vers le salon. Ash referma la porte derrière lui et tourna le verrou avant de la suivre. La pièce sembla aussitôt minuscule avec cet homme à l'intérieur. Il la contempla un long moment en silence, la détaillant des pieds à la tête avant de s'arrêter sur le bleu qui lui colorait la joue.

Son regard se fit glacial, si bien que Jodie frissonna.

—Vous ne m'avez pas appelé, dit-il.

Elle rougit et baissa les yeux pour cacher son embarras.

—En vous voyant comme ça, je commence à comprendre pourquoi, ajouta-t-il.

Elle hocha lentement la tête sans pour autant oser l'affronter.

—Jodie, regardez-moi.

Il parlait d'une voix douce, pourtant sans le moindre doute il s'agissait d'un ordre, et Jodie ne put qu'obéir.

—Qui vous a fait ça? demanda-t-il avec une fermeté implacable.

Il tremblait de rage, si bien qu'elle hésita à lui confier ce qui s'était passé. Elle ne comprenait plus comment elle avait pu le trouver charmeur et malicieux. À présent, elle le croyait capable de tout.

Pourtant elle n'avait pas peur de lui. Au contraire, malgré sa frayeur résiduelle après l'attaque de Michael, elle était persuadée que cet homme ne lui ferait jamais de mal. En revanche, il était en proie à une colère meurtrière, et elle redoutait sa réaction si elle lui avouait la vérité.

—Répondez-moi, Jodie, insista-t-il. Qui est le connard qui vous a fait ça?

Clairement, il ne la laisserait pas tranquille tant qu'il n'aurait pas obtenu satisfaction. Elle le croyait parfaitement capable de passer la nuit debout au milieu de son salon à attendre qu'elle crache le morceau.

Elle ferma les yeux et poussa un long soupir, les épaules voûtées.

—Michael, murmura-t-elle d'une voix si basse qu'elle s'entendit à peine elle-même.

—Pardon?

Cette question claqua dans l'air comme un coup de tonnerre. Jodie rouvrit les yeux, effrayée de découvrir l'expression furieuse d'Ash.

—Vous m'avez bien entendue, confirma-t-elle un peu plus fort.

—Vous voulez dire que c'est votre ex qui vous a fendu la lèvre et vous a laissé un bleu pareil?

Il s'avança vers elle, et elle recula aussitôt, ce qui parut le blesser profondément.

—Enfin, Jodie! Je ne vous ferai jamais de mal! Jamais, vous m'entendez?

La véhémence de ses propos n'était pas exactement apaisante, pourtant la jeune femme se sentit rassurée par cette promesse.

Elle fit un pas vers lui et le sentit vibrer de rage. Ses pupilles dilatées avaient presque chassé le vert de ses yeux. Soudain, avec une extrême lenteur, comme s'il craignait de l'effrayer, il leva les mains vers elle et lui prit le visage entre ses paumes. Ses gestes étaient d'une délicatesse qu'elle avait du mal à concilier avec la colère qui irradiait du reste de son corps.

Elle se sentit fondre sous cette caresse d'une tendresse telle qu'elle ne ressentit aucune douleur, alors qu'elle-même s'était fait mal en effleurant sa joue à la sortie du taxi. Il traça les contours de son bleu, puis de la coupure à la commissure de ses lèvres, si légèrement qu'elle le sentit à peine.

—Je vais le tuer.

La froide assurance de cette déclaration la fit frémir. En cet instant, elle le croyait tout à fait capable de mettre sa menace à exécution. Prise de panique, elle sentit son cœur s'emballer et son souffle s'accélérer.

—Non! Ash, je vous en prie, ne vous mêlez pas de ça. C'est justement la raison pour laquelle je ne voulais pas vous dire ce qui s'était passé. C'est pour ça que je ne vous ai pas appelé.

Elle aurait continué sur sa lancée s'il ne l'avait pas fait taire en posant l'index sur sa bouche, du côté où elle n'était pas blessée.

—Que je ne m'en mêle pas? articula-t-il d'une voix blanche. Vous voudriez que je ne m'en mêle pas, alors que ce salaud a osé lever la main sur vous? Hors de question, Jodie. Je veux savoir ce qui s'est passé, dans les moindres détails : quand ça a eu lieu, combien de fois il vous a frappée… Mais, surtout, je veux savoir pourquoi vous ne m'avez pas appelé à la minute où c'est arrivé.

Elle en resta bouche bée. Avant qu'elle ait retrouvé la parole, Ash sembla changer d'avis et s'écarta d'elle. Il pivota, survola la pièce du regard puis se tourna vers le passage ouvert qui menait à sa chambre.

—Je vous ramène chez moi, annonça-t-il sur un ton autoritaire. Vous allez emménager dans mon appartement.

— Quoi ? Non ! Ash, il n'est pas question que je…

— Ne discutez pas, Jodie. C'est non négociable. Je ne vous laisse pas ici une seconde de plus. Montrez-moi votre chambre et dites-moi de quoi vous avez besoin pour la nuit. Demain, vous me ferez une liste plus précise, et j'enverrai quelqu'un rassembler vos affaires pour les déposer chez moi. Je tiens à ce que, quand vous me raconterez ce qui s'est passé – et vous allez finir par me le raconter –, ce soit dans un endroit où vous vous sentez en sécurité. Un endroit où personne ne peut vous atteindre. N'essayez même pas de parlementer, je ne changerai pas d'avis.

Elle écarquilla les yeux, assaillie par un mélange d'agacement et de… réconfort. Oui, elle éprouvait un soulagement intense qui la surprenait elle-même. La décision ne lui appartenait plus, et, en cet instant, c'était exactement ce dont elle avait besoin. Ses doutes et ses peurs concernant Ash lui paraissaient complètement futiles, avec le recul. Cela lui semblait complètement absurde qu'elle ait pu envisager qu'il soit comme Michael.

— Je suis capable de faire mon sac moi-même, murmura-t-elle.

Un bref sourire passa sur les lèvres d'Ash, et elle lut dans son regard une intense satisfaction. Il s'attendait peut-être à ce qu'elle résiste plus longtemps ou, pire, à ce qu'elle refuse.

— Je n'ai jamais dit que vous n'en étiez pas capable. En revanche, ce que je vous demande, c'est de vous asseoir tranquillement sur votre lit et de me laisser m'en occuper. Tout ce que vous avez à faire, c'est me dire de quoi vous avez besoin pour la nuit et la journée de demain. On réglera le reste une fois qu'on aura discuté, vous et moi.

Euh… OK. La jeune femme avait un peu le vertige, comme si elle venait de faire un tour dans des montagnes russes à une vitesse folle et qu'elle n'avait pas encore bien recouvré son équilibre.

Sans un mot de plus, Ash lui tendit la main. Il ne fit pas mine de s'approcher : il se contenta d'attendre qu'elle accepte, qu'elle fasse le premier pas pour entrer dans son monde.

Après une profonde inspiration, elle leva le bras et posa sa paume sur celle d'Ash, qui referma les doigts sur les siens et les serra gentiment. Elle eut l'impression qu'un lien indestructible venait de s'établir entre eux.

Puis, tout doucement, il l'entraîna vers la chambre, et elle le suivit jusqu'au lit, où il lui fit signe de s'asseoir. Il la traitait comme si elle était fragile, précieuse, et elle adorait cela.

Puis il s'écarta et survola la pièce du regard.

—Est-ce que vous avez un petit sac de voyage ?

—Oui, dans le placard, répondit-elle d'une voix légèrement enrouée.

Puis elle le regarda rassembler les affaires qu'elle lui indiquait et les ranger soigneusement dans le sac, stupéfaite. N'était-ce pas précisément l'inverse de ce qu'ils avaient évoqué lors du dîner ? Ash était aux petits soins pour elle alors qu'elle n'avait rien fait pour le mériter. Certes, il avait dit qu'il se montrerait généreux. Presque autant qu'il était exigeant…

Elle frissonna légèrement en repensant à ses paroles. Serait-elle capable de lui donner tout ce qu'il demanderait ? Et, surtout, que resterait-il d'elle ensuite ?

Chapitre 11

ASH N'ÉTAIT PAS STUPIDE : IL SE RENDAIT BIEN COMPTE DE la pression qu'il avait exercée sur Jodie en ne lui laissant pas le temps de respirer après son intervention. Il avait agi avec une arrogance qui l'étonnait lui-même, en allant l'attendre devant son appartement pour la ramener chez lui.

Aussi se dépêcha-t-il de boucler le bagage de Jodie parce que, plus elle restait assise sur son lit à réfléchir, l'air dépassée par les événements, plus elle risquait de revenir sur sa décision et de refuser de le suivre.

C'était hors de question.

Il appela son chauffeur pour s'assurer qu'il les attendait bien devant la porte, puis il prit la main de la jeune femme et l'entraîna à l'extérieur.

Après l'avoir fait monter dans la voiture, il referma la portière et passa un coup de téléphone au portier de son immeuble pour lui demander d'aller décrocher les tableaux de Jodie et de les ranger en lieu sûr. Il ne voulait pas qu'elle sache que c'était lui, le client mystère qui avait acheté ses œuvres. Pas tout de suite.

Enfin, il s'installa à côté d'elle sur la banquette et s'autorisa à se détendre. Il jeta un regard furtif à Jodie, pâle et silencieuse. Ses blessures n'en étaient que plus visibles, ce qui attisa sa colère en lui rappelant qu'un sinistre individu avait osé lever la main sur une femme qu'il considérait déjà comme la sienne. Il n'avait que mépris pour les hommes qui se montraient violents avec les femmes, mais là, c'était encore pire parce qu'il s'agissait de Jodie.

— Je ne sais pas si c'est une bonne idée, Ash, déclara Jodie.

Elle n'avait pas ouvert la bouche depuis qu'il avait fini de rassembler ses affaires.

— C'est une excellente idée, au contraire, rétorqua-t-il. Si ce salaud ne vous avait pas attaquée, vous m'auriez déjà rappelé pour accepter ma proposition. Vous le savez aussi bien que moi. Nous allons régler le problème que pose Michael, mais nous allons le faire dans un endroit où vous vous sentirez en sécurité : chez moi, dans mes bras. Sachez cependant que ça ne change rien à la situation, Jodie. Nous sommes comme des aimants, vous et moi, et ce, depuis le premier jour, au parc. Ce serait une perte de temps et d'énergie de lutter contre cette attirance. Je n'ai jamais essayé d'y résister, et vous devriez arrêter.

Elle entrouvrit la bouche, surprise, mais il distingua également une sorte de reconnaissance dans son regard. Elle commençait à comprendre son point de vue et se rendrait bientôt à l'évidence.

— Ça ne me fait pas plaisir que vous ne m'ayez pas contacté aussitôt que c'est arrivé, poursuivit-il. Certes, vous n'étiez pas encore mienne à l'époque – même si je savais déjà que vous le seriez un jour –, mais, à partir de maintenant, chaque fois que vous rencontrerez un problème vous viendrez m'en parler.

Il lui jeta un nouveau coup d'œil et eut l'intense satisfaction de la voir hocher la tête lentement.

Il ouvrit les bras pour l'inviter à se rapprocher. Il tenait à réduire la distance entre eux, mais, en même temps, il était conscient de ce qu'il lui avait déjà imposé. Il voulait qu'elle fasse le geste de son plein gré.

Sans la moindre hésitation, elle vint se blottir contre lui, et il la serra tendrement, le cœur empli de joie. Elle appuya la tête contre son torse, de sorte qu'il pouvait poser le menton dans ses cheveux.

Alors elle poussa un soupir de soulagement, et il la sentit se détendre, comme s'il venait d'ôter un poids de ses épaules.

Il inspira longuement le parfum de son shampoing doux et discret, à l'image de sa personne, puis il lui caressa le bras, ému par le contact de sa peau satinée. Bientôt, il en découvrirait tous les délices, mais, pour l'instant, elle avait besoin de réconfort – besoin de se sentir protégée. Il tenait à lui faire comprendre qu'il n'était pas Michael et qu'il ne lui ferait jamais le moindre mal, lui.

Il déposa un baiser sur le sommet de sa tête et garda ses lèvres appuyées contre ses cheveux.

Aucun doute possible : il était complètement fou. Il n'avait même pas échafaudé de plan précis. Il avait agi d'instinct, mû par la certitude qu'il lui fallait cette femme et par l'urgence de l'avoir près de lui, chez lui.

Cela lui avait paru plus sûr de ne pas la laisser réfléchir, même si c'était là le réflexe d'un salaud autoritaire. Pourtant, il refusait de se comparer à Michael. Il n'avait rien en commun avec cette brute. Certes, il n'était ni le plus patient ni le plus compréhensif des hommes, et ses manières étaient souvent brusques, surtout quand il désirait quelque chose, mais la simple idée de s'en prendre à une femme lui faisait horreur.

En revanche, celle d'exercer une saine vengeance contre le connard qui avait blessé Jodie ne lui déplaisait pas du tout.

Il s'efforça de penser à autre chose : ce problème-là devrait attendre. Sa priorité absolue était le réconfort de la jeune femme.

Le reste du trajet s'effectua en silence. Jodie avait sans doute besoin de passer en revue les événements de la soirée et de réfléchir au choix qu'elle avait fait, mais le fait qu'elle reste blottie contre lui sans protester était bien suffisant pour Ash.

Il se contenta de lui caresser les bras d'un geste doux et rassurant.

—Je suis désolée, Ash, murmura-t-elle au bout d'un long moment.

Il s'immobilisa un instant et inclina la tête pour mieux l'entendre.

—Pourquoi?

—J'aurais dû vous appeler. J'avais promis que je le ferais, mais j'étais tellement bouleversée…

—Chut, souffla-t-il en lui soulevant gentiment le menton pour croiser son regard. Vous n'avez pas à vous excuser de quoi que ce soit. Ce qui s'est passé n'était pas votre faute. On prendra le temps de discuter de tout ça une fois qu'on sera arrivés, mais, en attendant, détendez-vous et laissez-moi vous serrer dans mes bras. Je suis un peu froissé que vous ne m'ayez pas appelé alors que vous aviez besoin d'aide, mais je comprends, vous savez.

Elle sourit faiblement, et une chaleur nouvelle gagna ses beaux yeux bleus, chassant les ombres qui en ternissaient l'éclat.

—Ah, j'aime mieux ça! s'écria-t-il. Vous avez un sourire magnifique, Jodie, et je vais m'employer à vous donner des raisons de sourire tous les jours. Je vais vous rendre heureuse; je vous le promets.

Elle fronça les sourcils, interloquée.

—Je suis complètement perdue, Ash. Ce genre de choses n'arrive jamais dans la vraie vie. Jamais! J'ai l'impression d'être entrée dans la quatrième dimension. C'est complètement fou!

Il rit doucement, amusé.

—Et pourtant c'est arrivé. Je n'avais jamais connu ça avant, moi non plus, donc on est deux à avancer en territoire inconnu, mais la vie est ce qu'on en fait. C'est à nous d'établir nos propres règles. Je n'ai jamais été du genre à me plier aux convenances ; j'ai trop l'habitude de faire ce qui me chante, quand ça me chante.

Elle rit à son tour, ce qui dessina sur sa joue une adorable fossette. Fasciné, il dut résister à la tentation de la caresser du bout des doigts – du bout de la langue.

—J'ai cru comprendre, en effet. Je plains ceux qui auraient le malheur de vous contrarier.

—C'est vrai qu'en général ils passent un mauvais quart d'heure.

—Bon, j'éviterai de vous dire non, alors.

Ash se rembrunit et la regarda dans les yeux avec le plus grand sérieux.

—J'espère bien ne jamais vous donner de raison de me dire non, mais sachez que je respecterai votre refus si vous en ressentez le besoin. Évidemment, je n'accepterai jamais que vous vous mettiez en danger ou que vous décidiez de me quitter sans me laisser une chance de vous retenir, mais, à part ça, si vous dites non j'arrête tout. C'est un mot que je prends très au sérieux.

Elle lui sourit doucement et se lova encore plus près de lui. Son érection se fit presque douloureuse, et il serra les dents pour contenir les réactions de son corps.

Cette femme allait le rendre fou. Il ignorait pourquoi elle le mettait dans un tel état, mais il savait qu'elle serait sienne et que leurs vies seraient inextricablement mêlées. Il savait aussi que Jodie n'avait rien en commun avec les femmes qu'il avait pu connaître par le passé.

C'était peut-être ce qui l'effrayait et l'enthousiasmait le plus.

Se pouvait-il qu'elle soit la femme de sa vie? L'élue? Comme Mia aux yeux de Gabe et Bethany aux yeux de Jace?

Cette question s'imposait à son esprit alors même qu'il était bien trop tôt pour penser en ces termes. Il était devenu complètement fou. Il s'apprêtait à l'installer dans son appartement et à prendre le contrôle sur sa vie, mais n'avait pas envisagé la suite des événements.

D'ailleurs: quelle suite?

Son but était de faire de Jodie sa compagne, sa soumise et sa protégée. N'était-ce pas suffisant? Il s'efforça de ne pas trop y réfléchir.

Le chauffeur se gara devant son immeuble et sortit pour ouvrir la portière à Ash. Celui-ci descendit de voiture puis tendit la main à Jodie pour l'aider. Aussitôt qu'elle fut debout, il l'attira contre lui et, de l'autre main, saisit le sac de voyage que lui tendait le chauffeur.

— Vous habitez près de l'Hudson, fit remarquer la jeune femme avec un coup d'œil en direction du fleuve.

— Oui. La vue est belle, de là-haut. Venez, dit-il en l'entraînant à l'intérieur.

Ils prirent l'ascenseur jusqu'au dernier étage, puis Ash fit entrer Jodie dans son appartement et se dirigea directement vers sa chambre. Elle se raidit légèrement et jeta un regard alentour, méfiante.

Il posa son sac de voyage sur le lit puis désigna la salle de bains attenante.

— Prenez le temps de vous changer pour la nuit. Je reviens ; je vais nous servir un verre de vin.

— Où est-ce que je dors ? s'enquit-elle dans un murmure.

Il la prit gentiment par les épaules.

— Dans mon lit, Jodie. Avec moi.

Elle se crispa visiblement.

Ash se pencha vers elle et l'embrassa sur le front avec une grande tendresse, ému par la vulnérabilité de la jeune femme, par l'incertitude qu'il décelait dans son regard.

— Une conversation difficile nous attend, Jodie, et je tiens à ce qu'elle ait lieu dans mon lit, pendant que je vous serre dans mes bras et que je vous protège. Vous allez vite comprendre que vous ne craignez rien avec moi. Ce soir, nous allons dormir ensemble : c'est tout. C'est la raison pour laquelle je vous ai pris des vêtements de nuit : parce que vous ne me faites pas encore entièrement confiance. Vous n'aurez plus besoin de les porter après ça. Je vous le promets.

Il l'embrassa une dernière fois puis sortit de la chambre.

Une fois dans la cuisine, il ouvrit une bouteille de vin. Il se rappelait que Jodie ne supportait pas très bien l'alcool mais qu'elle appréciait un verre de vin de temps en temps, et se dit que cela l'aiderait sans doute à se détendre. Il avait choisi du rouge parce que cette couleur vive et chaude correspondait mieux à son idée de la jeune femme que la fraîcheur minérale d'un vin blanc.

Soudain, il se souvint de son dîner interrompu et, comme il s'était rendu directement chez Jodie, se dit qu'il était fort possible qu'elle n'ait pas eu le temps de manger, elle non plus.

Il sortit de son frigo une salade de fruits frais et quelques fromages fins, qu'il arrangea sur une assiette, puis il coupa des tranches de pain pour accompagner le tout. Il ne manquait plus qu'une gourmandise sucrée en guise de dessert.

Il n'était pas rare que sa gouvernante lui concocte de petites douceurs, et, en effet, en inspectant l'étagère supérieure du frigo, il découvrit des ramequins contenant de la mousse au chocolat faite maison. Il en disposa deux sur le plateau déjà bien garni, puis rassembla tous les couverts nécessaires.

Il avait pris son temps, aussi Jodie devait-elle être changée et à peu près remise de ses émotions. Il emporta donc ce repas frugal dans la chambre.

En entrant, il trouva la jeune femme assise en tailleur au milieu du lit, et ce tableau l'émut profondément. Elle était pieds nus et semblait parfaitement à sa place.

Elle portait un pyjama en soie rose vif, boutonné jusqu'au cou.

Il lui avait accordé cette protection rassurante pour leur première nuit ensemble, mais à l'avenir elle dormirait nue contre lui, sans rien pour séparer leurs peaux.

Jodie écarquilla les yeux en apercevant le plateau et se dépêcha de descendre du lit pour lui faire de la place.

—Je vous propose qu'on se mette sous les couvertures et qu'on mange côte à côte, tranquillement.

Elle replia la couette et appuya les oreillers contre la tête de lit avant de s'installer. Une fois qu'elle eut ramené la couette sur ses jambes, il déposa le plateau à côté d'elle puis se dirigea vers son dressing afin de se déshabiller.

Il hésita un instant : d'habitude, s'il portait quelque chose pour dormir, c'était un boxer, pas plus. Après tout, il savait déjà qu'il ne ferait rien pour la mettre mal à l'aise. Son boxer suffirait donc pour cette fois.

En ressortant, il sentit le regard de la jeune femme peser sur lui, même si elle essayait de se montrer discrète. Il trouva cela absolument adorable, surtout la façon dont ses joues s'empourprèrent lorsqu'il s'installa à côté d'elle.

Sans un mot, il lui donna un verre de vin puis disposa de fines lamelles de fromage sur de petits morceaux de pain et lui tendit ces bouchées une à une, alternant avec des morceaux de fruits. Il se délectait de sentir les lèvres de la jeune femme effleurer ses doigts, et elle-même semblait s'abandonner à un plaisir intense.

Peu à peu, une expression rêveuse chassa les ombres de ses grands yeux clairs, et elle se détendit complètement.

—Tu avais faim ? demanda-t-il d'une voix enrouée de désir.

Elle se trouvait enfin chez lui, dans son lit, à quelques centimètres à peine, et il devait exercer une discipline de fer pour ne pas céder à la tentation de la toucher.

—Oui ! Je n'avais pas beaucoup d'appétit, ces derniers jours, avoua-t-elle.

—À partir de maintenant, tu vas prendre soin de toi, déclara-t-il. Et c'est moi qui vais prendre soin de toi.

Elle sourit.

—Ce n'était pas seulement à cause de… de ce qui s'est passé avec Michael. J'étais prise par mon travail et, dans ces cas-là, il m'arrive d'oublier de manger.

Ash sourit à son tour, heureux qu'elle lui parle aussi librement. Il connaissait la raison de ce regain d'enthousiasme pour son art mais n'en dit rien.

—Tu travailles sur quoi, en ce moment?

Elle rougit joliment, ce qui piqua la curiosité d'Ash.

—Euh… une série de toiles érotiques. Mais rien de trop provocant… J'essaie de rester suggestive, dans les limites du bon goût.

Elle refusa d'un geste la bouchée qu'il lui proposait et se cala contre les oreillers, les yeux brillants d'excitation.

—J'ai vendu toutes les œuvres que j'avais mises en dépôt à la galerie. C'est une chance incroyable! Quand j'ai apporté la première toile de cette nouvelle série, M. Downing m'a dit qu'il ne pouvait plus rien me prendre tant qu'il n'avait pas vendu les tableaux qu'il avait déjà de moi. Et puis, quelques jours plus tard, il m'a appelée pour me dire que non seulement il avait vendu toutes mes œuvres, mais que, en plus, il était prêt à accepter tout ce que je pourrais lui apporter. Apparemment, la personne qui a acquis mes œuvres aimerait en acheter davantage, alors j'ai passé la semaine à compléter cette nouvelle série.

Elle s'interrompit un instant et baissa la tête avant de lui lancer un regard en coin d'un air timide.

—Ce sont des autoportraits, ajouta-t-elle. On ne voit pas mon visage, mais je me suis peinte, nue, dans différentes poses. J'ai… un tatouage, que j'ai dessiné moi-même. Je l'aime beaucoup, alors j'en ai fait le thème central de ces tableaux. Je suis assez fière du résultat. J'espère que ça plaira à mon mystérieux client, conclut-elle avec une pointe d'anxiété qui serra le cœur d'Ash.

Il était absolument certain que son «mystérieux client» adorerait! Il ferait en sorte que personne d'autre que lui ne voie ces nus. Ils seraient son trésor, son secret. Il voulait être le seul à voir son tatouage en entier – à la voir nue.

En plus de mettre en valeur la beauté du corps de Jodie, ces tableaux étaient dotés d'une grâce et d'une finesse qui ne manqueraient pas d'attirer les regards aussi bien masculins que féminins. Malgré les doutes du galeriste quant à son style, elle avait un talent incroyable, qui ne tarderait pas à éclater au grand jour. Ash se félicita d'avoir mis la main sur ces nus avant que d'autres les voient. Il n'avait pas envie de partager une intimité pareille avec le reste du monde.

—Je suis sûr qu'il va adorer, déclara-t-il.

Intérieurement, il se promit d'appeler M. Downing à la première heure le lendemain pour lui demander que les tableaux lui soient livrés au bureau et non chez lui.

—Moi-même, j'aurais beaucoup aimé voir ça, ajouta-t-il.

Elle sourit, rougissante.

—Je pourrais peut-être t'emmener à la galerie. J'ai déposé les toiles tout à l'heure, donc il se peut qu'elles restent là plusieurs jours avant que le client les achète.

Il se pencha vers elle et lui caressa doucement la joue avant de laisser glisser ses doigts le long de son cou.

—Je préférerais que tu me dessines quelque chose de nouveau, murmura-t-il en repoussant une longue mèche de cheveux derrière son épaule. Quelque chose que personne d'autre que moi ne verra. Peut-être même quelque chose d'encore plus sensuel que tes autres tableaux ?

Elle écarquilla les yeux puis fronça les sourcils, comme si elle envisageait déjà des possibilités, les lèvres entrouvertes. Il avait l'impression de voir son imagination en mouvement.

—J'ai plein d'idées, avoua-t-elle dans un souffle. J'aimerais beaucoup faire quelque chose d'un peu plus personnel, si tu me promets de ne pas l'exposer.

Il secoua la tête d'un air solennel.

—Je te promets que je ne le montrerai à personne. Si tu es prête à peindre quelque chose de très personnel, d'intime, qui te ressemble, je ferai en sorte d'être le seul à pouvoir le contempler.

—OK, murmura-t-elle.

Elle rougit de plaisir – et peut-être de désir.

—Tu as assez mangé ?

Elle hocha la tête et lui rendit le verre de vin encore à moitié plein. Il le posa sur le plateau, qu'il alla déposer sur sa commode avant de revenir vers le lit – et vers Jodie.

Il se rassit à côté d'elle, s'adossa aux oreillers, et, quand il lui ouvrit les bras, elle vint se blottir contre lui.

—Maintenant, raconte-moi ce qui s'est passé avec Michael.

Il la sentit se raidir et lui laissa le temps de trouver les mots. Enfin, elle poussa un profond soupir.

— Je m'étais complètement trompée à son sujet. Je ne l'aurais jamais cru capable d'une chose pareille. Même quand on était ensemble et qu'il… exerçait sa domination sur moi, il ne perdait jamais son calme. Au contraire, il se montrait toujours assez froid.

— Où étiez-vous quand c'est arrivé ? s'enquit Ash. Tu étais allée le voir ?

— Non, il est passé chez moi.

— Quoi ?! Tu l'as laissé entrer chez toi ?

Elle s'écarta un peu pour pouvoir le regarder.

— Je n'avais aucune raison de ne pas le laisser entrer, Ash. C'était mon ex, et je ne pouvais pas soupçonner qu'il avait des côtés violents. Pendant tout le temps où on est restés ensemble, je ne l'ai jamais vu en colère. Il n'avait même jamais élevé la voix en ma présence. Il est venu me voir parce qu'il pensait que je n'étais pas sérieuse quand je lui avais dit que je le quittais. Il a rapporté le ras-du-cou et s'est excusé de n'avoir pas tout de suite compris la valeur que j'y attachais. Il m'a promis de faire des efforts par la suite.

Ash fronça les sourcils mais la laissa poursuivre.

— Quand je lui ai dit que je ne reviendrais pas, que c'était vraiment fini, il a exigé de savoir pourquoi.

Elle s'interrompit, tête basse, les mains croisées sur ses genoux. Ash observa un instant son profil avant de l'attirer contre lui pour lui communiquer sa force. Elle avait le souffle court et le pouls qui battait à toute vitesse.

—Qu'est-ce qui s'est passé? demanda-t-il d'une voix douce.

—Je lui ai dit qu'il ne pourrait jamais me donner ce que je voulais, mais que j'avais rencontré quelqu'un qui en semblait capable.

Il resserra son étreinte.

—C'est là qu'il a pété les plombs. Il est devenu complètement fou. J'avais à peine fini ma phrase qu'il m'a giflée. J'étais tellement choquée que je n'ai pas réagi tout de suite. Le temps que je reprenne mes esprits, il m'avait attrapée par les cheveux et avait recommencé à me frapper en m'accusant de l'avoir trompé. Il hurlait, me disait que, s'il ne s'était pas montré aussi gentil et patient avec moi, s'il s'était comporté comme un vrai dom, tout ça ne serait jamais arrivé.

—Oh putain! siffla Ash. Je vais le tuer.

—Arrête! Ne dis pas ça! protesta-t-elle en secouant la tête. Ça ne sert à rien de s'en mêler. C'est fini, maintenant.

—Non, ce n'est pas fini!

Il s'efforça de calmer sa respiration et de chasser momentanément sa rage pour ne pas effrayer Jodie ou risquer de la blesser en crispant les doigts sur ses bras. S'il marquait sa peau un jour, ce serait dans le cadre de jeux délicieux où elle prendrait autant de plaisir que lui.

—J'aurais dû aller porter plainte sur-le-champ, reprit-elle dans un murmure, mais j'étais tellement sonnée… Et puis, quand j'ai commencé à réfléchir à tout ça, je me suis sentie tellement bête ! Je m'en veux de ne pas avoir deviné la violence cachée de son caractère. J'ai couché avec ce type sans jamais rien soupçonner. Quand je pense à ce qu'il aurait pu me faire ! C'est pour ça que...

Elle se tut. Après plusieurs secondes de silence, Ash écarta quelques mèches de cheveux et déposa un baiser sur sa joue tuméfiée.

— C'est pour ça que quoi ?

Elle ferma les yeux avec un long soupir.

— C'est pour ça que je ne t'ai pas donné de nouvelles..., que je n'ai pas accepté ton offre. J'avais peur.

Il pinça les lèvres sans jamais la quitter des yeux.

— Peur de moi ?

Elle hocha la tête, honteuse.

Il soupira à son tour. Il comprenait sa réaction. Cela ne faisait pas plaisir à entendre, mais il comprenait parfaitement.

— Ce n'est pas étonnant, finit-il par dire tout en lui caressant doucement les bras. Tu as cru que, comme tu t'étais trompée au sujet de Michael, tu ne pouvais pas te fier à ton instinct en ce qui me concernait.

— C'est ça.

— Je te comprends, Jodie, mais rappelle-toi que je ne suis pas Michael.

Elle releva les yeux vers lui, une lueur d'espoir dans le regard. Elle avait envie de le croire, de suivre son intuition et de s'en remettre à lui.

— Je ne te ferai jamais le moindre mal, promit-il d'une voix grave. S'il nous arrive de rencontrer des problèmes, on les réglera en discutant, tranquillement.

— OK, murmura-t-elle.

— Viens là, souffla-t-il en lui ouvrant les bras.

Sans hésiter, elle se réfugia contre sa poitrine. Il la serra contre lui avec bonheur et inspira longuement son parfum.

— C'est chiant que ces bleus mettent plusieurs jours à disparaître, gronda-t-il. Ça me fait de la peine de te voir avec ça, mais, surtout, ça me fait mal que tu sois confrontée à ce souvenir chaque fois que tu te regardes dans le miroir.

— Je vais bien, ne t'en fais pas.

— Je doute que tu ailles vraiment bien, mais j'espère que ça va vite s'arranger. En fait, c'est tout ce que j'espère : que tu m'accordes la chance de te prouver qu'on est faits l'un pour l'autre. Je comprends tes réticences après ce qui t'est arrivé, mais fais-moi confiance. Je m'engage à prendre soin de toi. Tu ne le regretteras pas.

Elle garda le silence pendant un long moment, et Ash se rendit compte qu'il retenait son souffle dans l'attente de sa réponse.

Puis lentement, d'une voix teintée d'incertitude mais aussi de détermination, elle prononça ces deux syllabes :

— D'accord.

Alors il s'autorisa à respirer pleinement et la serra dans ses bras avec force.

— Dors, Jodie, repose-toi. Demain, on décidera de ce qu'on fait pour ton appartement.

Il la cajola doucement jusqu'à ce que son souffle se fasse plus régulier et qu'elle se détende complètement. Lui-même ne parvenait pas à trouver le sommeil, hanté par le souvenir de la peur dans la voix de Jodie quand elle s'était blâmée de n'avoir pas su percer Michael à jour, par l'image de ce dernier penché sur elle, le poing dans ses cheveux, en train de la malmener…

Il était presque 2 heures lorsqu'il décrocha son téléphone et composa le numéro de Jace.

—Qu'est-ce qui se passe ? marmonna celui-ci d'une voix ensommeillée. Pourquoi tu m'appelles à cette heure ?

—J'ai besoin d'un alibi, déclara Ash.

Il y eut un long silence au bout de la ligne.

—Quoi ?! Qu'est-ce qui t'arrive, putain ? Tu es dans la merde ? Tu as besoin d'aide ?

Ash contempla Jodie, paisiblement endormie.

—Pas tout de suite, mais je vais bientôt avoir besoin d'un coup de main. Pour le moment, je dois prendre soin de Jodie. Il lui faut du repos et de la tranquillité, et je compte m'employer à lui prouver que je ne lui ferai jamais de mal. Mais je ne vais pas tarder à retrouver le connard qui l'a tabassée, et il se peut que je te demande de me servir d'alibi.

—Qu'est-ce que tu racontes, là ? Quelqu'un a tabassé Jodie ?

—Ouais, mais je vais m'assurer qu'il ne recommence plus jamais.

Jace poussa un long soupir.

—Pas de problème. Tu peux compter sur moi.

—Merci, mon pote. Je te revaudrai ça.

Chapitre 12

Jodie s'éveilla doucement et voulut s'étirer, mais sa main rencontra un corps chaud et dur. Elle ouvrit les yeux brusquement et cilla pour tenter de comprendre ce qui lui arrivait. Puis la soirée de la veille lui revint en mémoire : elle était dans le lit d'Ash, dans ses bras.

Elle se trouvait toute proche de son torse musclé, dont elle contempla le mouvement lent et régulier. Elle inspira longuement son parfum doux et épicé. Elle aurait facilement pu déposer un baiser sur sa peau dorée. La tentation était forte.

Cela aurait été le geste d'une amante se réveillant après une nuit torride, or ils n'avaient fait que dormir. Pour cette fois… Ils n'avaient eu que deux conversations réellement significatives et se connaissaient à peine, pourtant elle se trouvait dans son lit, après avoir accepté d'emménager chez lui.

Elle referma les yeux et se demanda, pour la énième fois, si elle faisait le bon choix. Sa tête et son cœur ne parvenaient toujours pas à se mettre d'accord… Elle allait donc devoir improviser.

Lentement, timidement, elle rouvrit les yeux pour voir si Ash était réveillé. Lorsqu'elle croisa son regard vert, une décharge électrique la parcourut tout entière. Il était bien réveillé et la contemplait avec intensité, comme s'il lisait dans ses pensées.

— Bonjour, murmura-t-il.

Elle baissa la tête, les joues en feu.

— Jodie ? Qu'est-ce qui ne va pas ?

Elle déglutit avant d'oser redresser la tête.

— Ce n'est pas facile pour moi.

Il fit remonter sa main le long de son bras et joua un instant avec ses longs cheveux blonds avant de lui caresser la joue.

— Je n'ai jamais prétendu que ce serait facile. Les meilleures choses ne sont jamais les plus simples.

C'était là une vérité qu'elle n'aurait pas osé contredire. Ash était tout sauf simple, elle l'avait compris dès le début.

— Comme, par exemple, me réveiller en te serrant dans mes bras, poursuivit-il.

Cet aveu, prononcé d'une voix grave, fit courir une onde de chaleur dans le corps de la jeune femme.

— Moi aussi, j'aime bien, admit-elle dans un souffle.

— Je voudrais que tu te sentes en sécurité, ici, avec moi, ajouta-t-il très sérieusement.

—C'est déjà le cas.

—Bon, alors approche-toi que je puisse te dire bonjour comme il se doit.

Elle leva le menton vers lui et posa une main sur sa poitrine. Aussitôt, elle le sentit frémir sous sa paume, tendu comme un arc. Elle fit mine de s'écarter, mais il l'en empêcha.

—J'adore ça, murmura-t-il, et je sais déjà que, chaque fois qu'on sera dans la même pièce, j'aurai envie de te toucher, Jodie. J'ai besoin de ton contact.

Alors il l'embrassa tout en douceur, faisant jouer ses lèvres contre les siennes avec une délicatesse terriblement sensuelle.

Elle poussa un petit soupir et se détendit contre lui, la main toujours posée sur sa poitrine.

—Ça faisait longtemps que j'attendais ce moment : te tenir dans mes bras et commencer la journée par un baiser. J'ai cru devenir fou pendant cette semaine, Jodie, et maintenant que tu es ici avec moi j'ai l'intention de ne plus jamais te lâcher.

—Moi aussi, j'attendais ça avec impatience, avoua-t-elle.

Elle avait rêvé de cet instant et, à présent qu'elle l'avait vraiment vécu, elle se rendait compte que la réalité n'avait rien à envier à ses fantasmes.

Ses doutes et ses peurs s'envolèrent, et, avec eux, l'inquiétude d'avoir fait le mauvais choix. Elle avait à présent la profonde certitude d'être à sa place. C'était ce qu'elle désirait plus que tout, et elle résolut de ne plus lutter contre ses instincts.

Ash la fit rouler sur le dos et vint se poster au-dessus d'elle en se soulevant sur les coudes. Cette fois, il l'embrassa avec plus de fougue, passionné et exigeant.

Lorsqu'il s'écarta, ils étaient tous deux à bout de souffle.

—Je m'étais promis d'être patient, Jodie, mais je ne vois pas comment je pourrais y arriver alors que tu me rends complètement fou. J'ai envie de toi. Maintenant. S'il te plaît, dis-moi que toi aussi, sinon je risque d'en mourir.

Ces paroles enflammées l'émurent profondément, et elle se cambra à sa rencontre en une invitation muette, mais il suspendit son geste.

—Dis-le-moi, Jodie. Je veux t'entendre me dire que tu as envie de moi. Si tu n'es pas absolument certaine, alors j'arrête tout.

—J'ai envie de toi, Ash, murmura-t-elle.

Aussitôt qu'elle eut prononcé ces mots, son cœur s'emballa.

—Dieu merci, souffla-t-il avant de l'embrasser de nouveau avec une passion redoublée.

Quand, enfin, il se redressa, ses yeux luisaient d'un feu farouche.

—Attends, je vais attraper un préservatif. On parlera de contraception plus tard, mais pour le moment c'est la seule solution possible, gronda-t-il. Là, le plus urgent, c'est de te débarrasser de ce pyjama. J'adore cette couleur, elle te va à ravir, mais j'ai trop envie de découvrir ton tatouage.

Avec un sourire, elle le regarda se lever pour aller chercher un préservatif. Puis il revint vers elle et passa les mains sous la veste de son pyjama.

—Je meurs d'impatience de le revoir depuis le premier jour, au parc – j'en ai eu un bref aperçu quand tu as levé le bras.

—Ah bon ? Tu l'as déjà vu ? demanda-t-elle, surprise.

Il passa deux doigts sous l'élastique de son pantalon en souriant.

—Oui, juste un bout. Ça m'a rendu complètement fou. Depuis, je rêve de découvrir jusqu'où il va.

Elle souleva les hanches, et il fit glisser le vêtement le long de ses jambes avant de le jeter loin du lit. Puis il entreprit de déboutonner la veste en commençant par le bas.

Enfin, il dévoila son buste mince et ses épaules. Elle se redressa, pressée de se débarrasser du tissu soyeux, qu'elle envoya valser à travers la pièce.

Ash ne quittait pas son tatouage des yeux ; il suivait du regard les lignes fluides du motif à l'endroit où elles épousaient la courbe de sa hanche avant de plonger à l'intérieur de sa cuisse.

Elle frissonna sous le feu brûlant de cette observation : il semblait prendre possession d'elle.

Avec des gestes d'une grande douceur, il la tourna sur le côté pour voir le reste de son tatouage. C'était un bouquet de couleurs vives : roses et oranges chaleureux, violet profond et vert tendre, ainsi qu'un bleu turquoise qui semblait puisé dans les prunelles de la jeune femme.

Comme il s'en était douté au premier regard, il s'agissait d'une liane exotique, dont les détails fleuris étaient exécutés avec une exquise minutie. Il n'imaginait même pas le temps qu'il avait dû falloir à l'artiste pour reproduire le dessin original de Jodie.

Il traça du bout des doigts les contours ondoyants, jusqu'à l'endroit où ils disparaissaient entre les cuisses de la jeune femme. Il la rallongea sur le dos, arrêtant sa main tout près de son sexe.

—Montre-moi, exigea-t-il dans un grondement sourd. S'il te plaît, Jodie, écarte les jambes pour que je puisse voir le reste…

La vision de Jodie se troubla, mais elle obéit néanmoins et, lentement, s'offrit à ses regards. Il caressa doucement ses boucles blondes.

—Magnifique, murmura-t-il d'une voix étranglée.

Le motif floral se poursuivait à l'intérieur de sa cuisse et s'arrêtait juste à l'arrière de sa jambe. Les couleurs vives et chaudes reflétaient à merveille l'âme d'artiste de la jeune femme.

Ash aurait tout le loisir d'exercer sa domination sur elle… Pour cette première fois, il tenait à établir une confiance mutuelle et à procurer à Jodie un plaisir pur, fait de douceur et de générosité, avant de lui imposer toute l'étendue de ses exigences.

Il se pencha sur elle et pressa ses lèvres entre ses seins. Elle cambra le dos pour venir à la rencontre de sa bouche, et il déposa lentement une ligne de baisers en direction de son ventre. Elle accueillit chacun d'entre eux par un petit gémissement accompagné d'un léger soubresaut.

Lui-même frissonnait de désir. Il était obligé d'exercer une maîtrise de soi qui le faisait presque trembler. Il mourait d'envie de prendre possession de ce corps si doux dont il avait tant rêvé et qui s'offrait enfin à lui. C'était un instinct primaire qui lui demandait une retenue presque douloureuse.

Il était déterminé à savourer le cadeau inestimable que lui faisait la jeune femme en lui livrant non seulement sa personne, mais aussi sa confiance.

Il déposa un baiser dans ses boucles fines et huma longuement l'odeur de son excitation. Puis il glissa un doigt entre ses lèvres gonflées et, ayant recueilli son nectar, revint décrire de petits cercles délicats autour de son clitoris.

—Ash! s'écria-t-elle dans un souffle.

Il adorait la façon dont elle prononçait son nom. Bientôt, elle le crierait de plaisir.

Écartant légèrement sa chair soyeuse, il s'approcha et donna un lent coup de langue, affolé par sa saveur sucrée.

Avec un gémissement sourd, elle plongea les doigts dans ses cheveux et crispa les poings. Il suça son clitoris avec juste assez de force pour envoyer des ondes de plaisir le long de ses cuisses, puis il tendit la langue de nouveau jusqu'à l'entrée de son sexe.

Il la pénétra en de longs mouvements sensuels, enivré par le plaisir qu'il lui procurait. Elle se cambrait et s'agitait en rythme avec ses caresses, et chacune de ses réactions lui fouettait le sang.

—Vas-y, dit-il en relevant la tête pour la regarder. Laisse-toi aller. Je veux te sentir jouir sur ma langue.

Jodie avait les paupières lourdes et les lèvres rougies autant par ses baisers que par la morsure qu'elle s'était infligée tandis qu'il l'excitait.

—Tu aimes ça, Jodie?

—Oh oui! J'adore ce que tu me fais avec ta langue.

—C'est parce que tu m'inspires, rétorqua-t-il avec un petit rire.

Lorsqu'il reprit ses caresses, il plaça son pouce contre le clitoris de la jeune femme tout en continuant de la pénétrer avec sa langue.

Elle se souleva du matelas en réponse à cette nouvelle pression, et il lapa sa chaleur liquide, qui se répandit dans sa bouche.

De l'autre main, il inséra un doigt en elle et le recourba en de petits mouvements. Il sentit les parois de son sexe se contracter autour de lui en réaction, comme pour l'empêcher de ressortir.

—Maintenant, Jodie!

Elle se déchaîna sous la pression conjuguée de ses doigts et de sa langue. Elle tremblait et se démenait, libérant une puissante énergie qui attisait le désir d'Ash. Soudain, elle referma les cuisses autour de sa tête, le maintenant fermement en place contre elle, et il sentit les spasmes de son orgasme contre ses lèvres.

Il la lécha longuement tandis qu'elle se débattait sous lui, et ne cessa que lorsqu'elle sursauta faiblement, le pic de sa jouissance ayant rendu sa chair hypersensible.

Il se redressa, soulagé que son érection ne soit plus pressée contre le matelas. Il s'avança au-dessus de Jodie et appuya les mains de chaque côté de sa tête pour pouvoir l'embrasser sans trop peser sur elle. Il voulait qu'elle goûte la saveur de son plaisir, qu'elle partage ce nectar qu'il venait de recueillir.

— C'est le goût de ta passion, Jodie. Je n'ai jamais rien connu d'aussi délicieux et je veux t'en faire profiter.

Elle poussa un gémissement un peu surpris mais l'embrassa avec fougue. Ses tétons étaient tout durs, tendus vers lui comme pour attirer ses baisers. Il mourait d'envie de les goûter, mais, d'abord, il voulait se consacrer à sa bouche et à son cou.

— Je peux te toucher? murmura-t-elle soudain.

— Tu n'as pas besoin de me demander la permission, chuchota-t-il tout près de son oreille avant d'en mordiller délicatement le lobe, lui arrachant un puissant frisson. J'aimerais que tu me touches aussi souvent que possible, même si c'est d'une façon innocente, en public. Je suis très tactile, Jodie, et j'espère que ça ne te dérange pas. De mon côté, je n'aurai aucun scrupule à te manifester de l'affection devant le monde entier pour proclamer que tu es mienne.

Avec un léger soupir, elle passa les mains sur ses épaules et les fit glisser le long de son dos en le griffant légèrement. Il crut qu'il allait se mettre à ronronner.

— J'adore ça…, souffla-t-elle.

— Quoi, exactement ?

— Tout ça. Ce n'était pas du tout le genre de Michael.

Aussitôt, son regard se troubla, comme si elle regrettait ses paroles. Ash lui sourit avec douceur pour la rassurer.

— Qu'est-ce qui n'était pas son genre ?

— Les caresses, les câlins, les gestes tendres… Il n'était pas affectueux et ne me touchait jamais. Même au lit, il restait toujours très distant. Toi, en revanche, tu sembles rechercher une véritable intimité…

— Oui, tu as tout compris, murmura-t-il.

Il donna un lent coup de langue sous son oreille puis souffla légèrement dessus. Elle frissonna de nouveau, ce qui le fit sourire.

— J'aime vraiment beaucoup ça, Ash, et ça me fait un peu peur… C'est presque trop beau pour être vrai.

— Je suis content que ça te plaise, Jodie, parce que c'est ce que j'ai à t'offrir. Et ce n'est pas trop beau pour être vrai : c'est beau, tout simplement, souffla-t-il. Maintenant, si tu le veux bien, j'aimerais reprendre là où on en était. Je t'avoue que je souffre le martyre.

Elle fronça les sourcils, mais il sourit pour lui montrer qu'il plaisantait. Enfin… qu'il plaisantait à moitié. Il se trouvait dans un état d'excitation insupportable, et sentir Jodie se tordre de plaisir sous sa langue tandis que son érection appuyait contre le matelas n'avait pas arrangé son affaire.

Il aurait nettement préféré un soixante-neuf, mais cela attendrait, comme tous les autres fantasmes qu'il nourrissait à l'égard de Jodie. Ils avaient tout le temps d'explorer l'étendue de leurs désirs à présent qu'elle était chez lui.

Il se positionna au-dessus de ses seins délicats, menus mais parfaitement formés, dont les tétons roses se tendaient vers lui.

Il fit jouer sa langue autour de l'un d'eux avant de l'attirer entre ses lèvres et de le pincer légèrement. Elle se raidit et gémit doucement.

—Ash…

Il devina la question dans sa voix et leva les yeux vers elle, bouleversé de trouver son regard embué de désir.

—J'aimerais te rendre la pareille, murmura-t-elle. Moi aussi, je voudrais te goûter.

Il lui sourit avec une infinie tendresse et déposa un baiser au coin de sa bouche.

—Tu en auras l'occasion, je te le promets, mais là j'ai trop envie de toi.

—Oui…

Il sourit de la voir si étourdie de plaisir puis reporta son attention sur ses seins. Il en suça longuement les pointes durcies, tour à tour, les mordillant avec juste assez de force pour arracher à Jodie de petits cris terriblement excitants.

Il se redressa pour attraper le préservatif qu'il avait placé sur la table de nuit, en déchira l'emballage, puis le positionna à l'extrémité de son sexe. Il tressaillit : le contact de ses propres mains était douloureux tant il était à cran.

—Ça va ? s'enquit Jodie d'une voix douce.

—Ça ira mieux dans quelques secondes, murmura-t-il sans desserrer les mâchoires.

Il inséra un doigt entre ses lèvres, encore toutes gonflées après son récent orgasme. Il sentit des gouttes de sueur perler sur son front lorsqu'il imagina ce qu'il ressentirait en prenant possession de cette douceur brûlante.

Il prit une profonde inspiration et se positionna au-dessus d'elle.

—Guide-moi, Jodie, dit-il d'une voix étranglée. Prends-moi en main et guide-moi, ma belle.

Il vit son regard s'attendrir à la mention de ce petit mot doux et en prit bonne note.

Il ferma les yeux lorsqu'elle referma les doigts sur son sexe tendu et le caressa sur toute la longueur tout en l'approchant d'elle. Il crispa les lèvres dans un effort pour se contenir.

—Vas-y, Ash, murmura-t-elle. Tu y es. Prends-moi. Vite.

Aussitôt, il s'avança avec toute la délicatesse dont il était capable dans son état. Elle était très étroite, mais il sentit les parois de son sexe se détendre progressivement pour le laisser entrer. Il recula un peu avant de donner une nouvelle poussée, plus vigoureuse.

—Maintenant, mets les mains au-dessus de ta tête.

Elle se contracta autour de lui, et une vague de chaleur liquide témoigna de son excitation grandissante. Lentement, elle leva les bras et croisa les poignets sur l'oreiller.

Ash se redressa et passa les mains sous les fesses de la jeune femme pour l'attirer encore plus près de lui. Puis il baissa la tête, hypnotisé par la vision de sa pénétration, avant de faire glisser ses mains le long des jambes de Jodie pour les croiser dans son dos.

— Est-ce que tu penses pouvoir jouir bientôt ? demanda-t-il tout en inspirant par le nez pour se contenir.

— Oui, mais j'ai besoin de…

Elle se mordit la lèvre et baissa les yeux.

— Regarde-moi, Jodie.

Elle obéit en écarquillant les yeux.

— De quoi as-tu besoin, ma belle ?

— Euh… j'ai besoin que tu me touches, avoua-t-elle.

Ses joues s'empourprèrent, puis tout son corps fut gagné par une délicieuse rougeur.

— Je n'arrive pas à jouir autrement, ajouta-t-elle dans un souffle.

Il s'abaissa sur ses coudes et approcha son visage de celui de la jeune femme, de sorte que leurs lèvres se touchaient presque.

— Ne sois pas gênée, voyons. Beaucoup de femmes ont besoin d'une stimulation clitoridienne pour atteindre l'orgasme. Et puis n'hésite surtout pas à me dire ce que tu aimes et ce que tu veux. D'accord ? Il faut que je sache ce qui te plaît et ce qui t'excite pour pouvoir te combler, et je tiens à te combler comme tu le mérites. Mon plaisir en dépend aussi.

—D'accord.

Il se mit en équilibre sur un coude pour lui prendre la main et la ramener entre eux.

—Caresse-toi, ma belle. Je vais y aller fort, ça fait trop longtemps que je me contiens. Je ne vais pas tenir très longtemps, alors si tu as besoin de prendre un peu d'avance vas-y, et dis-moi quand je pourrai me déchaîner.

Il devina l'instant où elle passa les doigts sur son clitoris à la façon dont ses yeux se voilèrent. Elle poussa un léger soupir et sourit, les paupières lourdes.

—Maintenant, chuchota-t-elle.

—Tu es sûre ? Ça va aller vite.

Elle hocha la tête, les traits déjà tendus par l'amorce de son orgasme.

Alors, il laissa libre cours à son désir.

Il se retira lentement, enivré par la sensation de son sexe contracté autour du sien. Puis il la pénétra avec force, de plus en plus vite, de plus en plus brutalement. Ses yeux se révulsèrent. Il n'avait jamais rien ressenti de tel.

Il entendit un rugissement sourd à ses oreilles et comprit qu'il s'agissait de son sang en ébullition. Sa vision s'assombrit tandis qu'un plaisir étourdissant, presque douloureux, rayonnait dans sa poitrine.

—Oh putain, ça va me tuer ! gronda-t-il.

—Moi aussi, souffla Jodie. Ne t'arrête pas, Ash! Je t'en prie!

—Aucun risque!

Il redoubla de vigueur, si bien que le lit tout entier tremblait sous ses coups de boutoir. Les seins de Jodie remuaient en rythme, aguicheurs, et ses tétons durcis se tendaient vers lui, comme pour l'encourager à la posséder encore plus sauvagement.

Soudain, un orgasme infernal naquit au creux de ses reins et jaillit en jets puissants presque douloureux. Retenant son souffle, il continua à tendre toute son énergie vers Jodie, étourdi par la chaleur de son corps.

—Jodie..., murmura-t-il en un grondement étranglé.

—Oui! Oh oui!

Ce cri, conjugué aux spasmes qui la secouèrent, achevèrent de lui faire perdre la raison. Il avait l'impression qu'un feu intense avait grillé les circuits de son cerveau. Il était totalement consumé, comblé, apaisé.

Il s'allongea sur Jodie, incapable de se soutenir plus longtemps, et resta là un long moment tandis qu'ils tentaient de reprendre leur souffle. Puis il se ressaisit : elle devait avoir du mal à respirer, et il devait aussi se débarrasser du préservatif.

Il était impatient de pouvoir se passer de cette barrière pour goûter pleinement la douceur de Jodie. Il passerait des nuits entières à l'intérieur de son corps si chaud, et tant pis s'ils se réveillaient tout sales et collants. Il voulait jouir en elle – sur elle.

Il se souleva sur les coudes, dégagea les cheveux qui étaient venus se coller à son front et déposa un baiser juste à cet endroit avant de l'embrasser sur les lèvres.

—Ça va ? C'était bien ?

—Si ça avait été mieux, je crois que je serais morte, répondit-elle avec un sourire coquin.

Il lui rendit son sourire et se leva pour jeter le préservatif. Puis il revint se coucher à côté d'elle et l'attira tout contre lui.

—Je dormirais bien encore un peu, murmura-t-il.

—Mmm… Moi aussi.

—Super… Je nous préparerai quelque chose à manger quand on sera reposés.

Jodie se blottit contre lui et passa une jambe entre les siennes.

—Ça me va.

Chapitre 13

—Je veux que tu portes mon collier, Jodie, murmura Ash.

Elle tourna la tête vers lui, surprise par cette déclaration. Elle était blottie contre lui dans le canapé. Après avoir fait l'amour, ils s'étaient accordé une petite sieste et, en se réveillant pour la seconde fois, Ash était allé préparer un petit déjeuner qu'il avait servi au lit. Ensuite, ils s'étaient douchés ensemble, et Ash avait pris un plaisir infini à savonner Jodie et à laver ses longs cheveux.

Puis il l'avait enveloppée dans un peignoir moelleux avant de l'entraîner dans le salon, où ils paressaient tranquillement depuis.

Ash soutint le regard de la jeune femme avec intensité, comme s'il espérait y déceler un élément de réponse.

— Je sais que tu portais celui de Michael mais que ça ne signifiait pas grand-chose. Si tu portais le mien, ça aurait du sens – pour toi comme pour moi.

— D'accord, souffla-t-elle.

— Je veux en choisir un tout spécialement pour toi. Je n'ai pas encore trouvé le bijou parfait, mais ça ne saurait tarder. Est-ce que tu serais prête à le porter ? À ne jamais l'enlever ?

Elle hocha lentement la tête, imaginant déjà ce que cela lui ferait de porter le collier d'Ash – et toute la symbolique qui allait avec ce geste.

— Il y a pas mal d'autres choses dont je voudrais te parler aujourd'hui, poursuivit-il. J'aimerais tout régler le plus vite possible, histoire qu'on ait l'esprit libre par la suite.

— D'accord, Ash.

Il la serra contre lui avec un sourire satisfait.

— Ta confiance compte énormément pour moi, surtout après ce qui t'est arrivé avec l'autre imbécile. Je tiens vraiment à ce que tu saches que je ne te ferai jamais de mal, Jodie.

— Je sais, dit-elle avant de l'embrasser légèrement. Tu n'as pas à me le prouver, je te crois. Ce n'est pas simple pour moi d'accorder ma confiance après Michael, mais je suis sûre d'avoir fait le bon choix. Je ne regrette pas ma décision.

— Tant mieux, mais je te promets quand même de te montrer à quel point tu comptes à mes yeux, jour après jour. C'est essentiel pour moi de t'en convaincre : tu es très importante. Ne l'oublie jamais.

Elle se laissa aller contre lui et posa la tête sur son épaule. Elle adorait le contact apaisant de son grand corps si fort, si solide. Le simple fait de se trouver près de lui la rassurait. Elle se sentait bien, tout simplement.

— Parmi tous les détails que nous devons régler, le plus urgent concerne la contraception et les tests médicaux qui y sont liés.

Jodie se redressa et tourna vers lui un regard interrogateur.

— Je ne veux plus avoir à utiliser de préservatifs – pas avec toi. Je veux pouvoir jouir en toi, sur toi. C'est pour ça qu'il faut qu'on passe des tests et qu'on te trouve un autre moyen de contraception. Cela dit, je peux t'assurer que j'ai toujours fait très attention. Et puis ça fait un moment que… (Il s'interrompit et secoua la tête.) Je t'en parlerai plus tard.

Jodie inclina la tête.

— De quoi tu parles?

— De la dernière fois que j'ai couché avec une femme. Je te raconterai ça un jour, mais pas maintenant. Pour le moment, il y a plus urgent.

La gravité de sa voix et le sérieux de son expression inquiétèrent légèrement la jeune femme, et elle fronça les sourcils, mais il la rassura en l'attirant à lui pour un baiser.

— On utilisait des préservatifs, avec Michael, annonça-t-elle. Je n'ai eu personne d'autre ces deux dernières années et je prends déjà la pilule.

— Est-ce que tu veux une copie de mes derniers résultats ou est-ce que tu me crois sur parole? demanda Ash.

Elle hésita un instant. S'agissait-il d'une question-piège pour tester sa confiance ? S'offenserait-il si elle lui demandait de voir ses résultats ? Aussitôt, elle balaya ses doutes : elle n'allait pas mettre sa vie en jeu. C'était trop important.

— J'aimerais en avoir une copie, s'il te plaît.

— D'accord. Je te donnerai ça cet après-midi, dit Ash le plus naturellement du monde.

— Et moi ? Tu veux que je fasse des tests ? La dernière fois que je suis allée chez le médecin remonte à trois mois, et j'ai eu des rapports depuis.

— Je t'organise ça pour cet après-midi.

Jodie écarquilla les yeux.

— Cet après-midi ? Mais je n'obtiendrai jamais de rendez-vous aussi tôt.

— Je pensais t'envoyer chez mon médecin personnel. Je suis certain qu'il trouvera le temps de te recevoir.

Elle hocha la tête.

— Bon. Je voudrais aussi qu'on discute de notre organisation au sujet de l'appartement.

— OK, dit-elle d'une voix hésitante.

Elle aurait voulu paraître plus sûre d'elle, mais, à présent que tout cela devenait concret, elle se sentait terriblement nerveuse.

— Je sais que ça fait beaucoup à encaisser d'un coup, mais autant en discuter une bonne fois pour toutes, reprit-il d'une voix apaisante.

Elle prit une profonde inspiration et hocha la tête.

— Cet appartement est loin des transports en commun, mais je considère ça comme un avantage. Je ne veux pas avoir à craindre pour ta sécurité chaque fois que tu mets un pied dehors, donc mon chauffeur sera à ta disposition entre le moment où il me dépose au bureau le matin et le moment où il revient me chercher le soir. Cela dit – et ce n'est pas uniquement pour le plaisir de tout contrôler –, si tu sors je tiens à savoir où tu vas et quand tu reviens. (Il marqua une pause avant de poursuivre.) Par ailleurs, il faut qu'on s'occupe de transférer tes affaires ici. On ira chercher tout ce dont tu as besoin dans ton ancien appartement. J'ai un bureau et deux chambres d'amis, donc tu peux t'installer où tu veux pour peindre. Je me disais que le salon serait idéal parce que c'est une pièce lumineuse et que la vue sur le fleuve est magnifique, mais c'est toi qui choisis.

Elle le regarda un instant, étourdie. Elle avait l'impression que le monde s'était mis à tourner à vitesse supersonique tandis qu'elle restait sur place, essayant de comprendre ce qui se passait.

— J'aurai besoin que tu t'adaptes à mes horaires et que tu sois ici quand je rentre du bureau. Ça veut dire que je te tiens au courant de mes déplacements, et réciproquement. Mon emploi du temps est assez variable : il m'arrive de rentrer tôt ou, au contraire, de devoir rester tard. Dans tous les cas, je te préviendrai. Par ailleurs, si je dois m'absenter pour plusieurs jours – ce qui n'est pas prévu pour l'instant – je veux que tu m'accompagnes. Est-ce que ça te convient ?

Jodie prit une profonde inspiration avant de sourire timidement.

—Est-ce que j'ai le choix?

Ash réfléchit une seconde.

—Pas vraiment, non, répondit-il. Ce sont mes exigences.

—Bon. Alors je tâcherai d'être à la maison quand tu rentres, rétorqua-t-elle sur un ton léger.

Il poussa un soupir de soulagement, comme s'il s'était attendu à un refus. Jodie se demanda comment il aurait alors réagi: l'aurait-il mise à la porte ou lui aurait-il proposé un compromis?

Il lui avait avoué sans la moindre hésitation qu'il avait besoin d'elle. Était-il réellement aussi inflexible qu'il le prétendait? Elle était curieuse de le découvrir, mais ne comptait pas tester ses limites. Pas encore, du moins. Elle aurait tout le temps d'opposer une résistance quand il lui proposerait quelque chose qui lui déplairait vraiment.

—Donc, si j'ai bien compris tes… exigences: tu veux que je sois ici quand tu y es, que je te suive dans tes déplacements si tu quittes New York et que je te tienne régulièrement au courant de mes activités.

Cela ne lui paraissait pas exagéré du tout. Elle ne voulait pas qu'il s'inquiète pour elle et que cela l'empêche de se concentrer sur son travail. Au contraire, elle voulait lui éviter toute source de stress.

—Oui, tu as bien compris, confirma-t-il tout en soutenant son regard avec intensité. Mais attention: je ne prends pas ça à la légère. Il ne s'agit pas de me laisser sans nouvelles puis de me dire : « Oups, désolée ; j'ai complètement oublié de te prévenir que je sortais. » Je serais furieux si ça arrivait et j'attends de toi que tu me dises absolument tout.

— Oui, Ash, je sais, souffla-t-elle.

— Bon, conclut-il avec un hochement de tête. Maintenant qu'on est d'accord là-dessus, il y a des choses que tu dois savoir à mon sujet. Je préfère te mettre au courant tout de suite pour que ça ne risque pas de te mettre mal à l'aise plus tard.

Elle haussa un sourcil, étonnée par le sérieux de sa voix. On aurait dit qu'il s'apprêtait à lui faire d'odieuses révélations. Elle faillit tourner cela en dérision et lui demander s'il était tueur en série à ses heures perdues, mais il ne semblait pas d'humeur à plaisanter. Elle décida donc de se taire et de le laisser poursuivre.

Ash poussa un soupir, puis se redressa et plaça un coussin dans son dos. Jodie s'écarta un peu pour lui faire de la place, mais aussitôt qu'il fut installé de nouveau il l'attira tout contre lui.

— Je te préviens : chaque fois qu'on aura besoin d'une conversation sérieuse, ce sera comme ça, avec toi dans mes bras – jamais d'un bout à l'autre de la pièce. Même si on se dispute, je veux qu'on reste en contact physiquement. Je ne supporterais pas que tu mettes de la distance entre nous sous prétexte que tu es fâchée.

Elle hocha la tête en souriant, blottie contre son torse. Cela lui convenait parfaitement. Elle n'avait jamais réussi à s'habituer à la froideur de Michael, à cette espèce de vide émotionnel qu'il maintenait entre eux. Lui était plutôt du genre à s'asseoir à une table pour discuter s'il survenait un problème. Leurs contacts physiques se limitaient aux moments où ils faisaient l'amour, alors qu'Ash ne pouvait pas s'empêcher de la toucher – et elle adorait ça.

— C'est une conversation sérieuse qu'on s'apprête à avoir ? demanda-t-elle non sans une certaine taquinerie.

Elle éprouvait le besoin de détendre l'atmosphère, qui commençait à devenir pesante. Elle n'avait pas l'habitude de prendre les choses au tragique. Peut-être qu'Ash finirait par se détendre à son contact, ou peut-être qu'il resterait toujours aussi extrême.

Il la serra de plus belle contre lui.

— Très sérieuse, oui. Il s'agit de nous deux, de notre relation, Jodie ; je ne peux pas prendre ça à la légère. Ne t'inquiète pas : je suis un peu à cran aujourd'hui parce que je tiens à ce qu'on démarre sur de bonnes bases. Je ne suis pas toujours aussi tendu, mais là j'ai besoin d'exorciser tout ce qui pourrait te froisser et nous empêcher d'avancer.

Elle fronça les sourcils et se redressa suffisamment pour pouvoir le regarder dans les yeux. Il semblait guetter la moindre de ses réactions avec une attention minutieuse.

— Qu'est-ce qu'il y a, Ash ? Qu'est-ce qui pourrait me froisser ?

Il poussa un gros soupir.

— Je ne sais pas, peut-être que ça ne va pas t'affecter du tout. Ce que je veux éviter à tout prix, c'est que tu découvres la vérité trop tard et que ça te fasse du mal. Si tu es au courant dès le départ, tu ne risques pas d'être prise au dépourvu.

Elle lui caressa doucement la joue et sentit crisser sous ses doigts sa barbe naissante aux reflets dorés.

— Dis-moi tout, je comprendrai.

Il lui prit la main et déposa un baiser au creux de sa paume.

— Jace Crestwell est mon meilleur ami. Gabe Hamilton aussi, mais Jace et moi…, on a un lien particulier. Je l'ai toujours considéré comme mon frère. Je lui fais entièrement confiance, et il sait qu'il peut toujours compter sur moi. Pendant longtemps, on a tout partagé, lui et moi – et quand je dis « tout » ça inclut nos conquêtes féminines. Quasiment toutes les femmes que j'ai connues, c'était avec Jace.

Elle fronça les sourcils, interdite. Dire qu'elle avait eu peur qu'il n'exige de pouvoir aller voir ailleurs… Elle ne s'était vraiment pas attendue à cela, surtout qu'Ash s'était montré plutôt très possessif jusqu'à présent. Elle avait du mal à imaginer qu'il apprécie de la voir avec un autre homme, même s'il participait. Par ailleurs, cette perspective ne l'excitait pas du tout.

— Est-ce que… tu avais l'intention de faire pareil avec moi ? De me partager avec lui ?

— Non !

Il s'exclama avec tant de force qu'elle sentit son souffle passer sur son menton. Rassurée, elle se détendit et le laissa poursuivre ses explications.

—Au début, j'étais perplexe en voyant Jace avec Bethany, mais maintenant je comprends.

—Attends, intervint-elle avec patience. Je ne te suis pas très bien. De quoi tu parles, exactement?

—Comme je te l'ai dit, Jace est mon meilleur ami. Bethany est sa fiancée. On aura souvent l'occasion de les voir; je veux que tu apprennes à les connaître et à les apprécier. Ils sont importants à mes yeux, et toi aussi, donc j'aimerais que vous puissiez être amis. Cependant, il y a une chose que tu dois savoir: au début, la première nuit que Jace et Bethany ont passée ensemble, j'étais là, avec eux.

Jodie écarquilla les yeux.

—Et tu… Vous… Ça vous arrive encore de faire des plans à trois?

—Non! s'écria Ash en secouant la tête. Jace aurait préféré l'éviter, dès le début, mais il n'a pas osé le dire… C'est une histoire compliquée et un peu tordue, je te l'accorde, mais le résultat, c'est que j'ai couché avec Bethany. Or tu vas la croiser. Souvent. Et Jace aussi. Je ne veux pas que ça te mette mal à l'aise. Ça n'a pas été simple, les quelques premières fois qu'on s'est retrouvés tous les trois, mais tout va bien, maintenant. On a tourné la page et on n'en parle plus, mais on ne peut pas nier que c'est arrivé. En revanche, je ne voudrais pas que ça te fasse de la peine de la regarder en sachant ce qui s'est passé. Il n'y a rien du tout entre Bethany et moi, si ce n'est une amitié respectueuse. C'est une fille géniale, et je pense qu'elle te plaira, mais tu n'as rien à craindre. En fait, tu n'as rien à craindre de personne, Jodie.

—Je comprends, dit-elle à voix basse. Merci de m'avoir prévenue ; j'apprécie ta franchise. Ce qui aurait été gênant, ça aurait été que je fasse une gaffe devant eux sans le savoir.

Il scruta son regard un instant.

—Est-ce que ça risque de te poser un problème, reprit-il, de côtoyer une femme avec laquelle j'ai couché et que j'apprécie beaucoup ?

—Pas si tu me dis que je n'ai rien à craindre.

Il secoua la tête.

—Aucun souci là-dessus. Comme je te l'ai dit, je ne m'expliquais pas bien les réactions de Jace, à l'époque. C'était la première fois qu'il se montrait aussi possessif, parce que personne d'autre n'avait vraiment compté à ses yeux avant Bethany. C'est à mon tour de ne pas vouloir te partager, Jodie, surtout pas avec mon meilleur ami, même s'il était célibataire. Quant aux autres hommes, il n'en est même pas question. Mes expériences passées avec Jace sont ce qu'elles sont ; je n'en suis pas très fier, mais je n'en ai pas honte non plus. En revanche, à partir de maintenant, c'est toi et moi, et personne d'autre. Dorénavant, je serai le seul homme à te faire l'amour.

Jodie frissonna tant ces paroles lui paraissaient solennelles et définitives. Pourtant, ce n'étaient que des mots. Comment aurait-il pu en être autrement ? Ils ne se connaissaient que depuis très peu de temps et n'avaient couché ensemble qu'une fois. Pourtant, il parlait de leur relation comme s'il s'agissait d'un engagement à vie.

Quant à elle, elle ne doutait pas de la sincérité d'Ash ni de ce qu'elle-même souhaitait, mais elle ne prétendait pas prédire l'avenir avec autant d'autorité que lui. Trop d'inconnues entraient dans l'équation.

—À quoi tu penses ? demanda-t-il doucement, la tirant de sa rêverie.

Elle sourit.

—Je ne sais pas à quel genre de réaction tu t'attendais, Ash. Tu croyais vraiment que j'allais m'enfuir en courant parce que tu as eu des expériences un peu hors du commun ? Tu as quel âge ? Trente-cinq, trente-six ans ? Ce qui serait étonnant, ce serait que tu n'aies jamais eu d'aventures dignes de ce nom.

—J'ai trente-huit ans…, presque trente-neuf, intervint-il.

—D'accord, tu as trente-huit ans, reprit-elle en haussant les épaules. De mon côté, j'étais encore dans une relation il y a de cela quelques semaines à peine. Je ne peux pas vraiment t'en vouloir d'avoir eu une vie sexuelle avant moi.

—Certes, mais on n'aura aucune raison de croiser ton ex, objecta-t-il.

Jodie poussa un soupir.

—Je ne dis pas que ça m'amuse de me retrouver face à elle et de t'imaginer en train de lui faire l'amour, mais je finirai bien par m'y habituer, Ash. Et puis, si elle est aussi chouette que tu la décris, on devrait pouvoir devenir amies. Il faut juste que j'arrive à ne pas me torturer en vous visualisant ensemble.

— Ce n'est arrivé qu'une seule fois, et je ne veux pas que tu y penses quand on les verra. Jodie, mes conquêtes passées n'ont plus aucune importance : tu es mon présent et mon avenir, et c'est la seule chose qui compte. Tu éclipses tout le reste.

Elle sourit et se pencha vers lui pour appuyer le front contre le sien.

— Alors je ferai de mon mieux pour ne pas y penser du tout.

— Bon, conclut-il avant de consulter sa montre. Il est presque l'heure du déjeuner, et il faut encore qu'on s'occupe de tes affaires. Est-ce que ça te va si on mange un morceau avant de passer à ton appartement pour récupérer le matériel dont tu as besoin pour travailler ? Tu pourras faire une liste détaillée de tout ce que tu veux apporter ici, et j'enverrai quelqu'un pour s'en charger. Je veux que tu te préoccupes uniquement de t'installer confortablement ici.

— Ça me convient parfaitement.

Il sourit et l'embrassa avec fougue avant de reprendre la parole.

— Je te présenterai les autres en temps et en heure, mais, pour le moment, je veux te garder pour moi tout seul. J'aimerais bien appeler le bureau lundi matin pour prendre une semaine de congé et la passer avec toi.

Jodie s'imagina passer une semaine entière dans les bras d'Ash, et son cœur s'emballa.

—Malheureusement, Gabe est en lune de miel, donc Jace et moi ne pouvons pas nous permettre de lever le pied.

—Ce n'est pas grave, dit-elle. Moi aussi, j'ai du travail.

—Ça me plaît de t'imaginer en train de peindre chez moi, murmura-t-il. De savoir que, pendant que je serai au bureau, tu m'attendras ici et que, en rentrant à la maison, je te retrouverai, nue… Chaque jour, je t'appellerai quand je me mettrai en route, de sorte que tu sois prête lorsque j'arriverai. D'accord ?

—D'accord, répondit-elle dans un souffle.

Chapitre 14

Lorsque Ash entra dans son bureau, le lundi suivant, Jace l'y attendait. Il n'en fut pas étonné; il se doutait que son ami serait impatient d'en savoir plus après son appel énigmatique de vendredi soir.

Aussitôt qu'il passa la porte, Jace leva les yeux sur lui, visiblement inquiet.

— Tu as pu t'organiser? demanda-t-il sans lui laisser le temps de s'asseoir.

Ash posa sa mallette et se laissa tomber dans son fauteuil avant d'affronter le regard sombre de son ami.

— C'est en cours: j'ai passé quelques coups de fil dans la voiture. Il faut que j'embauche quelqu'un pour suivre ce salaud et déterminer quel serait le meilleur moment pour l'intercepter.

— Ah ouais! Tu ne plaisantais pas, murmura Jace.

Ash haussa un sourcil. Il jeta un coup d'œil à la pile de documents qui réclamaient son attention, posée sur son bureau, mais ne fit pas mine d'y toucher. Il se cala contre le dossier de son fauteuil et soutint le regard de son ami.

—Est-ce que je t'ai donné la moindre raison de douter de mon sérieux, Jace? Ce salaud a tabassé Jodie; elle a des bleus sur le visage et la lèvre fendue. Il est hors de question que je laisse passer ça sans rien faire. Elle n'a pas osé porter plainte parce qu'elle était sous le choc, mais ça ne change pas grand-chose. Il n'aurait pas été inquiété bien longtemps, de toute façon, surtout avec l'argent et le réseau dont il dispose.

—Ah! C'est un type influent?

—Pas autant que moi, heureusement. Je compte bien faire en sorte qu'il comprenne le message. Jodie m'appartient maintenant, et s'il touche un seul de ses cheveux c'est un homme mort.

—Et Jodie, elle prend ça comment?

—Pas trop mal, répondit Ash. Je ne lui ai pas vraiment laissé le temps de la réflexion. En vous quittant, vendredi soir, je suis passé chez elle et je l'ai emmenée chez moi. Ce n'était pas très cool de ma part; j'aurais dû faire preuve de patience, mais je savais que, si je lui laissais trop de marge de manœuvre, elle risquait de m'échapper de nouveau. Bref, j'ai profité de son désarroi et je l'ai installée chez moi.

—Toi? Tu as profité du désarroi d'une demoiselle en détresse? rétorqua Jace avec un sourire narquois. Et moi qui te prenais pour un charmeur que rien ne parvient à ébouriffer…

—Pourquoi tout le monde croit-il que je suis un gentil boy-scout bien poli ? s'écria Ash avec une grimace.

—Du calme ! Je n'ai jamais dit ça ! rétorqua Jace en riant. En revanche, d'habitude, tu es plutôt détaché en ce qui concerne les femmes. Je ne t'avais encore jamais vu te mettre les nerfs en pelote comme ça.

—C'est parce que, contrairement aux autres, Jodie compte pour moi. Beaucoup. Je ne peux pas me permettre de jouer la nonchalance avec elle ; je veux battre le fer tant qu'il est chaud.

Jace inspira longuement, sans jamais quitter son ami des yeux, si bien qu'Ash finit par s'agiter sur son siège, mal à l'aise.

—Tu envisages ça comme une relation à long terme ? demanda-t-il enfin. Tu as dit qu'elle comptait pour toi, et je ne te reconnais déjà plus. Tu envisages d'enfreindre la loi pour faire je ne sais quoi au salaud qui l'a tabassée… Qu'est-ce que tu ressens, exactement ?

—Tu te rappelles quand tu as rencontré Bethany ?

—OK, pas besoin d'en dire davantage, je comprends. Félicitations, mon pote ! Je ne pensais pas ça t'arriverait de sitôt. Tu semblais tellement décidé à rester libre jusqu'à la fin de tes jours.

—Toi aussi, je te signale… jusqu'à ce que tu rencontres Bethany, rétorqua Ash sèchement. Et puis ne t'emballe pas trop vite. Rien n'est encore gagné.

—Oui, enfin, pour que tu compares tes sentiments à ceux que j'éprouve pour Bethany depuis le premier jour… Excuse-moi, mais tu es fichu, Ash ! N'oublie pas que je te connais par cœur : si tu veux vraiment Jodie, tu vas tout faire pour que ça marche.

—Tu m'étonnes ! Si ça ne dure pas, ce sera parce qu'elle m'aura résisté longtemps et de toutes ses forces, mais je ne compte pas perdre la partie.

—Tu envisages déjà de l'épouser ? C'est ça que tu es en train de me dire ? J'ai besoin d'en être sûr pour pouvoir te rendre la politesse et me moquer de toi comme tu t'es moqué de Gabe et de moi.

Ash lui fit un doigt d'honneur avant de reprendre la parole.

—Je n'en sais rien. C'est quand même sacrément permanent, le mariage. Il est encore trop tôt pour parler de ça – ou de fonder une famille, etc. Pour le moment, tout ce que je veux, c'est faire en sorte que Jodie soit aussi folle de moi que je suis fou d'elle.

—Je comprends, dit Jace en hochant la tête, mais sache que je vais commencer à organiser ton enterrement de vie de garçon dès aujourd'hui.

Ash éclata de rire.

—Si ça te fait plaisir…

Soudain, Jace se rembrunit.

—Bon, trêve de plaisanteries. Tu m'as dit que tu avais besoin d'un alibi pour le jour où tu iras t'occuper du type qui a frappé Jodie, mais j'ai besoin d'en savoir un peu plus. Je t'avoue que les visites en prison ne font pas partie de ma liste des réjouissances pour un dimanche réussi.

Ash se passa la main dans les cheveux avec un profond soupir.

—Je te l'ai déjà dit : je suis en train de me renseigner, mais je ne veux pas traîner non plus. Je suis pressé de savoir Jodie en sécurité. D'après les quelques infos que j'ai réussi à glaner à son sujet, c'est un homme assez routinier. J'ai donc prévu de prendre les choses en main dès vendredi soir.

Jace se pencha en avant et posa les coudes sur ses genoux.

—Toi personnellement ? Ou tu comptes embaucher quelqu'un pour s'en charger ?

—Les deux, répondit Ash calmement.

—Oh putain ! Fais attention à toi, quand même. Je doute que Jodie ait plus envie que moi de venir t'apporter des oranges.

—Ne t'inquiète pas, les types à qui j'ai fait appel sont de vrais pros ; ils ne laissent rien au hasard. Ils jureront qu'ils ne me connaissent pas, et réciproquement. Je ne veux pas te mettre dans une situation délicate et je tiens absolument à éviter de mêler Bethany à tout ça. C'est pour ça que je préférerais que mon alibi t'implique toi uniquement.

Jace hocha la tête.

—Ça m'arrange aussi. Tu sais très bien que je serais prêt à affronter un peloton d'exécution pour toi, mais je ne veux pas que Bethany soit affectée. Tant qu'il ne s'agit que de moi, je suis à ta disposition.

—Merci, Jace. J'apprécie énormément.

—Tu me tiens au courant, d'accord ? Je veux être au fait des moindres détails, et n'hésite surtout pas à m'appeler si tu te retrouves dans la merde. Il est hors de question que je te laisse y aller seul, alors, si tes super pros te lâchent, sache que tu peux compter sur moi.

—Oui, maman. D'accord, maman, répliqua Ash avec un grand sourire.

—Va te faire foutre! lança Jace.

Ash rit doucement mais recouvra vite son sérieux en voyant l'expression sur le visage de son ami.

—C'est déjà largement suffisant que tu me fournisses un alibi, Jace. Si je t'en demandais plus, ça risquerait d'affecter Bethany ou votre relation, alors qu'on veut tous les deux éviter ça.

—Je sais, je sais, mais tu es mon frère, Ash. Je ferai tout pour t'aider, sans jamais te juger.

—Pitié! Arrête, sinon je vais finir par devoir sortir les mouchoirs.

Jace éclata de rire.

—OK, j'ai compris le message! Bon, quand est-ce que je la rencontre, cette fameuse Jodie?

—Bientôt, répondit Ash après un soupir. Je vous la présenterai quand j'aurai réglé cette histoire avec son ex. On pourrait dîner tous ensemble dimanche soir, par exemple.

—Ça me convient.

—Au fait, Jodie est au courant pour Bethany. Je lui ai tout raconté. Je ne voulais pas qu'elle apprenne ce léger détail au détour d'une conversation, même si je savais très bien que ça ne risquait pas d'arriver. J'ai préféré ne rien lui cacher.

Jace accueillit cette nouvelle avec une petite grimace.

—Comment a-t-elle pris la chose ? Tu n'as pas peur que l'ambiance soit un peu tendue entre elles ?

—Non, elle l'a bien pris. Ce n'est pas une situation facile, évidemment, mais je lui ai dit que tu n'avais pas du tout l'intention de partager Bethany et que, de mon côté, je n'avais pas la moindre envie de l'entraîner dans des plans à trois.

—Ça, c'est sûr que je ne partagerai plus jamais Bethany, intervint Jace avec un frisson. Une fois, ça m'a suffi.

—J'aime autant qu'on n'en parle plus, convint Ash en levant les deux mains. Si je l'ai mentionné, c'est parce que je tenais à ce que tu saches que Jodie est au courant et que ça ne lui pose pas de problème. Je ne lui ai rien caché de ma vie sexuelle.

—Ça a dû te prendre un moment…

—Tu devrais savoir : tu as raconté la tienne à Bethany, rétorqua Ash.

—Pas faux, admit Jace avec un sourire avant de se lever. Bon, si tu n'as rien d'autre à m'apprendre, je vais aller me mettre au travail. J'ai une conférence téléphonique dans une demi-heure. On déjeune ensemble ?

Ash consulta sa montre.

—Ce serait avec plaisir, mais j'aimerais rentrer tôt pour ne pas laisser Jodie seule trop longtemps alors qu'elle vient tout juste de s'installer. J'ai envoyé des déménageurs récupérer ses affaires et je lui ai promis que je l'aiderais à déballer. Je pense que je vais sauter le déjeuner et partir vers 14 heures, dès que j'aurai paré au plus pressé.

—OK. Tiens-moi au courant pour vendredi, histoire qu'on soit raccord.

—Promis.

Chapitre 15

Jodie reposa son pinceau et s'essuya les mains à la hâte pour pouvoir répondre au téléphone. Elle se mit à trembler d'excitation en voyant que c'était Ash qui appelait.

—Allô?

—Je viens de partir du bureau. J'arrive.

Ces deux phrases, si brèves, lui envoyèrent un frisson le long de l'échine.

—OK. Je serai prête.

—Bon. Tu n'as pas oublié, c'est bien.

—Non, je n'ai pas oublié, confirma-t-elle d'une voix douce.

Il y eut un bref silence au bout de la ligne.

—Est-ce vraiment ce que tu veux, Jodie? Ou est-ce que tu te plies à ma demande uniquement pour me faire plaisir?

—Moi aussi, j'en ai envie, Ash. Je ne te cache pas que je suis un peu tendue, mais c'est parce que c'est tout nouveau pour moi et qu'on ne se connaît pas encore très bien. Je ne t'aurais pas suivi contre mon gré, tu sais. Je ne suis pas une pauvre fille sans caractère et sans défense. Certes, je n'ai pas réagi avec assez de fermeté vis-à-vis de Michael, mais ça ne fait pas de moi une carpette, non plus.

Ash partit d'un petit rire, dont le son grave et doux lui chatouilla l'oreille.

—Loin de moi l'idée de te traiter de carpette sans défense, et je n'ignore pas qu'il faut un sacré caractère pour me supporter. Crois-moi, ma belle.

Jodie esquissa un grand sourire en entendant ces deux petits mots, et son estomac se noua délicieusement. Ce n'était pas la première fois qu'il l'appelait « ma belle », et elle adorait cela. Sa voix profonde adoptait une douceur inattendue lorsqu'il prononçait ces deux syllabes, et cela faisait battre son cœur un peu plus fort.

—Je vais devoir raccrocher si je veux avoir le temps de me préparer avant que tu arrives, souffla-t-elle. C'est la première fois que tu rentres chez toi et que je t'y attends ; je ne voudrais pas te décevoir.

De nouveau, il y eut un bref silence, puis Ash reprit la parole dans un grondement qui arracha un frisson à la jeune femme.

—Tu ne me décevras pas, Jodie. Ne t'inquiète surtout pas pour ça. Tant que tu te trouves chez moi, nue, au moment où j'arrive, il est impossible que je sois déçu. J'en rêve depuis ce matin… Allez, je te laisse te préparer. À tout à l'heure.

—À tout à l'heure.

Elle reposa son téléphone et se leva en survolant la pièce du regard. Sans s'en rendre compte, elle avait éparpillé son matériel un peu partout dans le salon. Certes, Ash employait les services d'une gouvernante qui passait chaque matin, mais Jodie ne voulait pas devenir un fardeau pour elle. Le reste de ses affaires était encore emballé dans des cartons empilés le long du mur du fond. Elle n'avait pas pris le temps d'y toucher, trop pressée de se mettre au travail pour fournir d'autres tableaux à la galerie.

Elle n'avait plus qu'à espérer qu'Ash ne soit pas contrarié par cette intrusion chaotique dans son espace autrement si bien rangé.

Elle se précipita dans la salle de bains, se demandant si elle avait le temps de prendre une petite douche. Non, après tout, elle s'était lavée quelques heures auparavant ; elle était propre. Seuls ses bras et ses mains étaient maculés de peinture, et elle les nettoya sans mal.

Ensuite, elle s'examina dans le miroir et brossa ses longs cheveux blonds avec soin. Elle ne s'était pas maquillée, mais, de toute façon, elle utilisait rarement autre chose que du gloss et du mascara.

Satisfaite, elle regagna la chambre et se dévêtit. Elle plia son jean et son tee-shirt, ne sachant pas si elle aurait l'occasion de se rhabiller ou si Ash la tiendrait occupée jusqu'à ce qu'il soit l'heure de se coucher. Elle aurait bien le temps de le découvrir.

Debout au milieu de la pièce, elle eut un moment d'hésitation. Ash ne lui avait pas donné de consigne précise à part qu'il voulait qu'elle l'attende nue. Devait-elle rester là ? Retourner dans le salon et s'installer dans le canapé ?

Il lui avait quand même indiqué qu'il ne tenait pas à la voir à genoux, sauf s'il voulait qu'elle le prenne dans sa bouche. Elle s'empourpra légèrement à cette idée. Michael lui demandait souvent de s'agenouiller ; cela lui plaisait de la mettre en position d'infériorité. À l'époque, elle n'y voyait pas d'inconvénient : cela faisait partie de leur relation, tout simplement. Avec le recul, pourtant, elle se sentait stupide d'avoir montré tant d'obéissance envers ce pauvre type.

Soudain, elle prit une décision et retourna dans le salon. Elle serait la première chose qu'il verrait en sortant de son ascenseur privé. Après tout, il tenait à ce qu'elle attende son retour : s'il devait la chercher dans tout l'appartement, cela gâcherait un peu l'effet…

Puisqu'il n'était pas question de s'agenouiller au sol, elle opta pour le canapé en cuir, sur lequel elle étendit un plaid. Là, elle hésita de nouveau entre s'allonger ou s'asseoir, et faillit être prise de fou rire face à la teneur de son dilemme.

Elle n'avait qu'à faire appel à son expérience d'artiste : après tout, elle avait une grande habitude des poses provocantes, et elle savait qu'Ash apprécierait le geste. Elle tenait vraiment à le surprendre, c'était la première fois qu'il rentrait à la maison pour la retrouver.

Une douce chaleur se répandit dans sa poitrine lorsqu'elle se répéta ces quelques mots : il rentrait à la maison pour la retrouver. Il ne lui avait pas fallu longtemps pour s'accoutumer à sa vie, à son appartement. S'y considérait-elle déjà chez elle ? Se voyait-elle déjà en maîtresse de maison qui attend que son homme rentre du travail ?

Elle préféra ne pas trop réfléchir à ces questions et s'allongea sur le côté. Elle arrangea ses longs cheveux de façon qu'ils passent sur son épaule et couvrent partiellement ses seins. Elle n'avait pas le moindre complexe, au contraire, mais elle n'ignorait pas le pouvoir de la suggestion. Les hommes étaient souvent attirés par ce qu'ils ne voyaient pas mais devinaient à peine.

C'était cela qui rendait ses tableaux si sensuels sans les faire basculer dans le mauvais goût : elle ne faisait que suggérer, ici et là, un petit aperçu d'interdit.

La jeune femme reposa la tête contre le bras du canapé et regarda en direction de l'ascenseur. Elle sentait sa peau vibrer d'une excitation de plus en plus aiguë tandis qu'elle imaginait ce qu'Ash déciderait de lui faire en rentrant.

L'espace d'un instant, elle fut tentée de glisser une main entre ses cuisses pour s'octroyer un rapide orgasme. Elle était déjà dans tous ses états rien que de penser au retour d'Ash, mais elle ne voulait pas gâcher l'intensité de leurs retrouvailles.

Elle s'efforça donc de patienter, mais chaque seconde passait avec la lenteur d'une heure.

Lorsque, enfin, elle entendit le tintement de l'ascenseur, son souffle s'étrangla dans sa gorge. Elle se passa la langue sur les lèvres au moment où les portes s'ouvraient sur Ash.

Une main dans la poche de son pantalon de costume, il respirait le calme et l'arrogance, la fortune et le pouvoir.

Elle frissonna lorsque leurs regards se croisèrent. Il écarquilla les yeux en apercevant sa pose, et elle vit une lueur flatteuse briller dans ses iris verts. Elle se félicita de s'être donné un peu de peine pour le surprendre.

Il s'approcha en silence, les mâchoires crispées, et elle garda son attention rivée sur lui.

—Salut, lança-t-elle d'une voix suave. Bienvenue à la maison.

À son grand étonnement, Ash tomba à genoux devant le canapé et se pencha sur elle pour l'embrasser avec fougue. Il passa une main dans ses cheveux et serra le poing pour la maintenir tout près de lui.

—Magnifique! gronda-t-il en s'écartant légèrement. J'ai rêvé de ça toute la journée : de rentrer chez moi et de te trouver là, mais rien n'aurait pu me préparer à un tel spectacle.

Il lui caressa la joue avec une douceur infinie tout en tâchant de reprendre son souffle.

—Je suis vraiment content que tu sois là, Jodie.

—Moi aussi, je suis contente, murmura-t-elle.

—Sur le chemin du retour, j'ai imaginé mille scénarios possibles mais, en te voyant comme ça, j'ai tout oublié.

—Pourtant, j'aimerais beaucoup en savoir plus au sujet de ces fameux scénarios. Ça m'intrigue.

Il sourit, amusé.

—Certains d'entre eux sont sans doute à la limite de la légalité.

—Encore mieux…

Il partit d'un rire de gorge qui la fit frissonner.

—Ton enthousiasme me plaît beaucoup, Jodie.

—Et si on les écrivait tous sur des morceaux de papier qu'on tirerait au hasard d'un chapeau chaque fois qu'on ferait l'amour ? s'enquit-elle avec un sourire coquin. Ou est-ce que je peux compter sur toi pour prendre les choses en main ?

—Ma petite chérie se montre bien insolente aujourd'hui… Je vais peut-être devoir la punir pour son effronterie.

Elle s'empourpra violemment, ce qu'il remarqua aussitôt.

—Tu aimerais ça ? demanda-t-il.

Elle se racla la gorge, indécise. Il lui avait bien dit qu'il n'aimait pas les jeux de rôle, or elle était sur le point de jouer la vilaine soumise désobéissante pour obtenir une punition.

Ash plissa les paupières et lui releva gentiment le menton pour la forcer à le regarder dans les yeux.

—À quoi tu penses, ma belle ?

Elle poussa un soupir avant de répondre.

—C'est un peu bête, mais je ne savais pas bien quoi répondre à cette question. Tu n'aimes pas les jeux, et j'avais peur que ça ressemble à un jeu si je te disais que l'idée de me faire punir m'excite.

Il passa un pouce sur ses lèvres pour la réduire au silence.

— Tout d'abord, je veux que tu saches que tu peux me dire tout ce que tu veux, tout ce dont tu as besoin, tant sur le plan sexuel que sur le plan affectif. Deuxièmement, tes désirs n'ont rien à voir avec un jeu. Je suis désolé si je n'ai pas été assez clair. Ce que je voulais dire, c'est que toi et moi, ce n'est pas une plaisanterie. C'est du sérieux. Ça ne veut pas dire qu'on n'a pas le droit de s'amuser ensemble, tant que ça reste sincère.

— C'est aussi clair qu'un jour de brume, le taquina-t-elle gentiment.

— C'est vrai qu'on n'a pas encore évoqué les châtiments corporels. Je dois t'avouer que ce n'est pas trop mon délire. Je ne suis pas ton père, et tu n'es pas une enfant, mais ça n'exclut pas tout. Même si je n'éprouve pas le besoin de te punir, je peux prendre du plaisir à te fouetter les fesses jusqu'à ce qu'elles rougissent… Tu vois ce que je veux dire ?

— Oui, répondit-elle dans un souffle.

— Et cette idée te plaît. Je me trompe ?

— Non, tu as raison. Ça m'excite d'imaginer un mâle alpha en train de m'administrer une sévère fessée, complètement captivé. De sentir qu'il me plie à sa volonté. C'est sans doute stupide, mais…

— Non ! intervint Ash. Ce n'est pas stupide du tout, si tu en as envie. Tout ce qui te plaît ou t'excite mérite notre attention. Je veux que tu me dises tout ce qui pourrait te faire plaisir. Là, tout de suite, je meurs d'envie de te voir à genoux devant moi, tes lèvres refermées autour de ma queue. Mais après on parlera de tes fantasmes – et des miens, par la même occasion. Avec un peu de chance, ils coïncideront plus ou moins.

Jodie déglutit et se passa la langue sur les lèvres.

Ash poussa un grondement et l'embrassa de plus belle, lui coupant le souffle.

—Tu me rends fou, murmura-t-il tout contre sa bouche.

—Tant mieux, rétorqua-t-elle avec un sourire.

Il s'écarta et se releva, puis lui tendit la main pour l'aider. Une fois qu'elle fut debout, il attrapa l'un des coussins du canapé et le jeta à terre avant de faire signe à la jeune femme de s'agenouiller dessus.

Puis il défit sa braguette et, lentement, dégagea son sexe en érection, le poing serré à la base.

—Lèche-moi, gronda-t-il. Concentre-toi d'abord sur le gland puis prends-moi tout entier dans ta bouche.

Elle sortit la langue et la fit jouer à l'extrémité du sexe d'Ash avant d'insister sur la partie la plus sensible, en dessous. Elle se délecta d'entendre Ash retenir son souffle puis le laisser s'échapper en un long sifflement.

Il plongea une main dans ses cheveux et enroula quelques mèches autour de ses doigts avant de serrer les poings tout contre la peau de son crâne. Elle adorait la rudesse avec laquelle il la retenait tout contre lui. De l'autre main, il lui caressa la joue et l'encouragea à ouvrir la bouche pour pouvoir la pénétrer.

Il donna un brusque coup de reins, sans la ménager, et elle frissonna d'excitation en recevant cette expression de désir brut, de puissance toute masculine et à peine contenue.

Elle se redressa un peu de façon à pouvoir l'attirer tout entier dans sa bouche. Elle voulait le goûter absolument, enivrée de se soumettre ainsi, obligée de recevoir ce qu'il lui offrait avec tant de fougue.

—Oh putain! murmura-t-il. Je n'avais encore jamais rien connu d'aussi bon. J'adore sentir tes lèvres autour de ma queue.

Ces mots si crus la firent frissonner d'excitation, et ses tétons se durcirent aussitôt. Elle poussa un cri lorsque Ash les saisit et les pinça doucement entre le pouce et l'index avec juste assez de pression pour lui faire perdre la tête.

Elle ralentit ses gestes et le lécha sur toute la longueur, puis laissa son gland reposer sur sa lèvre inférieure un instant avant de l'attirer tout entier dans sa bouche, aussi profondément que possible. Elle déglutit autour de lui, et Ash laissa échapper un grondement sourd tout en lui caressant les seins avec plus de force, lui arrachant un gémissement à son tour.

—J'ai imaginé tellement de scénarios, lança-t-il d'une voix tendue. Te prendre par-derrière comme une chienne, ligotée, les fesses rougies par mes coups. Te voir sur moi, en amazone, les seins tendus vers moi. Te faire jouir avec ma langue pendant que tu me suces...

Elle frissonna violemment tandis que ces images s'inscrivaient dans son esprit.

—Ce ne sera pas toujours aussi facile qu'aujourd'hui, ma belle ; je te préviens. Là, je me retiens parce que je ne veux pas te brusquer, mais ça ne va pas durer.

Elle s'écarta de lui et le regarda dans les yeux, une main toujours refermée sur son érection.

—Je ne veux pas que ce soit facile, Ash. Ce n'est pas pour ça que je suis avec toi. Je veux ce que tu as à me donner…, tout ce que tu as à me donner. J'en ai besoin.

Il prit son visage entre ses mains et la regarda avec une infinie tendresse.

—J'adore le fait que tu me dises ça, Jodie, mais je tiens à être sûr que tu sois prête. Ces derniers jours n'ont pas été de tout repos pour toi…

—C'est vrai, admit-elle, mais justement : cette journée a été la meilleure depuis bien longtemps, et c'est grâce à toi, Ash. J'étais là, en train de peindre dans ton salon, et j'étais parfaitement heureuse, contente de savoir que tu allais m'appeler d'un moment à l'autre pour m'annoncer que tu rentrais.

Il lui sourit, et le vert de ses yeux se fit encore plus intense.

—Tu me rends fou, Jodie.

—Tant mieux, dit-elle en se positionnant de façon à pouvoir le reprendre dans sa bouche. Et maintenant, si on passait aux choses sérieuses ?

Chapitre 16

Ash crut qu'il allait devenir fou en voyant Jodie à genoux devant lui, les lèvres refermées autour de son sexe tendu. Il en avait si souvent rêvé depuis qu'il l'avait rencontrée au parc, et à présent elle était sienne. Elle faisait partie de sa vie.

Il était parfaitement conscient de la valeur inestimable du cadeau qu'elle lui avait fait en lui accordant sa confiance. Elle lui offrait son corps et son cœur, et il se jura de faire tout ce qui était en son pouvoir pour la protéger. Il ne sous-estimerait jamais cette femme magnifique et courageuse, qui avait choisi de s'en remettre à lui.

Il passa les deux mains dans ses cheveux et referma les poings tout en se penchant sur elle. Il commença à donner de longs coups de reins, enivré par un plaisir tel qu'il n'en avait jamais éprouvé.

Il avait pourtant connu beaucoup de femmes et ne l'avait pas caché à Jodie, mais elle était différente. Il n'aurait pas su définir exactement pourquoi, mais elle était à part ; elle le touchait d'une façon nouvelle et totalement inattendue. Il se surprenait à penser à long terme, à envisager une stabilité qui n'avait jamais eu sa place dans ses précédentes relations. Rien d'étonnant à cela, peut-être, étant donné qu'il avait partagé toutes ses conquêtes ou presque avec Jace.

Cela faisait des années qu'il ne s'était pas retrouvé seul avec une femme, mais cela lui paraissait tout naturel, à présent. Jodie était une évidence.

Elle était là, à genoux devant lui, soumise mais pas seulement. Elle désirait activement les mêmes choses que lui, tremblante d'excitation à l'idée d'essayer les scénarios qu'il avait imaginés. Elle était parfaite pour lui, cela ne faisait pas le moindre doute.

Il s'avança aussi profondément que possible et retint son souffle lorsqu'elle déglutit autour de son gland, puis il se retira lentement, savourant la sensation un peu râpeuse de sa langue le long de son érection. Il croisa son regard bleu pâle embrumé de désir et lui tendit la main pour l'aider à se relever.

Aussitôt qu'elle fut debout, il l'attira dans ses bras et l'embrassa avec une fougue presque brutale. Il aurait pourtant dû se maîtriser – elle portait encore la cicatrice des coups qu'elle avait reçus –, mais il n'avait pu s'empêcher de posséder sa bouche.

—Allons dans la chambre, annonça-t-il avec autorité. Je ne veux pas te faire mal aux lèvres ; je vais profiter du reste de ton corps.

Un éclat de feu passa dans les yeux de la jeune femme. Elle voulait passer aux choses sérieuses, et il n'allait certainement pas la décevoir. Il brûlait d'envie de voir ses fesses rougir sous la morsure de ses coups, preuve de sa possession. Il éprouvait le désir primitif de la marquer de son sceau – de la faire visiblement sienne.

Pourtant, tandis qu'il l'entraînait vers sa chambre, il admit en son for intérieur qu'il ne voulait pas seulement posséder son corps, si magnifique soit-il. Il voulait également régner en maître sur son cœur, sur son âme, et cela lui prendrait bien plus de temps et d'efforts.

Il la voulait tout entière et ne se satisferait pas de moins.

Il ne lui restait plus qu'à la convaincre de se donner absolument.

—Allonge-toi sur le ventre, les mains jointes dans le dos, et tâche d'être patiente pendant que je me prépare.

Elle poussa un petit gémissement, et ses joues s'empourprèrent. Il remarqua que son souffle s'était accéléré et que ses yeux brillaient d'une excitation intense. Elle lâcha sa main pour aller se positionner sur le lit comme il le lui avait demandé.

Il se déshabilla rapidement et alla chercher dans son placard les accessoires dont il aurait besoin : une longueur de corde en soie et une souple lanière de cuir à l'aide de laquelle il comptait procurer à Jodie – et à lui-même – un plaisir sans pareil.

Il déposa la corde sur le lit et plaça un genou entre les jambes écartées de la jeune femme afin de saisir ses poignets et de les ligoter ensemble.

Elle sursauta légèrement lorsqu'elle comprit ce qu'il faisait, et il la sentit se raidir.

Une fois qu'il fut satisfait de son nœud, il recula d'un pas.

— Mets-toi à genoux, ordonna-t-il d'une voix ferme. Lève les fesses et pose la joue sur le matelas.

Elle tenta maladroitement de se redresser, et il passa une main sous son ventre si doux pour l'aider.

Lorsqu'elle fut en position, il retourna chercher la lanière de cuir.

— Est-ce que tu as déjà essayé ça, Jodie? demanda-t-il. Je ne veux pas y aller trop fort dès la première fois, alors il faut que tu me dises quand tu veux que j'arrête.

— Je peux encaisser, Ash, tu sais. Ne te retiens pas. J'en ai envie. J'en ai besoin.

Il se pencha au-dessus d'elle, effleurant son corps nu.

— D'accord, mais préviens-moi si c'est trop. Tu dis «stop» et j'arrête tout. OK, ma douce?

Elle frissonna, comme chaque fois qu'il utilisait un terme affectueux. Il adorait ça.

Il se redressa et passa une main sur les rondeurs de ses fesses.

— Douze coups, annonça-t-il. Je vais te marquer douze fois. Quand je serai certain que tu peux encaisser plus, on augmentera la dose, mais pour l'instant on s'arrête à douze.

Elle hocha la tête, les paupières closes et les lèvres pincées. Il décida de ne pas la faire attendre plus longtemps.

Un premier claquement vif retentit dans le silence de la chambre. Jodie sursauta tandis que sa peau rougissait brusquement, puis elle laissa échapper un long gémissement qui toucha Ash en plein cœur.

Il donna un deuxième coup, sur l'autre fesse, et une nouvelle trace rouge naquit, formant un contraste magnifique avec la chair encore intacte.

Jodie s'agita sous les coups suivants, mais, lorsqu'il eut compté jusqu'à neuf, elle se mit à le supplier d'y aller plus fort.

— Plus que trois, Jodie. Je vais accéder à ta demande et y mettre plus de force, mais, après, je vais baiser ton petit cul. Tu crois que tu peux encaisser ça ?

— Ash !

Sa réponse fut un gémissement éperdu, impatient. Elle était plus que prête. Alors qu'il se retenait, elle ne demandait pas mieux que de le suivre jusqu'au bout.

Il lui assena le dixième coup avec une violence encore contenue, tout en observant Jodie pour voir comment elle supportait la douleur. Après un premier sursaut, ses traits se détendirent en une expression de plaisir pur.

Elle avait les yeux dans le vague, comme si elle flottait dans une autre dimension.

Ash n'avait pas pour habitude de faire dans la dentelle. S'il s'était retenu avec Bethany, c'était uniquement parce que Jace lui avait fait comprendre qu'il n'était pas question d'être brutal. Avec Jodie, en revanche, c'était différent. Elle était importante à ses yeux, et il tenait à la chérir, à lui témoigner patience et douceur alors même qu'elle se débattait avec fougue et l'encourageait à y aller plus fort. Il aurait tout le temps de se déchaîner. Pour l'instant, il souhaitait déterminer ses limites et surtout éviter de lui infliger plus de souffrance que de plaisir.

Il administra le onzième coup, puis marqua une pause pour mener Jodie au bord de la folie et savourer encore plus intensément le douzième et dernier coup. Elle ne cessait de s'agiter, cambrant le dos et tendant les fesses à sa rencontre. Ash ne savait même pas si elle était consciente de la façon dont son corps réclamait son attention.

— C'est le dernier, Jodie : le douzième coup. Donne-moi tout ce que tu as, ma belle.

Il abattit la lanière avec une force sans précédent, en prenant soin de frapper un endroit encore intact. Un cri soudain fit écho au claquement du cuir avant de se fondre en un gémissement puis en un soupir de plaisir qui donna la chair de poule à Ash. Son sexe était tendu à lui faire mal tant il avait envie de posséder son corps – son cul. C'était le seul endroit qu'il n'avait pas encore pénétré, et il était impatient de se l'approprier.

Il jeta la lanière de cuir d'un geste vif, puis se rappela qu'il devait procéder avec lenteur s'il ne voulait pas lui faire mal.

Il attrapa un flacon de lubrifiant et en appliqua autour de l'anus de Jodie puis à l'intérieur, introduisant d'abord un doigt, puis deux. Ensuite il en versa au creux de sa main et en enduisit son érection.

Un grognement agacé lui échappa. Ce n'était pas sa propre paume qu'il voulait sentir.

Il écarta les fesses rosies de Jodie et positionna son sexe à l'entrée de son anus, subjugué par la vision qui s'offrait à lui.

Elle était là, allongée sur son lit, le cul tendu vers lui, les mains liées dans le dos, contrainte d'accueillir ses assauts.

Petit à petit, il appuya contre elle en donnant de légères impulsions avec une patience dont il ne se serait pas cru capable.

Lorsque son gland commença à se frayer un chemin, Jodie poussa un gémissement.

— Détends-toi, ma belle. Pousse contre moi, ça facilitera la pénétration. Tu vas voir : une fois que je serai à l'intérieur, ce sera merveilleux.

Il passa un bras autour de sa taille et lui caressa le ventre de sa main grande ouverte avant de faire glisser ses doigts entre ses boucles humides pour aller trouver son clitoris durci. Aussitôt qu'il l'effleura, elle sursauta avec un soupir, et il en profita pour donner un puissant coup de reins.

Elle accueillit cette invasion avec un cri aigu. Ash s'immobilisa et inspira longuement par le nez pour endiguer la montée de son propre plaisir. Le corps de la jeune femme l'agrippait comme un poing avec une pression infernale, et il n'était encore qu'à moitié entré.

Il effleura brièvement son clitoris avec juste assez de pression et, lorsqu'elle réagit à cette caresse, il la pénétra jusqu'au bout. Elle l'enveloppait entièrement. Il s'immobilisa de nouveau, les cuisses pressées au contact des siennes, le souffle court.

— Je vais jouir, Ash, murmura-t-elle avec une pointe d'angoisse. Je ne vais pas pouvoir me retenir très longtemps.

Il ramena sa main contre le ventre de la jeune femme le temps que son excitation reflue un peu. Il fallait qu'elle l'accompagne jusqu'au bout, car, aussitôt qu'elle s'abandonnerait à son orgasme, la pénétration d'Ash deviendrait douloureuse.

— Non, ma belle. Tu vas m'attendre pour jouir, commanda-t-il en se retirant un peu avant de revenir à la charge. Je ne suis pas encore prêt. C'est trop bon, j'ai envie d'en profiter encore un peu avant d'éjaculer en toi.

Elle poussa un gémissement, et il sentit son anus se contracter autour de lui.

De nouveau, il recula pour mieux la pénétrer, la main toujours posée sur son ventre. Puis il appuya doucement contre son clitoris pour juger de son excitation.

Aussitôt qu'elle se raidit contre lui, il retira ses doigts, ce qui lui valut un petit cri de protestation. Il sourit, ému de la trouver si réceptive. Elle était vraiment magnifique – et elle était toute à lui.

Il se trouvait profondément ancré en elle tandis que son cul portait la marque de ses coups, et pourtant il en voulait davantage. Elle était tout simplement parfaite.

Il commença à donner de violents coups de reins à un rythme de plus en plus soutenu. Aussitôt qu'il sentit l'amorce de son orgasme au creux de son bas-ventre, il reprit ses caresses contre le clitoris de Jodie pour l'entraîner avec lui jusqu'à l'extase.

De sa main libre, il agrippa la corde qui lui liait les poignets et tira dessus pour l'encourager à venir à sa rencontre. Elle poussa un cri bref qui l'inquiéta un instant, mais il fut rassuré aussitôt qu'elle commença à accompagner ses mouvements avec une vigueur égale à la sienne.

—Vas-y, Jodie, gronda-t-il. J'y suis presque. Baise-moi, Jodie! Fais-moi jouir!

Il maintint les doigts pressés contre elle même lorsque son propre orgasme le submergea et que sa vision se brouilla. Il ferma les yeux et accéléra encore ses coups de boutoir tout en l'attirant contre lui.

Soudain sa semence jaillit en un jet douloureux tant il était à cran. Il en éprouva un plaisir aigu, presque insupportable, pourtant il ne ralentit pas, même quand il vit son sperme couler le long de la cuisse de la jeune femme.

Cette vision faillit le rendre fou de bonheur. Il adorait le spectacle de sa possession et n'avait jamais éprouvé de satisfaction plus parfaite.

Son nom retentit en un cri rauque, et il sentit Jodie se convulser autour de lui. Elle serra les poings, tremblant si fort qu'elle finit par perdre l'équilibre et s'affaler à plat ventre sur le matelas. Ash suivit le mouvement tout en retirant la main qu'il avait glissée entre ses cuisses pour se soulever un peu et lui éviter d'avoir à supporter l'intégralité de son poids. Cependant, il s'autorisa à la recouvrir entièrement le temps de savourer la sensation de son corps étendu sous le sien. Il adorait cela.

Rien n'aurait pu égaler le fait de se trouver à la fois en elle et sur elle, alors que tous deux frissonnaient encore de la force de leur orgasme.

Puis, lorsqu'il vit qu'elle peinait à reprendre son souffle, il se redressa et recula un peu, ce qui leur arracha un même gémissement.

Doucement, il posa les mains à plat sur le matelas et se retira tout en observant le spectacle des fesses rougies de la jeune femme, de son anus légèrement distendu par ses assauts répétés, de sa semence répandue en elle et sur sa peau.

—Magnifique, souffla-t-il. Je n'ai jamais rien vu d'aussi beau.

Elle poussa un soupir inarticulé tandis que ses paupières papillonnaient.

Il lui détacha les poignets et la prit dans ses bras pour l'emmener dans la salle de bains. Elle se blottit contre sa poitrine, sans un mot, et il l'assit sur le comptoir à côté du lavabo, le temps de mettre la douche en route. Une fois que l'eau fut bien chaude, il la porta à l'intérieur de la cabine et la savonna avec un soin et une tendresse infinis.

—C'était trop d'un coup? demanda-t-il en lui caressant la joue.

Elle leva la tête vers lui, les yeux toujours embués de passion, et sourit. Un sourire lumineux qui l'émut profondément et lui donna envie de la posséder de nouveau.

—Ce ne sera jamais trop, Ash, murmura-t-elle. C'était génial, j'ai adoré.

Il se pencha sous le jet brûlant pour lui donner un baiser.

—Je suis content que tu aies apprécié autant que moi, ma douce, parce que je suis pressé de recommencer. Je ne vois pas comment je pourrais me rassasier de toi.

Elle passa les bras autour de son cou et lui rendit son baiser avec ferveur. Sans la lâcher, Ash coupa l'eau et sortit de la douche pour tendre une serviette à la jeune femme pour éviter qu'elle n'ait froid.

Puis, une fois qu'elle fut bien sèche, il l'enveloppa dans un peignoir moelleux, dont il noua la ceinture.

—Il est encore tôt. Tu veux qu'on aille dîner dehors ou tu préfères qu'on se fasse livrer quelque chose?

Elle inclina la tête pour réfléchir à cette proposition, les mains dans les poches de son peignoir, les cheveux enroulés dans une serviette. Il ne l'avait jamais vue aussi belle qu'en cet instant, tout juste sortie de la douche, à discuter de leurs projets pour le reste de la journée.

—Je préfère manger ici, avec toi, si ça ne t'ennuie pas, répondit-elle enfin. C'est notre première soirée ensemble. Enfin non, mais c'était la première fois que tu allais travailler depuis que je suis arrivée ici, alors j'aimerais qu'on reste tous les deux.

Il sourit, ravi. Lui non plus n'avait aucune envie de la partager. Pas encore. Il éprouvait le besoin de la garder pour lui, chez lui, jusqu'à ce qu'il soit temps pour eux de sortir dans le monde.

Il anticipait avec plaisir le moment où il la présenterait à Jace et à Bethany, à Gabe et à Mia… Il serait heureux de la partager avec ses amis – sa famille –, mais, pour l'instant, il la voulait pour lui seul.

Il se pencha sur elle pour un long baiser sensuel.

—Ça me convient parfaitement. Je vais commander le dîner, et, ensuite, tu pourras me montrer sur quoi tu as travaillé aujourd'hui.

Chapitre 17

En attendant que Jace fasse son apparition dans son bureau, Ash caressait du bout des doigts le collier qu'il avait fait façonner tout spécialement pour Jodie. Il avait une idée très précise de ce qu'il voulait, mais cela n'avait pas été facile de trouver un orfèvre capable d'exécuter sa commande en quelques jours à peine. Heureusement, comme souvent, sa fortune avait résolu le problème.

Il avait choisi un mince torque en bronze parce qu'il aimait l'idée du contraste que formerait ce métal avec la peau diaphane de Jodie, tout en rappelant joliment la couleur dorée de ses cheveux. Comme pierre principale, il avait choisi des aigues-marines, de la même couleur que les yeux de la jeune femme. Il avait insisté pour que toutes les gemmes soient de la même teinte et avait fait intercaler de petites émeraudes entre chacune d'elles pour enrichir la palette. De part et d'autre, une ligne de minuscules diamants longeait les bords du torque, formant un ensemble à la fois simple et lumineux.

Il avait cherché quelque chose qui reflète la personnalité vive et colorée de la jeune femme au lieu de se borner à lui acheter un bijou sans âme.

Il était particulièrement fier du résultat et savait sans le moindre doute que Jodie l'adorerait.

Par ailleurs, il n'aurait pas pu trouver un meilleur moment pour lui faire ce cadeau. Il n'avait pas voulu franchir cette étape tant que la situation avec Michael n'était pas réglée. Ce soir, enfin, Ash pourrait avoir l'esprit libre et se concentrer uniquement sur Jodie.

Pendant toute la semaine qui s'était écoulée, Ash avait insisté pour que la jeune femme reste chez lui. La seule fois où elle était sortie de son appartement pour aller porter des tableaux à M. Downing et récupérer le chèque qu'il lui devait pour tous ceux qu'il avait vendus, son chauffeur l'avait accompagnée jusqu'à l'intérieur de la galerie. Ash n'avait pas voulu courir le risque que Michael l'attende et crée un scandale en pleine rue, ce qui aurait mis Jodie terriblement mal à l'aise.

Il ne lui avait pas donné les raisons de son intransigeance à ce sujet, mais lui avait assuré qu'elle jouirait d'une plus grande liberté de mouvement dès la semaine suivante. Il se voyait mal lui expliquer qu'il ressentait le besoin de régler son compte au salaud qui avait osé lever la main sur elle. Il s'était assuré que personne ne ferait jamais le rapprochement entre la jeune femme et ses propres projets pour Michael.

Il leva la tête en entendant la porte s'ouvrir et vit Jace entrer, les mâchoires crispées et les sourcils froncés. Rien d'étonnant à cela, étant donné la discussion qui les attendait.

— Tout est prêt pour ce soir, annonça Jace sans ambages.

— Tu as bien laissé Bethany en dehors de tout ça, hein ?

Ash avait insisté là-dessus. Bethany en avait suffisamment bavé au cours de sa jeune existence ; il était hors de question qu'elle soit inquiétée à cause de lui ou qu'elle ait à mentir pour son compte.

Jace hocha la tête.

— Je lui ai raconté la même histoire que toi à Jodie : qu'on a une réunion importante tard ce soir à cause d'un décalage horaire. J'ai organisé une vidéoconférence avec des investisseurs californiens à qui on avait des infos à transmettre de toute façon. Tu seras présent au début ; on s'assurera qu'ils te voient bien. Puis, au bout de quelques minutes, tu t'excuseras pour aller aux toilettes, et le sosie qu'on t'a trouvé prendra ta place. C'est là que ça devient un peu chaud. Tu emporteras un micro et continueras à prendre part à la réunion même une fois que tu seras dans ta voiture. J'orienterai la caméra de sorte que ce soit surtout moi qu'on voie. Ton double sera assis dans ton fauteuil, avec ton manteau sur le dossier, un peu hors champ, mais ce sera toi qui parleras dans le micro. Il faudra que tu suives la conversation pour pouvoir intervenir régulièrement. Je me suis arrangé pour que les caméras de surveillance de l'immeuble aient un petit souci technique au moment où tu t'éclipseras, et j'ai fait activer un badge supplémentaire, que tu pourras utiliser en sortant. Comme ça, d'après la base de données des vigiles, tu seras toujours dans les murs. Si tu n'es pas revenu quand je m'en vais, je ferai passer ton badge après le mien. Je ne peux pas faire durer cette conférence pendant des heures, donc il faudra que tu fasses vite et que tu ne restes pas silencieux trop longtemps. L'idéal, ce serait que tu puisses revenir ici pour qu'on prenne congé de ces messieurs tous les deux et qu'on soit filmés en train de quitter l'immeuble par les caméras de surveillance.

Ash hocha la tête.

—Merci, Jace. Tu n'imagines pas ce que ça représente pour moi. Évidemment, je n'ai pas besoin de te rappeler qu'en cas de pépin tu n'étais absolument pas au courant.

—J'aimerais autant qu'il n'y ait pas de pépin du tout, rétorqua Jace, tendu. Je reste persuadé que tu aurais dû laisser une tierce personne s'en charger. Tu risques gros en te salissant les mains.

Ash serra les lèvres.

—Je veux qu'il comprenne le message, et le meilleur moyen d'en être sûr, c'est de m'en occuper moi-même. Je veux que ce minable me regarde droit dans les yeux – qu'il se rende compte que je ne plaisante pas et que j'ai largement les moyens de le réduire à néant s'il lui reprend l'envie malavisée de lever la main sur une femme.

—Difficile de ne pas être d'accord avec ça, commenta Jace avec un mince sourire. Et puis, si quelqu'un s'en prenait à Bethany, moi aussi, je tiendrais à m'en occuper en personne au lieu de déléguer le sale boulot.

—Donc tu me comprends.

—Oui, Ash, je te comprends, mais ça ne m'empêche pas de m'inquiéter. Ça m'embêterait que cette histoire te retombe dessus, surtout maintenant que tu as trouvé…

Il laissa sa phrase en suspens, et Ash haussa un sourcil.

—Maintenant que j'ai trouvé quoi ?

Jace esquissa un sourire en coin avant de répondre.

—Ta kryptonite.

Ash ne cilla même pas. Jodie était-elle effectivement sa kryptonite, son talon d'Achille ? Il devait bien admettre que c'était fort possible. Il ne s'était pas gêné pour se moquer de Gabe et de Jace, quand ils étaient tombés raides amoureux et avaient plongé tête la première dans une vie de couple somme toute classique après leurs années folles. À présent qu'il se retrouvait dans la même situation, il n'avait même pas envie de protester face aux taquineries de Jace.

Il se sentit soudain plus proche de ses amis, plus paisible.

—Tu parais beaucoup plus calme, ces derniers temps, fit remarquer Jace. Ça me fait plaisir de te voir comme ça, tu sais. Après Bethany…

Il s'interrompit avec un soupir, comme s'il hésitait à mentionner cet épisode dont ils avaient convenu de ne plus parler.

—Après Bethany, je me suis fait du souci pour notre amitié. Je ne regrette rien, même si ce qui s'est passé me reste toujours un peu en travers de la gorge. J'aurais préféré me comporter avec plus de classe envers toi et Bethany, dès le début, mais je suis content de ne pas avoir continué à la partager avec toi.

— Moi non plus, je ne regrette rien de tout ça, dit Ash en souriant. Ne t'en fais plus pour ça, Jace ; c'est du passé. Bethany te rend heureux, Jodie me rend heureux… Que demander de plus ?

— Je suis content pour toi, tu sais.

— Oui, je sais. Merci.

— Et Tiffany, comment va-t-elle ? Tu as eu des nouvelles de tes parents, récemment ?

Ash poussa un soupir.

— Pas cette semaine, mais je me méfie. Ça ne leur ressemble pas de baisser les bras si facilement. Heureusement, Tiffany semble se plaire à son travail. Jusqu'ici, elle ne fait pas grand-chose d'autre et ne sort pas beaucoup de chez elle, mais j'ai prévu de l'inviter lorsque je présenterai Jodie à Mia et à Bethany. Tiffany et Jodie sont plus proches en âge, et avec un peu de chance elles trouveront des choses à se dire.

— Voyez-vous cela ! Monsieur s'amuse à arranger des sorties entre copines pour sa chérie et sa petite sœur ! Comme c'est mignon !

— Ta gueule.

Jace recouvra son sérieux.

— Donc pas de nouvelles de la sorcière de l'East End ? Elle garde profil bas ? Et ton grand-père ? J'ai du mal à croire qu'il n'ait pas mis son grain de sel lorsque Tiffany s'est détachée de la famille. Il tient tellement à sa descendance…

Ash poussa un soupir.

—Non, c'est silence radio depuis une semaine, mais ça m'étonnerait que ça dure. Ce serait trop beau qu'ils nous fichent la paix.

—Écoute, quand ils se manifesteront, n'hésite pas à me prévenir. Tu sais très bien que je ne te laisserai pas mettre les pieds seul dans ce nid de vipères.

—À t'entendre, on croirait qu'il s'agit d'infiltrer la mafia! répliqua Ash en riant.

—Figure-toi que c'est l'impression que j'ai quand on doit passer une soirée dans ta famille.

Ash consulta sa montre.

—Est-ce que ça te dit qu'on aille manger un bout avant la vidéoconférence? Je voudrais aussi passer un petit coup de fil à Jodie pour m'assurer que tout va bien et lui rappeler que je vais rentrer tard ce soir.

—Oui, ça me dit bien. Le *Bryant Park Grill*?

—Parfait, dit Ash en hochant la tête. Encore merci, Jace. Je ne vous le dis pas assez souvent, mais je vous suis vraiment reconnaissant, à Gabe et à toi. Vous ne m'avez jamais laissé tomber, et j'apprécie.

Jace sourit.

—Si je peux me permettre une suggestion: après ce soir, ce serait sympa que tu arrêtes de séquestrer ta chérie et que tu l'autorises à nous rencontrer.

Ash éclata de rire.

— Je sais, je sais : je me la suis gardée pour moi tout seul pendant cette semaine. J'avais envie d'en profiter, mais je suis également impatient de vous la présenter, à toi et à Bethany. Gabe et Mia seront de retour dimanche ; ce serait sympa de se retrouver tous ensemble.

— Est-ce que tu aurais imaginé, il y a un an, qu'on serait complètement apprivoisés par des femmes, tous les trois ? Gabe marié, moi fiancé, et toi fou amoureux d'une fille que tu viens à peine de rencontrer…

Ash haussa un sourcil.

— Tu peux parler, toi ! Tu étais raide dingue de Bethany dès le premier regard…

Jace sourit de toutes ses dents.

— Quand c'est la bonne, il n'en faut pas plus, mon pote. Je n'aurais jamais cru que ça m'arriverait à moi, mais, dès que j'ai aperçu Bethany, j'ai su que c'était elle.

— Je vois ce que tu veux dire. Moi non plus, je ne croyais pas au coup de foudre, mais, quand j'ai rencontré Jodie, elle s'est imposée à moi comme une évidence. Je ne saurais même pas l'expliquer.

— Ce n'est pas la peine, je te comprends, intervint Jace tandis qu'ils sortaient du bureau d'Ash. En revanche, crois-en mon expérience : tomber amoureux, c'est facile. C'est tout le reste qui demande des efforts et, parfois, des prises de tête.

—Jace? Tu es sûr que ça va? Tu n'es pas en train de te transformer en psychologue à deux balles, quand même? railla Ash.

Son ami lui fit un doigt d'honneur.

—OK, fais comme tu veux, n'écoute surtout pas mes conseils avisés, mais ne viens pas pleurer dans mon bureau si tu fais tout foirer.

Ash grommela une réponse indistincte.

—Tu veux y aller à pied ou en voiture? demanda Jace en riant.

—À pied, comme ça j'aurai le temps d'appeler Jodie en chemin.

Impassible, Ash contemplait le visage tuméfié de Michael Cooper, étendu à ses pieds. Les hommes qui l'avaient accompagné montaient la garde, alertes.

Ash serra et desserra les poings; il avait enfilé des gants pour l'occasion, et l'un d'entre eux était déchiré tandis que l'autre était maculé de sang.

—Tu vas oublier que Jodie Carlysle existe, espèce de minable. Tu m'entends? Si j'apprends que tu t'es approché d'elle à moins d'un kilomètre, tu vas le regretter.

Michael hocha la tête puis se pencha sur le côté pour cracher un peu de sang.

—Ça va, j'ai compris. Elle ne mérite pas tout ce cirque, de toute façon.

—Au contraire, connard ! Elle mérite bien plus que ça – bien plus que tout ce que tu pourrais imaginer. Elle est à moi, maintenant, et je mets un point d'honneur à protéger ce qui m'appartient. Par ailleurs, si tu envisageais d'aller te plaindre à la police, comme Jodie aurait dû le faire quand tu as osé la frapper, oublie. Je t'ai à l'œil, Cooper. Si tu essaies de faire des vagues, je me chargerai personnellement de te ruiner. Quand j'en aurai fini avec toi, il ne te restera plus rien, et si tu ne m'en crois pas capable essaie pour voir.

Michael hocha la tête de nouveau, l'air paniqué, recroquevillé par terre comme un misérable asticot.

Ash lui donna un dernier coup de pied, et une plainte sourde s'échappa des lèvres tuméfiées de Michael tandis qu'il s'efforçait de reprendre son souffle.

—Ça fait mal, hein ? Eh bien, c'est exactement ce que tu as fait à Jodie. Tu l'as frappée au visage, puis tu l'as jetée à terre et tu lui as donné des coups dans les côtes alors qu'elle ne pouvait pas se défendre. Estime-toi heureux que je ne t'inflige rien de pire. Si jamais tu oublies mes avertissements, ou que tu oses lever la main sur une femme de nouveau, je viendrai me rappeler à ton bon souvenir et je ferai en sorte que tu ne puisses plus aller pisser sans penser à moi. Compris ?

—Il faut y aller, monsieur, intervint l'un des hommes qu'il avait embauchés pour l'occasion. Ce serait trop dangereux de s'attarder plus de quelques minutes.

Ash acquiesça.

—Ça tombe bien, j'en ai fini avec cette ordure.

Il tourna les talons et s'éloigna, laissant Michael prostré sur le trottoir. Il empruntait cette ruelle chaque soir, et Ash avait profité du fait qu'elle soit à l'écart des avenues plus passantes. Il avait néanmoins pris un risque considérable, puisque n'importe qui aurait pu arriver pendant qu'il était en pleine action. Il lui restait encore à regagner son bureau sans être vu, afin que rien ne vienne gâcher son alibi si soigneusement élaboré, au cas où Michael aurait la mauvaise idée d'aller se plaindre à la police malgré ses mises en garde.

Il releva le col du long manteau qu'il avait acheté exprès pour cette occasion et dont il comptait se débarrasser aussitôt. Il portait également une casquette et, le visage ainsi dissimulé, il s'arrêta un instant pour payer ses acolytes. Il leur avait laissé la liberté de faire les poches de Michael, histoire que cela ressemble à une agression classique, mais il leur glissa à chacun une liasse de billets tout en les remerciant.

— Il n'y a pas de quoi, monsieur McIntyre, murmura C.J. Si vous avez besoin de nous, vous savez où nous trouver.

Ash hocha la tête puis regagna l'avenue, où il tourna en direction des locaux de HCM. Il fallait qu'il se dépêche s'il voulait être revenu dans son bureau avant que le petit souci technique concernant les caméras de surveillance soit réglé. Il sortit son téléphone de sa poche et l'approcha de son oreille. Il avait désactivé le micro afin que rien ne filtre de ses activités, mais il entendit Jace mener la conversation avec leurs investisseurs.

Son ami bombardait leurs collaborateurs d'informations diverses, de sorte qu'Ash n'avait pas besoin d'intervenir. Il se dépêcha d'entrer dans l'immeuble de HCM et, arrivé au premier étage, il gagna les toilettes des hommes, où il se débarrassa de sa casquette et de son manteau, qu'il rangea dans son sac de sport. Puis, après s'être assuré qu'il ne portait pas la moindre trace de sang, il réactiva le micro de son téléphone et remonta dans l'ascenseur.

Quelques minutes plus tard, il se tenait sur le seuil du bureau de Jace et attirait l'attention de son double. Les deux hommes échangèrent leurs places, et Ash prit la parole pour poser quelques questions puis remercier leurs interlocuteurs de leur avoir accordé un temps précieux.

Une fois qu'ils eurent raccroché, Jace lui jeta un regard interrogateur, auquel Ash répondit par un bref hochement de tête.

Puis, une fois assuré que personne ne pouvait les entendre, Jace rompit le silence.

—Pas de problème ?

—Non, aucun. Je me suis occupé de ce salaud. Ses bleus mettront plus longtemps à cicatriser que ceux qu'il a infligés à Jodie, tu peux me croire. À mon avis, il y réfléchira à deux fois avant de seulement élever la voix face à une femme.

—Bon. En tout cas, je suis soulagé que ce soit fini. Ça me stresse, cette histoire. Je me demande comment tu as fait la connaissance des types que tu as embauchés pour l'occasion – ou de ceux que tu as chargés de s'occuper des types à qui

Jack Kingston devait de l'argent et qui voulaient s'en prendre à Bethany.

— Qu'est-ce que ça change ? fit Ash avec un haussement d'épaules. Ce ne sont pas des gens que j'inviterais à dîner, et ni Gabe ni toi n'avez besoin de les rencontrer – et encore moins nos femmes.

Jace poussa un soupir.

— Certes, mais ça m'intrigue. Dans quel genre d'histoire tu t'es fourré pour avoir affaire à ces types ?

— Oh, rien d'illégal, ne t'inquiète pas !

— Jusqu'à ce soir, objecta Jace.

— Jusqu'à ce soir, en effet, mais c'était nécessaire. Je ne pouvais pas tolérer qu'un minable pareil s'en prenne à Jodie. D'ailleurs, si c'était à refaire, je n'hésiterais pas une seconde.

Jace se leva.

— En tout cas, moi, je suis prêt à rentrer chez moi retrouver Bethany et je suis sûr que toi aussi, tu es impatient de revoir Jodie.

Il s'interrompit un instant pour sonder son ami du regard.

— Ça va, mon pote ?

— Oui, ça va. J'ai un peu mal à la main, mais rien de grave.

Jace secoua la tête.

— Allez, sortons d'ici ensemble et tâchons d'être bien reconnaissables sur les caméras de surveillance.

Chapitre 18

C'ÉTAIT LA PREMIÈRE FOIS DE LA SEMAINE QU'ASH rentrait tard, et Jodie n'aimait pas cela du tout. Elle avait pris l'habitude de le voir revenir du bureau avant la tombée de la nuit, et ils s'étaient déjà installés dans une petite routine confortable. Tous deux passaient la journée à travailler, puis, en fin d'après-midi, il quittait le bureau, et elle attendait son retour. Nue sur le canapé. Aussitôt qu'il sortait de l'ascenseur et posait les yeux sur elle, l'atmosphère de la pièce changeait.

Elle avait réclamé qu'ils passent aux choses sérieuses sans tarder, et Ash avait tenu parole. Elle avait encore les fesses en feu après ses assauts de la veille. Leur première expérience en la matière, lundi soir, n'avait pas été trop intense. Il avait parfaitement dosé ses coups, puis il avait opté pour d'autres explorations pendant les jours suivants.

Mais la veille…

Elle passa une main sur ses fesses et frissonna d'excitation en sentant le picotement que lui procuraient toujours les marques rouges et légèrement gonflées. Il avait utilisé une cravache et n'avait pas fait preuve de la même douceur que la première fois. Pourtant, elle l'avait supplié de lui en donner plus, plus fort, de repousser toujours la limite entre douleur et plaisir.

Elle se demanda ce qu'il avait prévu pour ce soir-là. Peut-être serait-il trop fatigué après cette longue journée couronnée par une vidéoconférence.

Soudain, son téléphone sonna, et elle se précipita pour répondre, les yeux brillants.

— Salut, Ash, souffla-t-elle.

— Salut, ma belle. Je suis dans la voiture, prépare-toi. J'ai eu une dure journée et je suis impatient de te retrouver.

Un frisson délicieux lui réchauffa la poitrine. Elle éprouvait un plaisir étourdissant à l'entendre dire cela. Ash aurait pu séduire n'importe quelle femme, pourtant c'était elle qu'il avait choisie. Qui aurait refusé de se faire ainsi flatter l'ego ?

— Je t'attends, Ash, murmura-t-elle.

Elle savait déjà comment elle comptait l'accueillir. Certes, c'était lui qui décidait ce qu'ils faisaient et quand, mais il ne lui avait pas demandé de le sucer depuis ce fameux lundi soir, or elle n'ignorait pas qu'il aimait beaucoup cela.

Ce soir-là, elle avait envie de prendre les rênes juste assez longtemps pour lui offrir ce plaisir après une longue journée au bureau. Elle doutait fort qu'il rechigne à lui accorder cette pépite de liberté.

Elle se déshabilla, brossa ses longs cheveux blonds puis s'examina dans le miroir, comme chaque soir. Satisfaite, elle alla s'asseoir dans le canapé du salon.

L'attente ne lui parut pas aussi longue que les jours précédents. Soit il ne l'avait pas appelée sitôt sorti du bureau, soit elle commençait à se détendre.

Dès qu'elle entendit l'ascenseur approcher, elle se leva pour s'agenouiller sur l'épais tapis.

Lorsque Ash entra et que leurs regards se croisèrent, elle fut frappée par l'éclat vert de ses yeux. Elle y vit une étincelle flatteuse, mais son expression générale était dure, presque menaçante, ce qui la fit frémir d'anticipation. Elle devina sans mal que cette journée n'avait pas été de tout repos mais qu'il était plus qu'heureux de la trouver là, à genoux, même s'il ne l'avait pas explicitement exigé.

Il s'avança vers elle d'un pas vif tout en lançant sa mallette, qui atterrit avec un bruit sourd. Puis il retira sa veste, la jeta sur le dossier d'un fauteuil et entreprit de défaire ses boutons de manchette.

Lorsqu'il s'immobilisa devant elle, elle leva les mains en direction de sa braguette.

—Qu'est-ce que tu fais? demanda-t-il, surpris.

—Je t'accueille comme tu le mérites, répondit-elle avec un sourire. Détends-toi et laisse-moi faire.

—Oh putain! murmura-t-il dans un soupir.

Elle défit son pantalon et le dénuda tout en se passant la langue sur les lèvres, impatiente de goûter sa chair douce et rigide.

— Jodie, tu vas me rendre fou si tu continues, gronda-t-il, les mâchoires serrées.

— C'est l'idée…

Avec toujours ce sourire coquin, elle referma la main sur la base de son sexe et approcha sa bouche de son gland.

Il retint son souffle dans un sursaut audible. Elle le lécha longuement avant de l'attirer entre ses lèvres en exerçant une pression croissante. L'ayant pris tout entier dans sa bouche, elle se recula lentement.

— Tu m'as manqué, murmura-t-elle. Ça fait des heures que je t'attends, je voulais te réserver quelque chose de spécial – quelque chose que tu n'oublierais pas.

— C'est réussi, ma douce ! Je ne risque pas d'oublier ça de sitôt. J'adore rentrer du travail et te trouver ici, chez moi. Je viens de vivre la meilleure semaine de ma vie.

De nouveau, cette espèce d'étourdissement vertigineux lui monta à la tête. Elle se délectait de la franchise avec laquelle il lui faisait part de ses sentiments. Il avait envie d'elle et ne s'en cachait pas. Il n'était pas question de jouer l'indifférence. Après tout, il avait annoncé la couleur dès le départ : il ne s'agissait pas d'un jeu pour lui. Ce qu'il y avait entre eux était bel et bien réel. Elle n'avait pas tout à fait mesuré la portée de ses paroles au début, mais elle commençait à comprendre à quel point il était sérieux.

Chaque jour, il lui disait qu'elle était belle, qu'il la désirait et qu'il était fou de joie de la savoir chez lui. Qu'il appréciait au plus haut point le cadeau qu'elle lui faisait en se soumettant à lui et en lui accordant sa confiance.

En une petite semaine, leur relation avait dépassé tout ce qu'elle avait pu connaître jusque-là. Ces quelques jours avaient suffi à Ash pour s'imposer comme une évidence dans sa vie. Quand elle était avec Michael, il leur était arrivé de ne pas se voir pendant plusieurs jours sans qu'elle en éprouve le moindre émoi.

À l'époque, son cœur n'y était pas, mais cela avait changé avec Ash. Il ne possédait pas seulement son corps : il régnait en maître sur son cœur et sur son âme, et il ne lui avait fallu qu'une semaine.

Cela paraissait complètement fou. Ce genre de choses n'avait lieu que dans les livres ou les films. Dans la vraie vie, les relations amoureuses étaient compliquées ; elles demandaient des efforts et des sacrifices ; elles ne vous tombaient pas dessus comme cela. L'amour non plus, ça n'arrivait pas par surprise.

Et pourtant…

Non, ce n'était pas possible qu'elle l'aime déjà. Si ? Ils commençaient tout juste à se connaître et à s'apprivoiser.

Elle le désirait comme une folle, cela ne faisait aucun doute, et elle l'appréciait énormément, mais de là à appeler cela de l'amour. Et pourtant elle souffrait le martyre pour chaque minute qu'ils passaient loin l'un de l'autre.

Elle se trouvait dans une situation impossible : elle sentait bien qu'elle était en train de tomber amoureuse de cet homme, mais elle luttait contre cette tendance, consciente qu'il était bien trop tôt. Elle ne savait quasiment rien de lui, n'avait jamais rencontré ses amis ni sa famille, même si elle doutait de rencontrer ses parents un jour. Il n'avait fait aucun mystère de leur mésentente.

Elle avait du mal à imaginer qu'on puisse détester sa propre famille. Elle-même avait toujours adoré sa mère et sa grand-mère, et elle chérissait encore leur souvenir. Pourtant, elle était mal placée pour juger Ash puisqu'elle refusait de voir son père ou même de lui parler. Après tout, cela faisait longtemps qu'elle ne considérait plus son père comme un membre de sa famille. Il avait perdu ce privilège en les abandonnant, sa mère et elle.

Il méritait tout juste le statut de donneur de sperme.

—Ça va, ma belle ? Tu as l'air ailleurs.

La remarque d'Ash, formulée avec gentillesse, la tira de ses pensées. Elle leva les yeux vers lui tandis que, les sourcils froncés, il se retirait lentement.

Elle rougit, honteuse de s'être fait surprendre ainsi. Ash voyait tout, il n'y avait pas moyen de lui échapper. Il percevait le moindre de ses changements d'humeur, à tel point que cela en était presque effrayant.

—À quoi tu penses, ma douce ? Tu n'étais pas concentrée sur moi. Ce que tu me faisais n'était pas désagréable du tout, mais tu n'y mettais pas vraiment du tien.

Elle s'assit sur ses talons avec un soupir, une main toujours posée à la base de son sexe.

— Excuse-moi, Ash. Je réfléchissais à mille trucs en même temps.

Elle se demanda s'il allait la punir. Michael n'aurait pas hésité, et cela n'aurait pas été une partie de plaisir. Elle mesurait la différence de traitement, à présent qu'elle avait goûté aux exquis sévices d'Ash. Quand Michael la fessait, autrefois, c'était pour lui faire mal, tout simplement.

Ash inclina la tête en plissant les yeux.

— Je ne sais pas ce qui est en train de te passer par la tête, mais ça ne me plaît pas du tout.

Elle faillit dire : « rien », mais se ravisa. Il était inutile de mentir à Ash ; il la pousserait dans ses retranchements jusqu'à ce qu'elle avoue. Il aimait la franchise ; il aimait pouvoir suivre le cours de ses pensées.

— Je me demandais si tu allais me punir pour m'être déconcentrée, admit-elle à voix basse. Ça m'a fait repenser aux châtiments que Michael n'aurait pas manqué de m'infliger dans les mêmes circonstances. Il ne savait pas transformer ça en plaisir, contrairement à toi. En fait, je me rends compte maintenant qu'il n'essayait sans doute même pas. Il voulait juste me faire mal.

Un éclair de furie passa dans le regard d'Ash, et Jodie retira instinctivement sa main en regrettant son honnêteté. Elle n'aurait pas dû mentionner Michael. Il ne méritait pas qu'elle prononce son nom dans l'appartement d'Ash – dans leur intimité.

Elle baissa les yeux et joignit les deux mains entre ses genoux.

Ash poussa un juron, mais elle ne releva pas la tête. Il ramassa son pantalon et se rajusta, puis se pencha de nouveau et la prit gentiment sous les aisselles pour la remettre debout.

— Je crois qu'on a besoin d'avoir une de ces discussions où tu te réfugies dans mes bras, annonça-t-il.

Elle crut défaillir de soulagement en constatant qu'il n'était pas fâché. C'était tellement difficile de trouver ses marques dans une relation toute neuve ! Elle trouvait cela épuisant de redouter le moindre faux pas, la moindre gaffe. Elle tenait réellement à ce que leur histoire dure. Elle était déjà à moitié amoureuse d'Ash – OK, plus qu'à moitié – et elle avait envie de découvrir ce que l'avenir leur réservait.

Ash l'entraîna vers le canapé et s'assit avant de l'attirer dans ses bras. Il la caressa longuement, comme pour la réchauffer, puis posa une main sur sa joue et, avec son pouce, effleura la commissure de ses lèvres, où l'on distinguait encore le souvenir de sa cicatrice.

— Je te l'ai déjà dit : je ne suis pas ton père, et tu n'es pas une enfant. Il ne s'agit pas de jouer un rôle. Tu es une adulte, capable de faire tes propres choix. Ça peut paraître contradictoire avec le genre de relation qu'on entretient, mais ce n'est pas le cas. C'est toi qui choisis de te soumettre à moi ; je ne peux pas te forcer à prendre la moindre décision. Non seulement je ne le peux pas, mais je ne le veux pas.

» Cela signifie aussi que je n'ai aucunement l'intention de te punir pour quelque faute que tu aurais commise, que tu l'aies fait exprès ou pas. Ça ferait de moi un connard abusif, et ce n'est pas le genre de compagnon que je veux être pour toi. Te fouetter les fesses pour le plaisir de les voir rougir et parce que ça nous excite tous les deux ? Oui, et ça arrivera souvent si tu es d'accord, parce que j'adore ça. Mais sortir ma cravache pour te faire mal sous prétexte que tu as fait une bêtise ou que je suis contrarié ? Jamais de la vie. Ce serait m'abaisser au niveau du stupide connard qui t'a tabassée parce que tu avais décidé de le quitter.

Elle hocha la tête, rassurée.

— Est-ce que tu me comprends, Jodie ? Ça me met en colère de penser qu'il t'a fait du mal à cause d'une supposée infraction. Même s'il m'arrive d'être fou de rage, je ne te toucherai jamais dans ces conditions. Il se peut que je dise des choses blessantes parce que j'ai parfois un sale caractère, mais je ne te ferai jamais souffrir sciemment.

Elle acquiesça de nouveau.

Quand il reprit la parole, ce fut avec une immense douceur.

— Ma chérie, je suis désolé de te dire ça, mais ta relation avec Michael n'était pas saine, pour la simple raison que ce n'était pas ce que tu envisageais quand vous vous êtes mis ensemble. Peut-être que certaines personnes s'épanouissent dans ces jeux de punition, et tant mieux pour elles tant que tous les participants sont consentants. Personnellement, ce n'est pas ce que je recherche. Je suis hyperexigeant, comme tu l'as déjà compris, mais pas au point de me concentrer uniquement sur mon propre plaisir. Si tu as la moindre hésitation, le moindre dégoût, il faut que tu me le dises, et on en discutera jusqu'à ce qu'on ait trouvé une solution qui nous convienne à tous les deux.

Elle s'efforça de sourire et, aussitôt, lut un immense soulagement dans les yeux d'Ash.

— Il y avait quelque chose que je voulais faire en rentrant, mais j'ai tout oublié en te voyant à genoux au milieu de mon salon, annonça-t-il. Mais maintenant que tu es là, dans mes bras, le moment me paraît bien choisi.

Elle inclina la tête sur le côté avec un regard interrogateur.

— Attends, je reviens.

Il s'écarta doucement d'elle et alla ouvrir sa mallette, d'où il sortit un grand boîtier carré.

Puis il reprit place sur le canapé, adossé au bras du fauteuil, Jodie sur ses genoux. Il leva l'écrin devant elle et l'ouvrit lentement pour révéler le collier qu'il renfermait.

Jodie retint un petit cri, émerveillée, lorsqu'il le souleva. Elle savait exactement de quoi il s'agissait. Ash lui avait dit qu'il avait commandé un collier exprès pour elle, mais elle n'aurait jamais imaginé que le résultat puisse être aussi exquis.

— Je veux que tu le portes, Jodie, et je veux que tu sois consciente de ce qu'il représente.

— Avec plaisir, Ash, souffla-t-elle.

Il passa le torque autour de son cou mince et fixa la chaînette qui reliait les deux branches. Une fois que le bijou fut en place, Jodie se tourna vers lui.

—C'est parfait, dit-elle avec un sourire lumineux. C'est tout à fait le genre de choses que j'aurais pu choisir moi-même.

—Oui, ça te correspond bien, renchérit-il en lui rendant son sourire. Je tenais à ce que mon collier rappelle la nuance de tes yeux, mais pas seulement. Je voulais qu'il reflète ta personnalité d'artiste, ton amour des couleurs vives.

Elle sentit des larmes lui piquer les paupières et inspira profondément pour les contenir.

Ash lui caressa gentiment la joue avant de faire glisser ses doigts en direction du bijou qui reposait juste au-dessus de sa clavicule.

—Je veux être sûr que tu comprennes la valeur de ce geste, ma belle. Je sais que c'est rapide, mais ça ne veut pas dire que ce n'est pas bien réel. J'ai vu mes deux meilleurs amis tomber amoureux et se mettre en couple très vite, sans la moindre hésitation, et je vois bien à quel point ils sont heureux. C'est donc possible de faire perdurer un coup de foudre, et j'aimerais vraiment que ça marche, entre toi et moi. Certes, on n'en est pas encore au même stade qu'eux, mais j'aimerais qu'on y arrive un jour. D'une certaine façon, ce collier a beaucoup plus d'importance qu'une bague de fiançailles, même si l'un n'exclut pas l'autre, au contraire.

—Je ne sais pas quoi te dire, murmura Jodie d'une voix enrouée par l'émotion.

—Dis-moi que tu comprends parfaitement la signification de ce bijou et que tu choisis de le porter en connaissance de cause.

Elle acquiesça et caressa le collier du bout des doigts.

—Je ne l'enlèverai jamais, Ash.

Il lui sourit avec une lueur de satisfaction dans le regard et l'attira à lui pour un long baiser qui la laissa pantelante. Lorsqu'il se redressa, il avait les paupières lourdes et les yeux embrumés de désir.

—Bon. Maintenant, j'aimerais qu'on reparle de ta relation avec Michael.

Elle esquissa une grimace, mais il posa un doigt sur ses lèvres.

—Je sais bien que ce n'est pas une conversation agréable et que tu préférerais ne plus y penser, mais il s'agit de toi, ma chérie. Je ne peux pas faire comme si cette histoire n'était jamais arrivée et je ne veux plus jamais que tu aies peur de le mentionner devant moi. Loin de moi l'idée de t'interdire de parler de ton passé ou d'expériences qui ont pu t'affecter, au contraire. Sache que tu es libre de me raconter tout ce que tu veux. Tout ce qui te touche me concerne à mon tour. Tu comprends?

—Oui, bien sûr, mais je ne voulais pas le mêler à notre histoire. Ici, ton appartement…, c'est notre havre de paix, et il n'y a pas sa place.

—D'accord, mais cet appartement est justement le lieu où tu peux tout me dire, sans crainte aucune. Comme j'ai commencé à te le dire tout à l'heure, ta relation avec Michael n'était pas saine. Attention, ne va surtout pas croire que je te juge ou que je t'en tiens rigueur. Si j'insiste pour t'en parler, c'est parce que ça risque d'avoir une influence sur notre histoire à nous.

Si elle n'était pas déjà convaincue elle-même qu'elle était en train de tomber éperdument amoureuse d'Ash, ces paroles si sincères et si douces auraient fini de la faire plonger tête la première. Où pourrait-elle jamais espérer trouver un homme de cette trempe ? Un homme à la fois sensible et généreux, tendre et délicat, et en même temps délicieusement sévère lorsqu'elle en ressentait le besoin…

En un mot, il était parfait. Dire que, jusque-là, elle avait cru que la perfection faite homme n'existait que dans les contes de fées !

Heureuse, elle se blottit contre lui, prête à entendre tout ce qu'il avait à lui dire.

— Si j'ai bien compris, le problème, avec Michael, c'était qu'il exigeait beaucoup de toi mais qu'il ne te donnait rien en retour. Il était froid et distant, ne te témoignait pas vraiment d'affection. D'après ce que tu m'as raconté, il avait des attentes bien précises et n'hésitait pas à te punir si tu ne les comblais pas entièrement, mais il ne te récompensait jamais quand tu lui obéissais.

Jodie esquissa une grimace de dégoût. Ash avait parfaitement résumé la situation, alors qu'elle-même n'avait pas su reconnaître la faille dans sa relation avec Michael.

Naïvement, elle avait cru que tous les couples dom/soumise suivaient le même modèle, mais Ash était en train de lui prouver qu'il n'en était pas forcément ainsi.

— De son côté, il ne faisait rien pour te plaire ou te satisfaire, poursuivit Ash, et c'est ça que je trouve le plus malsain dans cette histoire. Tout était uniquement centré sur lui, c'était complètement déséquilibré. Ce n'est pas comme ça qu'on traite une femme qu'on est censé chérir et protéger.

— Toi, tu n'es pas comme ça, murmura-t-elle.

— Non! s'écria-t-il. Je suis bien content de te l'entendre dire. D'ailleurs, n'hésite surtout pas à me le faire comprendre si tu as l'impression que je ne te donne pas autant que tu me donnes, toi. Évidemment, je ferai tout pour que ça n'arrive pas, mais au cas où, ne me laisse pas devenir comme lui. D'accord?

— Tu n'as aucun souci à te faire à ce sujet, Ash! rétorqua-t-elle en riant. Maintenant que tu m'as montré tout ce que tu étais capable de m'offrir, je ne me contenterai plus jamais de moins. Je ne pourrai plus jamais me satisfaire d'un autre.

— Encore heureux, parce que j'espère bien que tu n'auras plus jamais affaire à un autre homme. Si je ne te donne pas tout ce que tu veux, alors préviens-moi tout de suite plutôt que d'aller chercher ce qui te manque dans les bras d'un autre. Je ne veux même pas l'envisager, Jodie! Tu es à moi, maintenant.

— Je suis à toi, murmura-t-elle en lui caressant la joue d'un geste doux.

— Bon, conclut-il avec un sourire. Maintenant, il serait peut-être temps que j'arrête de te séquestrer.

—De me séquestrer? s'écria-t-elle en écarquillant les yeux. Ash, mais c'est horrible! C'est vraiment ce que tu as cru faire de moi pendant ces derniers jours?

Il éclata de rire.

—Non, je n'étais pas sérieux, ma chérie. C'est Jace qui m'a accusé de te séquestrer, tout à l'heure. Il plaisantait, évidemment, mais il n'a pas tort : je t'ai gardée pour moi tout seul, comme un gros égoïste. Je ne voulais pas te partager, mais ce n'est pas très juste envers toi. Tu n'es sortie qu'une seule fois de toute la semaine.

—Ça ne m'a pas dérangée, Ash. J'ai adoré cette semaine avec toi. Et puis j'ai travaillé, je ne me suis pas ennuyée une seule seconde.

—Oui, mais tu pourrais finir par te lasser. Je voulais juste m'assurer que…

Il s'interrompit avec une grimace.

—T'assurer de quoi?

—De rien, répondit-il sur un ton bourru. Ce qui importe, c'est que je voudrais te présenter mes amis. Avec toi, ce sont les personnes qui comptent le plus à mes yeux – ma vraie famille. Gabe et Mia rentrent de leur lune de miel dans la soirée de samedi ; alors, s'ils sont partants, j'aimerais qu'on se retrouve tous ensemble dimanche. Tu pourrais aussi faire la connaissance de ma sœur, Tiffany. Elle a presque le même âge que toi, et ces dernières semaines n'ont pas été faciles pour elle. Mia, Bethany et leurs copines sont un peu plus jeunes, mais je pense qu'elles devraient te plaire. Ce sont des filles géniales avec un cœur gros comme ça.

— Oui ! Je suis impatiente de tous les rencontrer ! s'écria-t-elle, sincère. S'ils comptent tellement à tes yeux, je suis sûre qu'on s'entendra bien. Je suis vraiment ravie que tu veuilles me présenter, tu sais. J'aimerais bien pouvoir en faire autant.

Il la serra contre lui.

— Je veux que tu sois entourée de gens qui t'aiment et sur qui tu peux compter, ma chérie. Ça me fait de la peine que tu aies perdu ta mère. J'aurais adoré la rencontrer. D'après ce que tu m'en as dit, ce devait être une femme formidable.

Jodie sourit et l'embrassa tendrement.

— Il y a quelque chose que tu dois savoir au sujet de Bethany, ajouta-t-il. Elle n'a vraiment pas eu une vie facile, alors il vaudrait mieux que tu ne lui poses pas trop de questions personnelles, surtout à propos de son passé.

— Comment ça ? demanda-t-elle, surprise.

Ash soupira avant de répondre.

— Elle était sans domicile fixe quand on l'a rencontrée, Jace et moi. Elle faisait partie du personnel embauché en extra pour le bal de fiançailles de Gabe et de Mia. Évidemment, on ne savait rien de son statut à l'époque. On a passé la nuit avec elle, comme je te l'ai déjà dit, mais elle a disparu avant qu'on soit réveillés. Jace a mis Manhattan sens dessus dessous pour la retrouver. Elle s'était réfugiée dans un foyer pour femmes, et il l'a ramenée chez lui. Ça n'a pas été simple, surtout qu'elle a un frère adoptif qui vivait lui aussi à la rue et qui était mêlé à des trafics franchement louches. Quand elle était plus jeune, Bethany a été accro aux anti-douleur pendant un temps. Elle avait déjà surmonté ça quand Jace l'a rencontrée, mais les tensions inhérentes à leur relation ont failli la faire replonger. Et puis son frère adoptif, Jack, a failli la tuer en diluant tout un flacon d'analgésiques dans une tasse de chocolat chaud. Au début, on a cru qu'elle avait essayé de se suicider en faisant une overdose. Pour ne rien arranger, la veille, Jace nous avait trouvés tous les deux chez lui et avait pété un plomb. Il s'était montré odieux, et Bethany était vraiment écœurée. Donc, le lendemain matin, quand on l'a retrouvée inanimée, ça a été la panique.

—Oh putain! souffla Jodie. C'est fou, cette histoire. On dirait un film!

—Ouais, pourtant c'était bien réel. Jack n'avait pas eu l'intention de tuer Bethany. En fait, c'était lui qui voulait se suicider, mais elle a pris la mauvaise tasse et s'est retrouvée à l'hôpital. Je suis désolé de te balancer tout ça d'un coup, mais je tenais à ce que tu sois au courant pour que tu saches quelles questions ne pas poser. Je préfère éviter tout malaise, que ce soit pour toi ou pour Bethany.

Jodie fronça les sourcils. Une question lui brûlait les lèvres, mais elle n'osait pas la formuler par peur d'avoir l'air… jalouse. Elle ne pouvait s'empêcher de ressentir un petit pincement au cœur quand Ash parlait de Bethany et que ses traits s'adoucissaient. Il était évident qu'il éprouvait une profonde affection pour cette jeune femme, même si c'était la fiancée de son meilleur ami.

—À quoi tu penses, ma belle ? s'enquit-il. Je reconnais cette expression : tu as quelque chose à me demander. Vas-y, ma chérie. Tu sais que tu peux me poser toutes les questions que tu veux.

Elle prit une longue inspiration avant de se lancer.

—Tu viens de me dire que Jace avait pété les plombs en te trouvant avec Bethany, pourtant tu m'avais assuré qu'il ne s'était plus rien passé entre vous depuis la première nuit…

Ash écarquilla les yeux.

—Ah non ! Jace a flippé en me voyant dans son salon en compagnie de Bethany, mais il ne s'était rien passé du tout, ce soir-là. J'étais juste passé lui remettre un dossier urgent. Un de nos projets menaçait de prendre l'eau, ce qui explique pourquoi Jace était de si mauvaise humeur en arrivant. J'en avais simplement profité pour présenter mes excuses à Bethany parce que, au début, j'étais méfiant. Je ne suis pas très fier de l'admettre, mais j'avais peur qu'elle ne soit pas assez bien pour lui et qu'elle ne profite du fait qu'il était prêt à tout pour elle. Et puis je voulais la rassurer pour que notre plan à trois du premier soir cesse d'être une source de gêne entre nous. Bref, je lui ai dit tout ça et j'ai ajouté que j'avais envie qu'on devienne amis parce que, si elle était importante aux yeux de Jace, alors elle était également importante aux miens. Voilà de quoi on était en train de parler quand Jace est arrivé. C'est tout ce qui s'est passé.

—Je comprends, souffla Jodie en hochant la tête.

Ash l'observa un instant avant de reprendre la parole.

—Est-ce que cette histoire avec Bethany t'embête toujours?

Elle poussa un gros soupir avant de répondre.

—Oui, avoua-t-elle. Je ne vais pas te mentir : je suis un peu nerveuse à l'idée de la rencontrer. Je ne remets pas ta parole en doute, mais ce n'est jamais agréable de se retrouver face à une des ex de son mec, même si ce n'était que l'affaire d'un soir. Ça va passer, ne t'inquiète pas, surtout si on est amenées à se côtoyer régulièrement, mais je ne te cache pas que, en la voyant, je ne vais pas pouvoir m'empêcher de vous imaginer ensemble et que ça ne m'amuse pas du tout.

Ash eut l'air chagriné par cette révélation.

—Ma chérie, je ne veux pas que tu te fasses du mal en ruminant tout ça. Cette nuit-là n'avait rien de particulier, tu sais. Enfin, pour moi, en tout cas. Pour Jace, c'était une autre affaire. D'ailleurs, s'il s'était exprimé franchement dès le départ, ça ne serait jamais arrivé. Je les aurais laissés seuls. Je n'éprouvais pas de sentiments pour Bethany, et je n'éprouve toujours rien de tel pour elle.

Elle respira plus aisément, rassurée par la sincérité de ses paroles. Elle le croyait sans la moindre hésitation.

—Ne t'inquiète pas, Ash. Je ne vais pas laisser cette histoire me perturber davantage et je te promets de ne pas en parler. Évidemment, je n'aborderai pas non plus le sujet du passé de Bethany. Elle a l'air d'être une fille géniale.

—Oui, elle est super, et elle est parfaite pour Jace, commenta Ash. De même que tu es parfaite pour moi.

Chapitre 19

Ash prit Jodie par la main et l'entraîna vers la chambre, les mâchoires crispées par l'effort de se contenir. S'il avait écouté son instinct, il l'aurait jetée sur le lit et prise brutalement, sans la ménager. Il était sur les nerfs à cause de toute cette histoire avec Michael.

Cela ne faisait que renforcer son désir de posséder Jodie, d'affirmer son autorité sur elle. Il ne s'expliquait pas bien cette pulsion féroce qui le prenait aux tripes chaque fois qu'il était près d'elle et il se demandait si cela lui passerait un jour. Il en doutait fort.

Un sentiment si puissant, si entêtant ne risquait pas de se dissiper en quelques semaines, en quelques mois ou même en une année. Il s'imaginait sans mal éprouver la même émotion dans dix ou vingt ans, ce qui montrait bien qu'il envisageait déjà l'avenir malgré sa promesse de prendre les choses au jour le jour.

Comment ne pas réfléchir à long terme alors qu'il ne pensait qu'à la garder auprès de lui de façon permanente ? Le moindre de ses gestes visait à persuader Jodie de rester avec lui, à lui faire comprendre qu'elle était parfaite pour lui et – du moins l'espérait-il – qu'il était parfait pour elle.

Jodie fit volte-face et pressa son corps nu et doux contre le sien tout en levant vers lui un regard luisant de désir. Par moments, il aurait pu jurer qu'il voyait de l'amour dans ses yeux si bleus. Peut-être était-ce parce qu'il avait tellement envie d'y croire. Elle n'avait rien dit qui puisse laisser penser qu'elle l'aimait, mais en même temps lui non plus. C'était trop tôt. Cela ne faisait qu'une semaine. Personne ne tombait amoureux en une semaine.

Sauf qu'il avait la preuve du contraire. Il l'avait vu de ses propres yeux et savait que cela pouvait mener à des relations durables.

Voulait-il que Jodie l'aime ?

Oh oui ! Il en mourait d'envie et savourait déjà l'instant où ces mots si doux franchiraient les lèvres de la jeune femme.

—Qu'est-ce qui te ferait plaisir, ce soir, Ash ? demanda-t-elle dans un souffle. Tu as eu une longue journée, et j'aimerais t'offrir quelque chose d'un peu spécial.

Il se sentit fondre à ces mots. Jodie était si compréhensive, si affectueuse, si enthousiaste ! L'espèce de nuage qui avait plané sur lui depuis qu'il avait quitté le bureau pour aller régler son compte à Michael se dissipa face à un tel rayon de soleil. Il sentit ses épaules se dénouer lorsque Jodie lui caressa doucement les bras avant de prendre son visage entre ses mains.

— Je ne vais pas te marquer les fesses ce soir, ma belle. J'ai adoré ça, hier soir, mais si je recommençais aujourd'hui ça te ferait trop mal.

Par ailleurs, il ne voulait pas risquer de puiser dans les résidus de la violence qu'il avait déployée contre Michael. Il refusait de mêler Jodie à ce souvenir brutal, même s'il n'en regrettait rien.

— Alors de quoi as-tu envie ? murmura-t-elle. Dis-moi. Je ferai tout ce que tu voudras.

Il lui caressa les cheveux d'un geste lent tout en plongeant son regard dans celui de la jeune femme, si douce, si décidée à lui plaire, si soumise que son cœur se serrait rien que d'y penser.

— Je veux que tu te mettes à quatre pattes sur le lit. Je ne vais pas te ligoter ce soir, je veux que tu sois capable de te soutenir pendant que je te prends comme une chienne. Je vais commencer par ton sexe, mais je viendrai jouir dans ton cul, et je ne serai pas aussi tendre et patient que la première fois. Tu crois que tu peux supporter ça ?

Jodie retint son souffle un instant, et ses pupilles se dilatèrent sous l'effet du désir.

— Je serai capable de supporter tout ce que tu as à me donner, Ash.

Il l'embrassa longuement, glissant sa langue entre ses lèvres tout en recueillant son gémissement de plaisir. Il trouvait cela délicieusement intime d'inspirer l'air qu'elle laissait échapper avant de le lui rendre.

— Va t'installer sur le lit, les genoux au bord du matelas, les fesses tendues vers moi, ordonna-t-il enfin d'une voix rude.

Elle s'écarta de lui, et aussitôt il regretta cet éloignement pourtant si temporaire. Il l'observa se mettre en position comme il le lui avait demandé puis lui jeter un regard impatient par-dessus son épaule.

Elle aussi mourait d'envie de le sentir. Elle était plus que prête, pourtant il se promit de la traiter avec autant de douceur que possible afin de ne pas dépasser les bornes. Elle avait déjà trop souffert aux mains d'un homme, même si l'ordure en question n'était qu'un pauvre type qui prenait son pied à malmener sa compagne sans rien lui offrir en échange.

Ash exigeait de Jodie qu'elle lui cède le contrôle de son corps et de sa volonté, mais il s'employait également à lui témoigner toute l'affection, tout le respect et tout l'amour qu'elle méritait. Il la chérissait autant qu'il la dominait.

Il se déshabilla en vitesse et sortit du tiroir le tube de lubrifiant, qu'il déposa sur le matelas à côté de Jodie. Puis il passa les mains sur ses fesses rebondies, ivre de voir les preuves de sa possession zébrer sa peau diaphane.

Cette vision suffit à réveiller son érection, et il se pencha pour passer un doigt entre les lèvres de Jodie et juger de son excitation. Elle était déjà trempée de désir, prête à le recevoir, mais il tenait à la mener au bord de la folie avant de faire son entrée.

Il introduisit ses doigts plus avant, et elle réagit en reculant à sa rencontre avec un gémissement d'impatience. Il se retira un peu puis revint à la charge jusqu'à rencontrer le point sensible où la paroi de son sexe changeait subtilement de texture. Il appuya légèrement, mais cela suffit à arracher un cri à Jodie. Il sourit en sentant une chaleur liquide ruisseler autour de ses doigts. Oh oui, elle était plus que prête !

D'une main il empoigna son sexe, tout en écartant de l'autre ses lèvres pour venir se positionner. Puis il la pénétra avec lenteur, centimètre par centimètre, jusqu'à ce qu'ils soient tous deux pantelants de désir.

Il avança jusqu'à venir presser contre ses fesses, et elle laissa échapper un soupir qui l'atteignit en plein cœur et résonna dans son âme. Cette femme si douce réveillait ses instincts les plus sombres avec une confiance étourdissante, comme si elle devinait de quoi il rêvait et l'acceptait sans la moindre crainte. Il sentait qu'avec elle il pourrait enfin explorer ses désirs les plus inavouables et que ce serait bon – tellement bon !

Il se pencha sur elle et la couvrit de son corps sans pour autant se retirer.

—Dis-moi, Jodie, susurra-t-il, est-ce que ça t'a rendue jalouse que je te parle de mon plan à trois avec Jace et Bethany ?

Elle se raidit un instant avant de tourner vers lui un regard surpris et quelque peu peiné.

—Ash…, je ne comprends pas ce que tu veux dire…

Aussitôt, il se maudit : sa question était mal formulée.

—Pardon. Ce que je voulais savoir, c'est si tu t'étais imaginée à la place de Bethany? Si l'idée d'un plan à trois t'excite?

Elle secoua la tête, l'air toujours perplexe, mais soudain il vit passer dans son regard un éclat de curiosité, fugitif mais bien réel.

—Moi, je crois que ça t'excite un peu, poursuivit-il avec douceur, même si je t'ai dit que ça n'aurait jamais lieu. Est-ce que ça te déçoit, Jodie? Est-ce que tu aimerais savoir ce que ça fait d'avoir deux hommes en toi en même temps?

Il passa une main le long de son ventre et caressa son clitoris. Aussitôt, il la sentit se contracter autour de son sexe en de petits spasmes rapides qui faillirent lui faire perdre la tête.

—Oui, avoua-t-elle dans un soupir. Je serais curieuse de savoir…

—J'ai un moyen de te procurer des sensations semblables, même si ce n'est pas tout à fait pareil. Je n'ai aucune envie de te partager avec un autre homme, mais je peux quand même te faire connaître ce plaisir.

—Comment? demanda-t-elle d'une voix rendue aiguë par l'excitation.

—Je vais te mettre un plug anal – un gros – puis je vais te baiser, et tu auras l'impression d'avoir deux sexes en toi en même temps.

—Oh!

Cette brève exclamation ne permettait pas le moindre doute: elle en mourait d'envie, et il comptait bien la satisfaire.

Il se redressa et se retira lentement, savourant la douceur satinée et brûlante de ses tissus avant de s'avancer de nouveau. Il n'était pas encore prêt à quitter cette chaleur délicieuse. Il allait d'abord la mener au bord de l'hystérie.

Il entama de longs mouvements un peu mécaniques pour éviter de perdre la tête lui-même. Jodie gémissait et se cambrait contre lui avec de plus en plus de vigueur, mais il savait qu'elle ne risquait pas de basculer dans l'orgasme sans la pression de ses doigts sur son clitoris.

Enfin, il ralentit ses coups de reins et baissa les yeux pour se délecter du spectacle de sa pénétration, de son érection rendue luisante par le nectar de Jodie. Elle était déjà tellement étroite qu'il avait du mal à imaginer ce que cela donnerait une fois qu'il aurait inséré le plug dans son anus.

Il se retira complètement, laissant Jodie tremblante et pantelante sur le lit tandis qu'il allait chercher un plug neuf. Il déchira l'emballage avec un frisson d'anticipation. Il avait l'impression que son sang bouillait dans ses veines sous l'effet du désir.

Lorsqu'il revint vers le lit, il remarqua que la jeune femme avait serré les poings et qu'elle les enfonçait dans le matelas. Elle tourna la tête vers lui et écarquilla les yeux en voyant le diamètre du plug.

—Ne t'inquiète pas, ma belle ; ce n'est pas plus gros que moi ! la rassura-t-il en riant doucement.

—Ça va faire mal, dit-elle d'une petite voix plaintive.

—Ça fait partie du plaisir, rétorqua-t-il. Rappelle-toi les marques que je t'ai laissées hier soir. J'y suis allé beaucoup plus fort que la première fois, et pourtant tu me suppliais de ne pas m'arrêter, de t'en donner encore. N'aie pas peur de la douleur, Jodie. Accepte-la. Tu sais que le plaisir qui suit n'en est que plus intense, et je n'ai pas fini de te le prouver.

Elle ferma les yeux et rejeta la tête en arrière, si bien que ses longs cheveux blonds se répandirent dans son dos. Ash mourait d'envie d'en saisir les mèches à pleines mains et de tirer dessus tout en la baisant sauvagement, mais chaque chose en son temps. Pour l'instant, il devait la préparer, l'habituer à cette situation. Alors seulement, il l'entraînerait avec lui jusqu'à l'extase.

Il versa une généreuse dose de lubrifiant sur le plug et autour de son anus, puis inséra un doigt en elle pour en répandre à l'intérieur. Une fois certain que le plug entrerait sans effort, il repoussa le flacon et revint se positionner entre les cuisses de Jodie.

—N'oublie pas de respirer, ma belle. Je vais y aller doucement, mais ce sera plus facile si tu respires profondément et que tu pousses un peu quand je te le dirai.

—OK, souffla-t-elle d'une voix tremblante d'excitation.

Il appuya le bout du plug contre son anus pour le faire pénétrer un peu. Jodie poussa un faible gémissement, et il s'immobilisa un court instant avant de commencer à donner de petites impulsions pour la détendre peu à peu.

Pendant de longues secondes, il s'amusa à la titiller ainsi, insérant le plug de plus en plus profondément, puis il passa un bras autour de sa taille et stimula son clitoris tout en intensifiant ses mouvements.

—Oh putain! s'écria-t-elle.

—C'est trop?

—Non! C'est trop bon, Ash! Ne t'arrête pas!

Il rit doucement.

—Aucun danger que je m'arrête en si bon chemin, ma chérie.

Il continua à l'exciter jusqu'à ce qu'elle gémisse en continu, éperdue, puis il inséra le plug jusqu'au bout.

Elle poussa un cri aigu et cambra le dos, à bout de souffle, tandis que ses jambes se mettaient à trembler violemment.

—Chut! Du calme, ma puce. Il est en place, ça y est. Respire et détends-toi pendant quelques secondes. Je ne voudrais pas que tu jouisses tout de suite.

Elle courba le dos et posa le front contre le matelas, les yeux fermés. Elle reprit peu à peu son souffle, mais son corps restait agité de tremblements. Ash tenait à faire de cette soirée une expérience inoubliable pour elle. Certes, il en retirerait autant de plaisir qu'elle, mais c'étaient ses sensations à elle qui importaient. Il voulait qu'elle atteigne l'extase en hurlant son nom.

Il se recula, et, aussitôt, elle releva la tête pour le chercher du regard. Avec un sourire, il déposa un baiser au creux de son dos, juste au-dessus du renflement de ses fesses.

— Donne-moi juste une minute, ma belle. Je tiens à ce que tu prennes vraiment ton pied.

— Tu vas finir par me tuer! protesta-t-elle.

Il éclata de rire puis alla chercher dans son placard le long foulard de soie rouge qu'il avait commandé aussitôt que Jodie avait emménagé chez lui. Il tenait à ce que tous les accessoires qui entreraient en jeu au cours de leurs ébats soient neufs – qu'ils n'aient jamais servi avec une autre femme.

Il revint vers le lit et aida Jodie à se redresser. Elle se tenait à genoux devant lui, les cuisses écartées pour soulager un peu la tension que lui infligeait le plug, les joues empourprées de désir, les paupières lourdes.

Pourtant, en apercevant le foulard, elle écarquilla les yeux, et Ash se fendit d'une explication.

— Je vais nouer ça autour de ta tête de façon que tu ne voies plus rien. Cela aiguisera tes autres sens. Fais-moi confiance, je sais comment te donner du plaisir.

— Oh oui, je te fais confiance! répliqua-t-elle d'une voix légèrement enrouée.

Il sourit, ravi, puis positionna le foulard devant les yeux de la jeune femme et le noua solidement à l'arrière de sa tête, s'assurant qu'il ne laissait plus passer le moindre rai de lumière.

— Maintenant, allonge-toi sur le dos, les fesses au bord du matelas.

Il la guida doucement, et, lorsqu'il lâcha sa main, elle se laissa tomber en arrière avec un sourire mutin sur ses lèvres rougies d'excitation.

—Si tu savais à quel point tu es belle, comme ça…, gronda-t-il. Tu es magnifique, Jodie, tout simplement magnifique. J'adore te voir offerte à mes regards, les yeux bandés, les cuisses ouvertes, un plug dans ton joli petit cul…

Il s'agenouilla devant elle et approcha son visage lentement pour que son premier coup de langue la prenne par surprise. Il remonta lentement de l'entrée de son sexe jusqu'à son clitoris, savourant les petits sursauts et frissons qui agitèrent sa chair satinée sur son passage.

—Je ne vais pas tenir très longtemps, si tu fais ça, Ash, murmura-t-elle entre ses dents.

—Si, tu vas tenir, rétorqua-t-il calmement. Tu ne jouiras que quand je t'en donnerai l'autorisation.

Elle poussa un grognement impatient qui le fit sourire. Puis il reprit ses caresses, se délectant d'elle avec une lenteur infernale.

Elle se cambrait, se tordait, et, chaque fois qu'elle reposait les fesses sur le matelas, le plug s'enfonçait un peu plus. Elle haletait bruyamment, proche de l'orgasme, mais Ash connaissait bien les signes avant-coureurs et il s'arrêta juste à temps.

De nouveau, elle poussa un gémissement exaspéré mais inarticulé, qui le fit rire doucement.

—Pas la peine de t'énerver, ma belle. Tu jouiras quand je te le dirai, pas avant.

—Tu vas me tuer! cria-t-elle dans un sanglot.

—Pourtant, je n'ai même pas commencé, rétorqua-t-il d'une voix suave. Tu vas bientôt me supplier, ma belle.

—Je te supplie déjà, Ash! S'il te plaît!

Il rit doucement et lui écarta les cuisses encore un peu plus, avant de se relever pour aller chercher des pinces à tétons dans sa table de nuit. Puis il se pencha sur elle et, l'un après l'autre, lécha ses seins jusqu'à ce que les pointes en soient réduites à deux petits cailloux tout durs.

Il les suça longuement puis fit jouer sa langue tout autour. Enfin, il mit la première pince en place.

—Oh! s'écria Jodie en sentant la morsure des petites dents sur son téton. Ash, qu'est-ce que c'est?

—Chut, ma belle, ne t'inquiète pas. Tu sais que je ne vais pas te faire de mal. C'est juste une petite pointe de douleur pour aiguiser ton plaisir. Je suis sûr que tu vas aimer.

Il posa la seconde pince puis se redressa pour examiner le résultat.

C'était une pure merveille. Jodie était une œuvre d'art, purement et simplement, avec ce tatouage exotique qui épousait ses courbes. Il n'avait jamais été grand amateur de femmes tatouées, et pourtant, dès qu'il avait aperçu une fraction du motif sous le débardeur de Jodie, sa curiosité avait été piquée au vif.

Cela tenait peut-être au fait que ce n'était pas qu'un vulgaire tatouage: c'était l'expression visible de l'âme d'artiste de Jodie, une manifestation ô combien charnelle de son propre talent! Il faisait partie d'elle, tout simplement.

—Tu me fascines, Jodie. À première vue, tu sembles si sage, si fraîche, avec tes longs cheveux blonds et tes grands yeux bleus. Pourtant, caché sous tes vêtements, ce tatouage proclame ton côté rebelle, et j'adore ça.

Elle esquissa un sourire rêveur.

—Je suis contente que ça te plaise.

—Oh oui, ma belle, ça me plaît beaucoup ! Tout ce qui fait partie de toi me plaît.

Il s'accorda encore quelques secondes pour savourer la vue de ses tétons délicatement mordus par les pinces, puis il fit glisser une main le long de son ventre et jusqu'à ses boucles humides, mais il se retint de la caresser pour retarder le moment de basculer dans l'abîme avec elle.

Il empoigna son érection et l'approcha du sexe de Jodie sans jamais cesser de contempler cette merveille qui était sienne. Il n'aurait jamais cru rencontrer un jour une femme qui le comprenne aussi bien, pourtant il avait devant les yeux une beauté incomparable, offerte, si émouvante qu'il en avait le cœur serré.

Il lui fit plier les genoux et lui caressa l'intérieur des cuisses, fasciné par la base du plug qui dépassait tout juste de son anus.

Puis il logea son gland entre ses lèvres gonflées, et, aussitôt, des gouttes de sueur perlèrent sur son front. Elle était si étroite que son entrée n'allait pas être facile, mais le résultat serait bouleversant.

Il pénétra un peu plus avant, et ses yeux se révulsèrent tant la sensation de son sexe autour de lui était étourdissante.

Elle poussa un fort gémissement et agita les mains de façon désordonnée, comme si elle ne savait qu'en faire.

Ash, quant à lui, avait une petite idée sur la question. Il savait déjà qu'il prendrait un plaisir sans égal à la voir ligotée sur son lit, sans défense, privée à la fois de la vue et de sa liberté de mouvement. Entièrement offerte. Oh oui, cela l'excitait infiniment !

Il se retira, ce qui arracha un gémissement exaspéré à la jeune femme. Il lui caressa longuement la cuisse, traçant du doigt la fin de son tatouage tout en réfléchissant. Il n'allait pas se contenter de lui lier les mains ; il allait également lui attacher les chevilles au pied du lit. Ainsi, elle serait écartelée, à sa merci.

— Donne-moi encore une petite minute, ma belle, dit-il dans un grondement plus brutal qu'il ne l'aurait voulu. Finalement, je vais te ligoter.

Elle déglutit mais garda le silence. Pourtant, il vit bien à son souffle précipité que cette idée l'excitait autant que lui.

Il alla chercher deux cordes en soie dans le placard et revint vers le lit, où il aida Jodie à se placer à égale distance des deux coins.

Après un instant d'hésitation, il lui lia les poignets avant de faire passer la corde autour de la tête de lit et d'en nouer l'extrémité de façon que Jodie ait les bras tendus mais que ses épaules n'en soient pas meurtries.

Une fois satisfait, il saisit la seconde corde et retourna vers le bout du lit tout en caressant le corps de la jeune femme, sa taille fine, la courbe de ses hanches. Cette fois, en revanche, il retira sa main avant d'atteindre son sexe, et le grognement d'irritation de Jodie le fit sourire de plus belle. Cela promettait d'être absolument étourdissant, à en juger par le plaisir qu'il prenait à ces préparatifs exquis. Il allait pouvoir se délecter du spectacle de Jodie ligotée par ses soins, impuissante, forcée de subir ses assauts furieux.

Avec douceur, il attrapa l'une de ses chevilles et noua la corde autour d'elle avant de la fixer à un pied du lit, s'assurant une fois de plus qu'elle ne risquait pas d'en souffrir.

Lorsqu'il passa à l'autre jambe, elle tremblait de façon incontrôlable, haletante, et son corps luisait de sueur.

—Ash?

Il finit de nouer la corde avant de répondre.

—Oui, ma belle?

—Oublie ce que je t'ai dit sur mon incapacité à jouir sans stimulation de mon clitoris. Je suis sur le point de perdre la tête.

Il éclata de rire et déposa un baiser à l'intérieur de son mollet.

—Non, ma belle. Tu attends mes ordres. Il n'est pas question que tu décolles avant moi.

Elle poussa un soupir et se mordit la lèvre comme pour contenir la montée de son plaisir.

Ash recula d'un pas pour admirer son œuvre.

—Magnifique! souffla-t-il. Ma chérie, tu n'as pas idée de l'état d'excitation dans lequel je me trouve. Je n'ai jamais rien vu d'aussi beau que ton corps ligoté à mon lit, offert. Je vais me régaler de toi, ma belle.

— S'il te plaît, Ash ! J'ai besoin de toi, je t'en prie !

Malgré ce qu'il lui avait dit sur le ton de la plaisanterie, il ne voulait pas qu'elle le supplie. Ce qu'il désirait plus que tout, c'était la satisfaire, la combler au plus haut point.

Il passa les mains sous ses fesses et la souleva autant que la corde le lui permettait, savourant la fermeté de ses rondeurs sous ses paumes.

Puis il plaça son gland à l'entrée de son sexe et, de nouveau, s'avança un peu. Le gémissement de Jodie fit écho à son grondement. Elle était si étroite, si brûlante !

— Tu es toute serrée, ma belle. C'est merveilleux. Tu vas ressentir ce que ça fait d'accueillir deux hommes en même temps. Tu vas voir.

— C'est trop bon, Ash ! Vas-y, s'il te plaît ! Prends-moi à fond ! Je vais devenir folle, sinon !

Il donna un puissant coup de reins, les mâchoires crispées. Le corps de Jodie luttait contre cette intrusion, et la pénétration était rendue douloureuse par la présence du plug, mais c'était une douleur dont il se délectait, car il savait à quels sommets du plaisir cela allait le mener.

Le front baigné de sueur, il s'avança encore un peu tout en respirant profondément pour ne pas perdre la tête.

— Oh, Ash ! C'est trop ! Je n'en peux plus, je vais jouir !

Il s'immobilisa, les mains crispées sur les cuisses de Jodie.

—Ce n'est jamais trop, ma belle. Jamais assez. Concentre-toi, ma chérie, attends-moi.

Il jeta un coup d'œil et fronça les sourcils en constatant qu'il n'était qu'à moitié entré. Il se retira un peu et plaça son pouce contre son clitoris.

—Je vais y aller fort, ma belle. Ça va être rapide et brutal. Tu vas peut-être avoir mal, mais je te promets que ça va être délicieux.

—Alors vas-y, fais-moi mal, Ash! gémit-elle. J'en ai envie. J'ai besoin de toi!

Cet aveu éperdu eut raison de lui. Abandonnant toute retenue, il augmenta la pression de son pouce sur le clitoris de Jodie et donna un violent coup de reins, déterminé à entrer jusqu'au bout.

Elle poussa un cri, et, aussitôt, une vague de chaleur l'inonda. Il en profita pour se retirer un peu et revenir à la charge avec une vigueur redoublée. Petit à petit, le corps de Jodie se détendit, et il accéléra la cadence. Si près du gouffre, il lui aurait été impossible de s'arrêter. Il avait perdu tout contrôle.

Il venait taper contre ses fesses avec de bruyants claquements, et elle se tendait contre les cordes qui la retenaient au lit pour se soulever à sa rencontre en haletant de plaisir.

Soudain, sa vision se brouilla.

—Vas-y! gronda-t-il. Maintenant!

Dans un long hurlement rauque, elle se convulsa autour de lui avec une force étourdissante. L'orgasme d'Ash se déclencha avec une brutalité douloureuse, mais il ne ralentit pas ses mouvements et continua d'exercer une pression infernale sur son clitoris.

Puis, brusquement, il se retira d'elle et empoigna son sexe pour diriger sa semence sur le ventre de Jodie et marquer sa peau de zébrures laiteuses.

Elle sanglotait à présent, et il la pénétra de nouveau, incapable de rester trop longtemps hors d'elle. Enfin, il s'immobilisa tandis que leurs spasmes refluaient doucement. Il ferma les yeux et s'allongea sur elle, épuisé.

Il ne s'était jamais senti aussi vulnérable. Il avait l'impression d'être mis à nu. Il resta un long moment ainsi, collé à Jodie par sa propre semence, puis il déposa un baiser juste au-dessous de ses seins.

—Tu me rends fou, Jodie, murmura-t-il. Tu me rends complètement fou.

Chapitre 20

En entrant dans le restaurant où Ash comptait la présenter à ses amis, Jodie éprouva un soudain malaise. Il s'agissait d'un établissement que Michael fréquentait régulièrement et où il l'avait emmenée à plus d'une reprise.

Elle secoua la tête pour évacuer ce moment d'hésitation et se blottit contre Ash qui la tenait par la taille. Si elle croisait Michael – ce qui était fort probable étant donné qu'il dînait là presque chaque dimanche – elle ne baisserait pas les yeux. Elle n'avait pas à avoir honte de quoi que ce soit, ni du fait qu'il l'ait agressée ni de sa relation toute neuve avec Ash.

—Quelque chose ne va pas, ma chérie ? s'enquit celui-ci tandis qu'on les conduisait à leur table.

Elle secoua la tête en s'efforçant de sourire.

—Tu es stressée ? Il ne faut pas, tu sais. Je suis sûr qu'ils vont t'adorer.

Cette fois, son sourire lui vint naturellement.

—Je ne m'inquiète pas, Ash. Je t'assure.

—Bon, tant mieux, dit-il en la serrant contre lui. Je veux que tu passes une bonne soirée.

Lorsqu'ils arrivèrent à leur table, située dans le coin le plus reculé du restaurant pour leur garantir un peu d'intimité, Jodie vit que les autres couples étaient déjà arrivés.

Elle cilla en apercevant les deux hommes qui se levèrent à leur approche. Ils étaient remarquables individuellement, mais, réunis, les trois amis formaient une brochette d'une beauté mâle et infernale. Un cocktail détonant de gènes flatteurs, de richesse et d'arrogance.

Elle n'accorda même pas un regard aux deux femmes qui les accompagnaient, captivée par ce renversant rassemblement de mâles alpha.

—Jodie, je te présente mes deux meilleurs amis et associés : Gabe Hamilton et Jace Crestwell.

Le dénommé Gabe s'avança vers elle avec un franc sourire et lui tendit la main. Elle frissonna à son contact.

—Enchanté de faire ta connaissance, Jodie, déclara-t-il d'une voix grave et terriblement sensuelle.

—Moi de même, murmura-t-elle.

Puis elle se tourna vers Jace et déglutit, impressionnée. Cet homme était l'exact opposé d'Ash, brun et ténébreux alors qu'Ash était blond et lumineux. Pourtant, Jodie savait que les apparences pouvaient être trompeuses et que le charme désinvolte d'Ash cachait une intensité sans pareille. Du moins était-ce le cas quand ils étaient tous les deux.

Jace se pencha pour l'embrasser sur les deux joues avant de se redresser avec un sourire chaleureux qui illumina ses yeux presque noirs.

—Jodie, j'ai beaucoup entendu parler de toi. Je suis content qu'Ash t'ait enfin autorisée à quitter les confins de son appartement et à venir te frotter à nous.

Elle éclata de rire et commença à se détendre. Aussitôt, elle reporta son attention sur les compagnes de Gabe et de Jace, curieuses de découvrir ces jeunes femmes qui avaient su captiver des proies pareilles. Si elle en croyait Ash, ses deux amis ne cachaient rien de l'amour absolu qu'ils éprouvaient pour elles.

Elle rêvait de susciter le même genre d'adoration chez Ash, et tout dans ses gestes et dans ses paroles semblait indiquer qu'ils étaient en bonne voie. Elle n'en revenait toujours pas que la situation ait évolué aussi vite entre eux, mais, après tout, il était arrivé à peu près la même chose à Gabe et à Jace. Elle trouvait cela plutôt encourageant.

—Ma chérie, permets-moi de te présenter deux jeunes femmes hors du commun : Mia et Bethany. Mia est la jeune mariée que voici, et, si Jace a son mot à dire, Bethany ne devrait pas tarder à se laisser conduire jusqu'à l'autel.

—Tout à fait, renchérit Jace.

—Salut, Jodie, lança Mia avec un grand sourire.

Ash l'avait prévenue que c'était la petite sœur de Jace, et elle distinguait effectivement une ressemblance entre eux.

—Bonsoir! Je suis ravie de te rencontrer, dit-elle en se tournant vers Bethany.

—Salut, Jodie, souffla cette dernière avec un sourire chaleureux.

Jodie devina aussitôt qu'elle était plus réservée que Mia. Elle l'observa un instant pour réconcilier l'image de la jeune femme assise à côté de Jace avec l'histoire triste et émouvante que lui avait racontée Ash.

Évidemment, elle n'avait pas oublié que Bethany avait partagé une nuit torride avec Ash. Avec Jace et Ash. Jodie n'arrivait pas à savoir si elle était jalouse du fait que Bethany ait connu les caresses d'Ash avant elle ou du fait qu'elle ait connu une expérience pareille avec ces deux hommes absolument magnifiques.

Plus elle y pensait, plus elle penchait pour la seconde réponse.

—Salut, Bethany. Je suis vraiment ravie de vous rencontrer, tous. Vous êtes tellement importants dans la vie d'Ash, j'étais très impatiente de faire votre connaissance. Il parle de vous comme de sa vraie famille.

Ash la fit asseoir entre Gabe et lui, face à Bethany et à Mia.

—Il a raison, lança Jace. Nous formons une vraie famille.

—Je trouve ça merveilleux de pouvoir compter sur de tels amis, commenta-t-elle d'une voix douce.

Une fois qu'ils furent tous installés, Jace reprit la parole.

— Je suis curieux, Jodie : Ash nous a dit que tu étais artiste peintre et créatrice de bijoux. Ça m'intrigue.

Jodie hocha la tête en souriant, gênée de se retrouver au centre de l'attention, mais Ash vola à son secours.

— Jodie a un talent incroyable. Ce qu'elle fait est magnifique.

Elle se tourna vers lui, surprise.

— Tu n'as quasiment rien vu de mes œuvres ! Enfin, pour l'instant, se reprit-elle.

Elle décela un bref éclair de malaise dans les yeux d'Ash, mais il s'empressa de sourire.

— J'ai vu les tableaux sur lesquels tu travailles en ce moment et je les trouve époustouflants.

Elle se sentir rougir en repensant à ces œuvres. Elles étaient nettement plus érotiques que les précédentes parce qu'elle les réservait à Ash, et à lui seul.

— Et ce collier ? C'est une de tes créations ? demanda Mia en se penchant vers elle. Il est sublime.

Elle devait être cramoisie à présent. Ash lui prit la main sous la table, et elle s'efforça de surmonter sa gêne. C'était un moment important. Ash voulait précisément qu'elle n'ait jamais honte d'être sienne et d'être perçue comme telle.

— Non, répondit-elle d'une voix un peu enrouée. C'est un cadeau d'Ash ; il l'a fait façonner exprès pour moi.

Mia écarquilla les yeux en comprenant l'implication du bijou, mais elle eut l'élégance de ne rien ajouter.

Quant à Bethany, elle porta la main à son ras-du-cou en cuir orné d'un diamant étincelant, et Jodie devina qu'il s'agissait du collier que Jace lui avait offert pour symboliser sa soumission. Tous les amis d'Ash partageaient-ils cette tendance dominatrice ? Jodie le croyait sans mal, étant donné leur comportement hyperprotecteur vis-à-vis de leur compagne.

Cela aurait peut-être échappé à un observateur distrait, mais elle l'avait remarqué pour la bonne raison qu'elle vivait une expérience similaire. Ash et elle en avaient besoin pour s'épanouir, et, apparemment, c'était également le cas de Gabe et de Jace.

Des myriades de questions se bousculèrent dans sa tête – des questions indiscrètes qu'elle brûlait de poser à Mia et à Bethany –, pourtant elle tint sa langue. Elle n'aurait pas aimé que des inconnues s'intéressent de trop près à sa vie privée et elle tenait à leur témoigner le même respect. Peut-être qu'avec le temps, si elles devenaient amies, elle oserait leur faire part de ses interrogations. En revanche, elle se promit de ne jamais évoquer la nuit que Bethany avait passée avec Jace et Ash. Elle n'était pas sûre de pouvoir survivre à une telle conversation !

Elle se rendit compte que Gabe et Jace l'observaient ouvertement, avec une curiosité sans doute égale à la sienne. Cela dit, s'ils étaient vraiment aussi proches qu'Ash le prétendait, ils devaient se douter que Jodie était sa soumise.

Pourtant, elle ne décela pas la moindre trace de mépris ou de condescendance dans leur regard. Ils semblaient sincèrement s'intéresser à elle et se demandaient sans doute si elle était réellement digne de leur meilleur ami.

Ash lui avait avoué que, au départ, il s'était méfié de Bethany et avait fait part de ses doutes à Jace. Gabe et ce dernier en feraient-ils autant à son sujet ?

Elle se prit à espérer qu'ils ne la jugent pas trop durement, et surtout pas au premier regard. Elle tenait à être acceptée par le petit cercle d'Ash.

— J'aimerais beaucoup voir tes œuvres, Jodie, intervint Gabe. Nos bureaux auraient bien besoin d'un peu de couleur. J'en ai plus que marre des quelques tableaux abstraits qu'on avait accrochés au début. Tu crois que tu pourrais passer reconnaître les lieux et nous proposer une sélection ?

Elle sourit.

— Bien sûr ! Mais je te préviens : mes œuvres sont vraiment très colorées. J'aime que ça flashe. Et puis il faudrait que je change de thème… La série sur laquelle je travaille en ce moment ne conviendrait pas du tout à des bureaux !

Ash toussa pour dissimuler son éclat de rire.

— Ah oui ? fit Jace en haussant un sourcil. De quoi s'agit-il ?

Elle rougit, et, de nouveau, Ash vola à son secours.

— Disons que ses œuvres les plus récentes me sont strictement réservées, déclara-t-il avec un calme olympien. Quant au reste, je n'ai pas d'objection à ce qu'elle vous les montre si elle est d'accord.

— C'est malin ! Maintenant, j'ai envie de savoir ! s'écria Mia. Pourquoi est-ce qu'il fait tant de mystère, Jodie ?

Elle se racla la gorge tout en se maudissant de s'être piégée toute seule.

—Eh bien…, en fait… ce sont des autoportraits, et ils sont plutôt érotiques, avoua-t-elle en rougissant. Je me voyais mal utiliser d'autre modèle que moi-même.

—Oh! fit Bethany en riant. Oui, je parie qu'Ash n'apprécierait pas que quelqu'un d'autre que lui les voie.

—Pari gagné, rétorqua Ash. J'ai l'exclusivité de ces œuvres.

Pourtant, quelqu'un d'autre avait vu l'un des tableaux de cette série – le premier, qu'elle avait déposé chez M. Downing et qu'il avait vendu avec le reste. Elle se demanda ce qu'Ash penserait du fait qu'un inconnu possède plusieurs œuvres d'elle et elle regretta de ne plus les posséder. Elle aurait voulu qu'Ash soit le seul propriétaire de son art.

—Au fait, Jodie, on a prévu une soirée entre filles cette semaine, déclara Mia. Est-ce que ça te dirait de te joindre à nous? Ça nous ferait super plaisir.

Aussitôt, Gabe et Jace poussèrent un grognement, et Ash sourit de toutes ses dents.

—Qu'est-ce qui vous arrive? demanda Jodie.

Ash éclata de rire.

—Oh, j'ai beaucoup entendu parler de ces fameuses soirées entre filles! À vrai dire, cela fait des semaines que ces deux petits malins s'amusent à me torturer en me racontant leurs exploits. En revanche, si tu acceptes cette invitation, tu as intérêt à rentrer à la maison toute pompette, dans une robe indécente et perchée sur des talons vertigineux. Sinon, je risque d'être très déçu.

Jodie les regarda tour à tour, interloquée.

Gabe rit doucement avant de lui fournir une explication.

—Ces demoiselles aiment beaucoup aller danser et boire des cocktails – pas forcément dans cet ordre. Quand elles rentrent à la maison, en général, elles sont bien éméchées et profitent honteusement de nous, pauvres hommes sans défense.

—Genre! s'esclaffa Bethany. Comme si c'était une corvée!

—On n'a pas dit ça, rétorqua Jace en levant les deux mains.

Il parlait sur un ton joueur, mais Jodie vit bien le regard brûlant qu'il jeta à sa fiancée.

—Ça te dirait, à toi? murmura-t-elle à l'oreille d'Ash.

Il lui prit la main sous la table, mais, aussitôt, la lâcha pour lui passer un bras autour de la taille et l'attirer tout contre lui. Il n'avait pas menti quand il avait dit qu'il n'hésiterait pas à la toucher, même en public.

—Oh oui, ça me dirait carrément! répondit-il à voix basse. Si j'ai droit au même traitement que celui que Mia et Bethany réservent à Gabe et à Jace, alors tu as ma bénédiction. J'irai même t'acheter la robe et les chaussures adaptées à cette occasion.

Elle rit doucement.

—Ouah! Une nouvelle robe et en plus une paire de chaussures?

—Oh oui!

—Comme je te l'ai déjà dit, je ne bois pas beaucoup, mais je pourrais peut-être faire une exception.

Il riva sur elle son regard brillant de désir.

—Oui, s'il te plaît, fais une exception. Je te promets que tu ne le regretteras pas.

Ils passèrent le repas à bavarder de choses et d'autres. La lune de miel de Gabe et de Mia domina la conversation, la jeune femme leur racontant par le menu leur séjour à Paris. Une fois qu'on leur eut apporté la carte des desserts et qu'ils eurent fait leur choix, Jodie s'excusa et se leva de table.

Mia et Bethany s'empressèrent de l'accompagner aux toilettes.

Ayant fini la première, elle les attendit dehors. Perdue dans ses pensées, elle sursauta en entendant une porte s'ouvrir derrière elle et se retourna. Quelle ne fut pas sa surprise en se retrouvant nez à nez avec Michael qui sortait des toilettes des hommes!

Il avait une mine atroce: son visage était entièrement tuméfié et il avait une lèvre fendue.

Il l'aperçut et, aussitôt, se détourna.

—Michael? Qu'est-ce qui t'est arrivé?

Elle aurait juré qu'elle avait vu de la peur dans son regard. Il déguerpit sans lui adresser le moindre mot, et Jodie n'essaya même pas de le retenir.

—Jodie?

Elle fit volte-face. Mia et Bethany l'observaient d'un air inquiet.

— Tout va bien ? demanda Mia. Tu connais ce type ?

— Je le connaissais, murmura-t-elle. Ne vous en faites pas, tout va bien. Retournons à table, les desserts ont dû être servis.

Elle suivit les deux jeunes femmes, l'esprit en ébullition. Elle n'avait pas rêvé : Michael s'était fait tabasser récemment et, en l'apercevant, il avait pris la fuite comme si elle le terrifiait. Mais pourquoi ?

Ash remarqua son agitation quand elle se rassit à côté de lui. Aussitôt, il se tourna vers Mia et Bethany en plissant les yeux, comme s'il les soupçonnait de s'être montrées malveillantes.

— Ma chérie, tu es toute pâle. Qu'est-ce qui t'arrive ?

— Je ne veux pas en parler ici, murmura-t-elle.

Sans un mot, il se leva et lui tendit la main. Elle le suivit jusque dans le patio, où il s'arrêta près de la fontaine. Il se tourna vers elle et lui caressa tendrement la joue.

— Raconte-moi ce qui s'est passé, ordonna-t-il d'une voix brusque. Est-ce que les filles t'ont dit quelque chose qui t'a froissée ?

Elle secoua la tête, confuse. Une explication s'imposait à elle alors même qu'elle redoutait d'y croire. C'était trop absurde pour être vrai.

— J'ai croisé Michael.

Aussitôt, le visage d'Ash se durcit.

— Quoi ? Est-ce qu'il t'a adressé la parole ? Tu crois qu'il t'a suivie jusqu'ici ? Pourquoi tu ne me l'as pas dit tout de suite, Jodie ?

Elle leva une main pour endiguer le flot de questions.

— Il adore ce restaurant. Il dîne ici presque tous les dimanches. Ce qui aurait été étonnant, ça aurait été qu'il ne soit pas là ce soir.

— Jodie ! Tu aurais dû m'avertir ! On serait allés ailleurs.

Elle déglutit péniblement avant d'affronter son regard.

— Il était dans un sale état, Ash. On aurait dit qu'il s'était fait tabasser.

— Ah bon ? Il faut croire qu'il y a une justice en ce monde. Peut-être que ça lui apprendra à ne pas lever la main sur une femme.

— Ash…, est-ce que c'est toi qui lui as fait ça ?

Elle était bien consciente de l'énormité de sa question, mais elle était motivée par la terreur qu'elle ressentait depuis qu'elle avait vu le visage de Michael. Elle se rappelait distinctement la promesse d'Ash quand il lui avait juré qu'elle n'aurait plus jamais à redouter son ex. Sur le moment, elle avait cru qu'il cherchait uniquement à la rassurer. Elle n'aurait jamais imaginé qu'il passe à l'action.

Il pinça les lèvres, une lueur étrange dans le regard.

— Je ne vais pas te mentir, Jodie, alors réfléchis bien à ce que tu me demandes.

— Oh, mon Dieu ! souffla-t-elle. C'est toi ! C'est vraiment toi qui lui as fait ça ! Comment as-tu osé ? Et pourquoi ?

—Tu me demandes pourquoi, Jodie? rétorqua-t-il brus-quement. Ce connard t'a frappée, t'a jetée à terre et a continué à te frapper! Tu ne trouves pas que c'est une raison suffisante? Je n'ai fait que m'assurer qu'il ne recommence plus jamais, avec qui que ce soit.

Elle se sentit blêmir et vacilla. Avec un juron, Ash la rattrapa avant qu'elle tombe et la serra contre lui. Il lui caressa tendrement la joue, repoussant une mèche de cheveux derrière son oreille.

—Tu t'es placée sous ma protection, Jodie, et je prends ça très au sérieux. Quand tu t'es soumise à ma volonté, tu t'en es remise à moi et, par la même occasion, tu m'as conféré le droit de te protéger de toute menace potentielle. Autant l'accepter, ma belle, parce que ça n'est pas près de changer. Si jamais ce genre de situation se reproduit, je n'hésiterai pas à m'en mêler de nouveau.

—Enfin, Ash, tu ne peux pas te faire justice toi-même! Et s'il te dénonçait à la police? Tu pourrais finir en prison!

—Ça n'arrivera pas, ma chérie, rétorqua-t-il avec douceur.

—Qu'est-ce que tu en sais? s'écria-t-elle.

—J'ai fait bien attention. C'est tout ce que tu as besoin de savoir, le reste ne te regarde pas. J'aurais préféré que tu me préviennes qu'on risquait de le croiser dans ce restaurant, on aurait trouvé un autre endroit. J'aimerais que tu oublies son existence.

—Comment veux-tu que j'oublie ce que j'ai vu? Main-tenant, je vais vivre dans la peur qu'il te fasse coffrer. Tu te

rends compte des conséquences, Ash ? Il n'en vaut pas la peine !
Rien ne mérite que tu sacrifies ton avenir, Ash !

— Tu as tort, ma chérie. Si ça me permet d'être sûr que ce
salaud ne t'approchera plus jamais, alors ça en vaut la peine.
Je ne veux même pas qu'on en discute davantage, Jodie ; c'est
moi qui prends les décisions, je te rappelle. Tu connaissais les
règles de cette relation quand tu as accepté de venir vivre chez
moi ; elles ne vont pas changer juste parce que quelque chose
t'a déplu.

— Mais tu m'as dit que…

— Qu'est-ce que je t'ai dit, ma belle ?

Elle poussa un long soupir.

— Tu m'as dit que ce n'était pas aussi strict et que j'avais
le choix, que tu ne ferais pas quelque chose dont je n'avais pas
envie.

Il la contempla un instant.

— Ma chérie, répliqua-t-il avec patience, ce qui est fait est
fait. Tu n'as plus le choix dans cette affaire parce que j'ai pris
la décision moi-même, et je n'ai pas l'intention de te présenter
des excuses pour ne pas t'en avoir parlé avant. Tu m'appartiens,
Jodie, et cela implique que je dois te protéger. C'est ce que j'ai
fait. Je suis prêt à tout pour m'assurer que tu es en sécurité et
que tu ne manques de rien.

— Est-ce que tu m'aurais mise au courant si je n'avais pas
croisé Michael par hasard ? murmura-t-elle.

—Non, répondit Ash sans la moindre hésitation. Je ne voulais pas que tu l'apprennes ou que tu y penses. Je suis furieux que tu l'aies découvert comme ça.

Elle ferma les yeux et secoua la tête pour essayer de dissiper le bourdonnement qui l'assourdissait. C'était complètement fou ! Ash avait pris un risque insensé pour la protéger. Pourtant, elle ne voulait pas qu'il se mette en danger pour elle. Jamais ! Comment pouvait-il être sûr de s'en tirer sans conséquence ? La seule chose qui semblait le préoccuper, c'était le fait qu'elle ait aperçu Michael. Clairement, il n'avait pas eu l'intention de la mettre au courant, et elle n'était pas sûre d'apprécier.

Pour une fois, elle était d'accord avec l'adage selon lequel l'ignorance est une bénédiction. Elle aurait préféré ne rien savoir de tout cela – et ne pas douter de l'homme en qui elle avait placé tant d'espoirs.

—Jodie, ne te prends pas la tête avec cette histoire, la gronda-t-il gentiment. C'était justement pour éviter ça que je ne t'en ai pas parlé. Ça ne sert à rien que tu t'inquiètes. Si, à cause de ça, tu as des doutes sur notre relation, alors permets-moi de te rappeler que j'ai été honnête avec toi dès le départ. Je ne t'ai jamais caché mes tendances autoritaires et j'ai annoncé la couleur d'entrée de jeu : c'est moi qui prends les décisions, et c'est à moi qu'il revient de te protéger. Je te promets de ne jamais rien laisser t'atteindre, tu peux être tranquille. Est-ce que toi, tu peux me promettre de ne plus y penser ?

Elle prit une profonde inspiration, consciente du regard perçant d'Ash qui guettait sa réponse. Ce qu'il lui demandait consistait, tout simplement, à laisser cette histoire derrière elle et à faire comme s'il ne s'était rien passé. Il lui demandait de ravaler ses peurs et de lui accorder sa confiance de nouveau, en toute connaissance de cause. Ce n'était pas si simple. Jusque-là, elle le considérait comme un homme d'affaires fortuné ; elle n'aurait jamais imaginé qu'il puisse naviguer en eaux troubles et punir lui-même physiquement celui qui l'avait frappée.

Pourtant, à la réflexion, elle n'était pas vraiment surprise, et c'était peut-être ce qui l'effrayait le plus. Elle n'était pas aussi choquée qu'elle aurait dû l'être, et l'indignation qu'elle manifestait n'était pas entièrement sincère. Elle s'efforçait d'opposer à Ash les arguments de la prudence et de la légalité parce qu'elle savait que c'était la réponse appropriée – pas parce qu'elle y adhérait.

—Jodie ? insista Ash d'une voix douce. J'ai besoin de connaître ta réponse, ma chérie.

—Oui, dit-elle enfin. Je te le promets.

Il la serra dans ses bras et déposa un tendre baiser sur son front. Elle ferma les yeux avec un soupir de bonheur.

—Ça me fait peur, Ash. Pas pour les raisons que tu pourrais croire, et c'est justement pour ça que je me sens un peu coupable. Ce qui me terrifie, ce n'est pas que tu sois capable d'aller tabasser un type qui l'avait bien mérité – je sais que tu ne me ferais jamais de mal, à moi –, mais c'est l'idée que je puisse te perdre. Je ne veux pas que tu finisses en prison parce que tu as voulu me protéger. Je ne m'en remettrais jamais.

Il lui sourit tendrement et l'embrassa sur la bouche.

—Ne t'inquiète pas pour moi, ma belle. Je ne suis pas allé lui botter les fesses sur un coup de tête, comme ça, sans m'y être préparé. J'ai un solide alibi, et je doute que Michael ose aller se plaindre à la police. Je l'ai très clairement mis en garde sur les conséquences que ça pourrait avoir pour lui. Il ne t'approchera plus et il ne parlera à personne de ce qui s'est passé. Maintenant, si tu le veux bien, j'aimerais qu'on oublie tout ça. D'accord ?

Elle posa le front contre sa poitrine.

—D'accord. Je te promets de ne pas m'inquiéter et de ne plus en parler.

Il la serra contre son cœur.

—Merci, ma chérie. Merci de m'accorder ta confiance. Je ferai tout pour en être digne. Maintenant, retournons à l'intérieur ; le dessert nous attend. Et puis tu as une soirée entre filles à organiser, ce qui veut dire que je vais devoir te trouver une petite robe et des talons indécents.

Chapitre 21

L'ASCENSEUR S'OUVRIT SUR L'APPARTEMENT D'ASH, ET Jodie en sortit la première. Ils n'avaient pas échangé un mot pendant le trajet du retour. Ils étaient retournés à table et avaient dégusté leur dessert tout en bavardant avec leurs amis, mais ne s'étaient pas attardés. Jodie sentait le regard d'Ash peser sur elle ; elle savait qu'il cherchait à évaluer son humeur après ce triste épisode.

Que pouvait-elle lui dire ? Qu'elle avait honte de ne pas être particulièrement choquée par la correction qu'il avait infligée à Michael ?

Elle n'aimait guère réfléchir au genre de personne que cela faisait d'elle. Ou peut-être que cela faisait d'elle une personne normale, justement – pas un ange. Michael lui faisait horreur parce que, en plus de la blesser physiquement, il l'avait poussée à douter d'elle-même. Par ailleurs, elle s'en voulait de ne pas avoir réagi tout de suite. Si elle avait porté plainte contre lui, Ash n'aurait pas eu besoin de se mettre en danger pour lui rendre justice.

—Tu as l'air préoccupée, ma chérie, fit-il remarquer tandis qu'ils s'arrêtaient dans le salon.

Elle se tourna vers lui avec un sourire qu'elle espérait rassurant.

—Tout va bien, Ash. Ne t'inquiète pas. Je ne t'en veux pas du tout. Au contraire, si je suis en colère contre quelqu'un c'est contre moi.

Il plissa les yeux.

—Pourquoi?

En la voyant soupirer, mal à l'aise, il l'entraîna jusqu'au canapé et s'assit avant de l'attirer sur ses genoux.

Elle aimait beaucoup le fait qu'il ait besoin de son contact, qu'il ne supporte pas la moindre distance entre eux, surtout lorsqu'ils devaient affronter des conversations difficiles. Elle trouvait cela immensément réconfortant.

Lovée dans les bras d'Ash, elle ne craignait plus rien, forte de la certitude qu'il la protégerait, quoi qu'il arrive.

—Jodie? Réponds-moi, ma puce.

—Si j'avais eu le courage de faire ce qui s'imposait, dès le début, tu n'aurais pas eu besoin de prendre un tel risque, admit-elle avec une moue désolée.

Il posa un doigt sur ses lèvres, l'air en colère.

—Ne dis pas n'importe quoi, Jodie. Je me serais fait un plaisir de lui botter le cul, de toute façon. Et puis je suis à peu près sûr que ma méthode aura des résultats plus durables. Même si tu avais porté plainte, il n'aurait sans doute pas été inquiété très longtemps, et la situation aurait pu devenir très désagréable pour toi si tu avais insisté pour le faire condamner. Il aurait peut-être même essayé de te dissuader en t'intimidant. Je n'ai fait que lui rendre la monnaie de sa pièce. Maintenant, il sait ce que ça fait, et je doute qu'il te pose un problème de nouveau. Est-ce qu'il t'a dit quelque chose quand tu l'as croisé?

—Non. Il avait l'air… terrifié.

—Tant mieux, rétorqua Ash avec une lueur féroce dans le regard. Et il ne t'a pas adressé la parole? Tu es sûre qu'il t'a vue?

—Oui, on s'est retrouvés nez à nez quand il est sorti des toilettes. J'attendais Mia et Bethany… J'ai failli ne pas le reconnaître tellement il était amoché. Je lui ai demandé ce qui lui était arrivé, mais il ne m'a même pas répondu. Il a tourné les talons et il s'est enfui.

—Bon, ça veut dire que le message est passé, commenta Ash avec un petit sourire.

—Oui, on dirait bien, murmura Jodie.

Il lui caressa les cheveux un instant avant de déposer un baiser sur sa tempe.

—Ça te tracasse toujours?

—Non, justement. Je crois que ce qui me gêne le plus, c'est de ne pas m'en soucier plus que ça. Je sais que ça doit te paraître absurde, mais je me sens coupable précisément parce que je n'arrive pas à être désolée pour lui.

Il l'embrassa de nouveau et garda les lèvres pressées contre sa peau.

— Tu n'as pas à te sentir coupable, Jodie. Ce type est une ordure, mais, s'il a retenu la leçon, il ne lèvera plus jamais la main sur une femme. Je lui ai promis de le ruiner professionnellement s'il recommençait, or je doute qu'une nuit au poste suffise à avoir le même effet.

— Je sais, souffla-t-elle. Ça va passer, ne t'en fais pas. Je regrette presque de ne pas avoir été présente pour pouvoir lui flanquer un coup de pied bien placé, juste une fois.

Ash rit doucement.

— Je m'en suis chargé, ma belle ; fais-moi confiance. Et puis je ne veux pas que tu sois mêlée à tout ça. Ta place à toi est au soleil, pas dans les ombres où se passe ce genre d'histoires.

— Toi non plus, ta place n'est pas dans les ombres, Ash, même si j'apprécie énormément que tu aies pris des risques pour me défendre.

— Tu sais très bien que je ferais n'importe quoi pour toi, répliqua-t-il avec le plus grand sérieux. Tout ce qu'il te faut, tout ce que tu veux, je ferai en sorte de te l'offrir.

Elle l'embrassa sur les lèvres.

— Dans ce cas, fais-moi l'amour, Ash. C'est tout ce que je veux, tout ce dont j'ai besoin.

— Ça, tu n'as pas à me le demander deux fois, ma belle, gronda-t-il.

Il passa un bras sous ses jambes et se releva tout en la soulevant. Puis il la porta jusque dans la chambre, où il la déposa sur le lit avec une infinie tendresse.

—Je ne sais pas si tu avais quelque chose de précis en tête pour ce soir, ma belle, mais j'ai envie de te donner de la douceur. Je ne veux plus que tu penses à la douleur pendant quelques heures. Je vais te faire l'amour, te montrer tout ce que je ressens pour toi et faire en sorte que tu l'éprouves à ton tour.

Elle se mordit la lèvre tant il devenait difficile de ne pas lui crier son amour. Elle voulait attendre le bon moment, éviter que ces trois petits mots soient bredouillés dans le feu de l'action et qu'Ash ne leur accorde pas toute l'importance qu'ils avaient pour elle. Elle voulait qu'il perçoive tout le poids qu'elle y mettait.

Il se pencha et l'embrassa avec fougue, faisant glisser sa langue contre la sienne en une danse sensuelle et enivrante.

Elle aussi voulait lui faire l'amour et lui montrer tout ce qu'elle ressentait pour lui. Elle posa les mains sur ses épaules puis les fit remonter le long de son cou pour l'attirer encore plus près. Elle voulait le déguster, le dévorer.

Ses doigts glissèrent le long de son torse, et elle agrippa sa chemise d'un geste impatient.

—Pourquoi es-tu encore habillé ?

—Toi aussi, tu es encore habillée, je te signale ! rétorqua-t-il en riant doucement. Il va falloir qu'on arrange ça.

—On fait la course ? lança-t-elle avec un sourire coquin.

Aussitôt, elle roula sur le côté pour défaire la fermeture de sa robe.

— Tricheuse ! s'écria-t-il, faussement outré.

Elle se releva en riant et continua à se déshabiller tandis qu'Ash en faisait autant. Une fois nue, elle ouvrit les bras, paumes tournées vers le haut, et le toisa d'un regard moqueur.

Lorsque, enfin, il retira son boxer, elle haussa un sourcil.

— Eh bien, tu en as mis, du temps…

Il l'attira dans ses bras avec rudesse.

— Et je compte en mettre encore plus à te faire jouir, ma belle, rétorqua-t-il d'une voix suave.

— Non, tu ne ferais pas ça, souffla-t-elle.

— Ah non ? Et pourquoi donc ?

— Parce que tu m'as dit que tu ne voulais pas me punir.

— Qui t'a dit que ce serait une punition ? Au contraire, je ne connais rien de plus délectable que de prendre tout mon temps pour t'exciter et te mener au bord de la folie pour que tu me supplies et que tu finisses par prendre ton pied en hurlant mon nom.

— Arrête ! gémit-elle en posant le front contre son torse. Rien que de t'entendre dire ça, c'est de la torture !

— Dans ce cas, est-ce que ça te dirait d'inverser les rôles, pour une fois ?

Intriguée, elle leva les yeux vers lui.

— Tu pourrais venir t'installer sur moi et faire de moi ce que tu veux, ajouta-t-il.

—Hum… voilà une idée intéressante, qui mérite d'être approfondie.

—Approfondis autant que tu voudras, ma chérie. N'hésite pas : jette-moi sur le lit et fais-moi subir tous les outrages, si tu en as envie.

Se dressant sur la pointe des pieds, elle lui prit le visage à deux mains et l'embrassa fougueusement.

—Hum…, fit-il en imitant son expression. Ma belle soumise aime l'idée de prendre les rênes pendant une nuit.

Elle frissonna de plaisir en entendant ces mots : « ma belle soumise ». Il les avait prononcés avec une telle tendresse, une telle affection ! Elle comprenait parfaitement ce qu'il était en train de faire et elle ne l'en aimait que davantage. Il cherchait à effacer tout souvenir de Michael, cet égoïste qui exigeait tellement mais ne donnait jamais rien en retour.

Ash s'apprêtait à lui faire le plus beau cadeau qui soit : lui-même. Sa confiance. Son autorité.

Cet homme avait l'habitude d'exercer le pouvoir, pas d'obéir. Jodie ne se faisait aucune illusion : même s'il la laissait prendre les commandes, il continuait de maîtriser la situation. Il contrôlait la façon dont elle le contrôlait, lui.

—Allonge-toi sur le dos, ordonna-t-elle d'une voix sensuelle. La tête posée sur l'oreiller. Je veux que tu sois bien.

—Ma chérie, où que je sois, tant que tu viens me rejoindre et que tu me prends tout au fond de toi, je serai bien.

Elle lui caressa la joue en souriant avant de le tourner face au lit et de le pousser légèrement.

Elle n'avait pas la moindre idée de la façon dont elle comptait procéder. Elle n'était même pas sûre de désirer cette responsabilité, mais c'était ce qu'Ash voulait, alors elle avait envie de jouer le jeu.

Il s'approcha du lit et obéit sans un mot de plus. Son sexe en érection atteignait presque son nombril, et une goutte perlait à son extrémité.

Jodie monta sur le lit et, à quatre pattes, s'avança lentement entre ses jambes tendues. Penchant la tête, elle entreprit de lécher ses testicules, les faisant délicatement rouler sous ses lèvres.

Il laissa échapper un gémissement et écarta les cuisses pour lui faciliter la tâche. Du bout des lèvres, elle pinça tout doucement la peau sensible de ses bourses et remonta jusqu'à la base de son membre rigide, dont elle suivit toute la longueur d'un lent coup de langue.

Après une seconde d'hésitation, elle décrivit un cercle tout autour de son gland avant de l'attirer dans sa bouche aussi profondément que possible. Il souleva les hanches dans un sursaut, et elle en profita pour déglutir autour de lui.

— Oh, Jodie ! C'est trop bon ! Si tu savais ce que tu me fais !

Elle se recula lentement et lui sourit, satisfaite.

— Contente que ça te plaise.

Dès qu'elle reprit son sexe entre ses lèvres, il agrippa ses cheveux d'une main et se cambra pour venir à sa rencontre. Il avait beau lui avoir officiellement laissé les rênes de cette soirée, il n'en restait pas moins terriblement exigeant.

Elle passa de longues minutes à le lécher et à le sucer, se délectant de ses moindres frissons et soubresauts, jusqu'à ce qu'il tire doucement ses cheveux pour qu'elle relève la tête.

—Ma belle, si tu veux me grimper dessus, c'est maintenant. Je suis déjà au bord du gouffre et je ne vais pas tenir beaucoup plus longtemps à ce rythme.

Elle se redressa, secouant légèrement la tête pour se libérer de son étreinte, puis le chevaucha et s'avança jusqu'à se trouver juste au-dessus de son érection.

Elle posa les deux mains à plat sur sa poitrine et se souleva en prenant appui sur lui.

—J'ai besoin de ton aide, Ash.

Les yeux brillants de désir, il empoigna son sexe d'une main tandis que, de l'autre, il écartait délicatement les lèvres de Jodie. Il fit jouer son gland contre son clitoris un instant, mais, sans attendre, elle se laissa descendre sur lui.

Il retira ses mains et les posa sur les hanches de la jeune femme, les empoignant avec force tandis qu'elle l'accueillait tout entier.

Elle poussa un gémissement de plaisir lorsque son clitoris vint appuyer contre son pubis. Elle lui paraissait encore plus étroite que lorsqu'il avait introduit en elle le plug anal. Il avait l'impression d'être énorme, et les sensations qu'elle lui procurait étaient tout simplement incroyables.

Quant à Jodie, le moindre mouvement envoyait des ondes électriques dans son ventre. Elle se souleva lentement, et un long soupir d'extase lui échappa.

—Oh, ma belle, tu es tellement serrée! Je te sens te contracter autour de moi. C'est incroyable!

Elle se pencha un peu sur lui pour pouvoir onduler des hanches plus librement, consciente de peser sur sa poitrine. Cela ne semblait pas le déranger, au contraire. Elle voyait son regard étinceler de désir, de plaisir, et se voiler légèrement chaque fois qu'elle l'accueillait tout entier.

Elle distinguait les muscles de sa mâchoire, comme s'il serrait les dents, et son front était barré de fines rides de tension. De minuscules gouttes de sueur perlaient sur sa lèvre supérieure, retenues par sa barbe naissante. C'était l'homme le plus magnifique que Jodie ait jamais vu, et c'était son homme à elle.

—Achève-moi, ma belle! Dis-moi de quoi tu as besoin. Je veux qu'on jouisse ensemble.

—Caresse-moi, souffla-t-elle. Caresse mes seins et mon clitoris.

Avec un sourire dévastateur, il fit remonter une main le long de son ventre avant de la refermer sur son sein, tout en glissant l'autre entre leurs corps joints pour lui offrir la stimulation dont elle avait tant besoin.

Elle rejeta la tête en arrière et ferma les yeux pour laisser monter son excitation, puis, quand elle sentit les frémissements annonciateurs de l'orgasme, elle se souleva de nouveau et retomba sur lui avec plus de force, ondulant des hanches, appuyant ses fesses contre lui. Elle sentait les mains expertes d'Ash sur son corps, contre son sexe, exerçant une pression délicate et délicieuse.

—J'y suis presque, lança-t-elle, hors d'haleine. Et toi?

—Moi aussi, gronda-t-il. Ne t'arrête pas, ma chérie. S'il te plaît, ne t'arrête pas.

Alors elle se déchaîna. Ses cheveux flottaient dans son dos, et ses lèvres se tordirent en un cri muet qui finit par se changer en une plainte extatique.

Son orgasme montait, montait, comme une vague infernale qui grossissait toujours sans jamais déferler.

Ash se cambra sous elle et donna de brusques coups de reins, mais ce n'est qu'en ressentant une chaleur liquide qu'elle comprit qu'il jouissait déjà. Un bruit de succion parvint à ses oreilles, terriblement excitant, accompagné par l'odeur suave et musquée du plaisir.

Soudain Ash lui pinça le téton avec force, et cette petite pointe de douleur suffit à faire déferler la vague. Elle n'avait jamais éprouvé d'orgasme aussi puissant, aussi explosif, aussi incroyablement bon.

Elle planta ses ongles dans la peau d'Ash, consciente qu'il en garderait les marques pendant plusieurs jours. Cette idée lui plaisait infiniment: le fait que lui aussi porte les preuves de sa possession. Elle avait peut-être accepté de se soumettre à lui, mais il était sien autant qu'elle était sienne.

Enfin, n'ayant plus la force de se soutenir, elle se laissa retomber contre lui, et il la serra dans ses bras tout en murmurant tendrement à son oreille. Elle n'avait pas la moindre idée de ce qu'il lui disait, assourdie par le rugissement du sang qui battait à ses tempes. Elle frissonnait de la tête aux pieds, comme si elle avait été frappée par la foudre.

Puis elle commença à percevoir un autre son : le rythme fort et rassurant du cœur d'Ash. Elle enfouit le visage dans son cou, et il la serra avec encore plus de force.

— Ça va ? Je ne t'écrase pas ? demanda-t-elle lorsqu'elle eut enfin recouvré son souffle.

— Non, ma puce. Ne bouge surtout pas, tu es très bien là où tu es. J'ai envie de rester en toi aussi longtemps que possible. On se nettoiera demain matin.

Elle sourit, amusée, tandis qu'il lui caressait les cheveux d'un geste apaisant. Elle n'avait jamais rien connu d'aussi bon que cet instant. Rester blottie contre son homme après lui avoir fait l'amour de toutes ses forces et s'endormir avec son membre encore ancré en elle… C'était parfait.

Elle était à l'abri du mal, à l'abri de tout. Rien ne pouvait lui arriver tant qu'elle était là, dans ses bras.

Je t'aime.

Ces trois petits mots restèrent prisonniers de ses lèvres, mais elle avait la certitude qu'ils finiraient par s'imposer haut et fort. Tant pis s'ils ne se connaissaient que depuis peu. Le moment venu, elle lui dirait.

Chapitre 22

Le lendemain, Ash envoya son chauffeur chercher Jodie un peu avant midi. Tous deux avaient prévu de déjeuner avec Tiffany au *Bentley Hotel*, où cette dernière travaillait désormais. À présent qu'elle avait rencontré les amis d'Ash, Jodie se sentait plus détendue, mais elle demeurait curieuse de connaître sa sœur.

Ash lui avait raconté que, jusqu'à récemment, Tiffany imitait leur mère, ce qui signifiait qu'elle se comportait comme une horrible mégère méprisante envers son frère. Pourtant, elle avait fini par craquer et par venir solliciter son aide parce qu'elle ne supportait plus cette situation.

Il fallait qu'elle soit forte pour oser se rebeller contre une famille pareille, surtout après trente ans d'obéissance aveugle et un mariage arrangé par sa mère.

Ash attendait Jodie devant l'hôtel et, aussitôt que le chauffeur s'arrêta, il lui ouvrit la portière et lui tendit la main. Une fois qu'elle fut sortie, il lui passa un bras autour de la taille et l'attira tout contre lui.

Ils gagnèrent le restaurant et furent escortés jusqu'à une table – la même que celle où Ash et Jodie avaient dîné le premier soir. Une jeune femme les y attendait, et Jodie s'efforça d'enregistrer un maximum de détails avant d'arriver jusqu'à elle afin de ne pas la dévisager une fois assise à ses côtés.

La ressemblance entre Ash et Tiffany sautait aux yeux. Ils avaient les mêmes cheveux blonds aux nuances cuivrées et les mêmes yeux verts.

Tiffany leva la tête à leur approche et, aussitôt, leur adressa un sourire éclatant. Jodie eut l'impression de déceler du soulagement dans l'expression de la jeune femme. Peut-être avait-elle eu peur qu'Ash ne vienne pas.

Elle était d'une beauté à couper le souffle, ce qui ne surprit pas Jodie. Après tout, Ash était magnifique, et Tiffany était dotée d'une version féminine, plus fine et plus douce, de ses traits. En revanche, elle n'avait pas la posture intense et déterminée de son frère.

Leurs parents étaient peut-être d'affreux égoïstes, mais leurs gènes engendraient une esthétique irréprochable.

Tiffany se leva mais resta immobile, comme si elle attendait de juger de l'accueil d'Ash pour réagir en conséquence. Ce dernier contourna la table et serra sa sœur dans ses bras avant de l'embrasser sur la joue et de lui prendre la main d'un geste chaleureux. La jeune femme leva les yeux vers son grand frère avec un sourire ému et reconnaissant.

—Tiff, je te présente Jodie. Jodie, voici ma sœur, Tiffany.

—Bonjour, Jodie, lança Tiffany d'une voix suave à l'accent sophistiqué.

Pourtant, le reste de son attitude était sans prétention aucune. Elle serra la main de Jodie puis, à la surprise de la jeune femme, la prit dans ses bras et l'embrassa sur la joue.

—Bonjour, Tiffany. Je suis ravie de faire ta connaissance. Ash m'a beaucoup parlé de toi.

À ces mots, le sourire de Tiffany vacilla, et une ombre d'inquiétude passa dans son regard.

—Il ne m'a dit que du bien, ajouta Jodie à la hâte en se maudissant pour cette gaffe. Il paraît que tu fais un travail formidable ici et que, bientôt, ce sera toi qui tiendras les rênes de l'hôtel.

Tiffany se détendit visiblement. Ash les fit asseoir puis prit place à son tour avant de faire signe à un serveur.

—Je dois avouer que j'adore ça, dit Tiffany une fois que le garçon eut pris leur commande de boissons. C'est agréable de se sentir utile. Et puis je réapprends à me servir de mon cerveau. Le pauvre, il était un peu rouillé, après toutes ces années.

—Ne sois pas trop dure avec toi-même, Tiffany, intervint Ash. Tu es en train de réinventer ta vie. Rome ne s'est pas faite en un jour.

Ce vieil adage fit rire Jodie.

—Il a raison, tu sais. Pour ma part, j'ai fait pas mal de bêtises, mais j'ai appris à ne pas m'en tenir rigueur.

Ash lui prit la main sous la table puis, à sa grande surprise, la porta à ses lèvres pour déposer un baiser au creux de sa paume.

—Je suis ravi de te l'entendre dire, ma chérie. Il était temps.

Tiffany écarquilla les yeux, étonnée, et esquissa un sourire rayonnant.

Jodie comprit qu'elle ne s'attendait peut-être pas à voir son frère aussi affectueux avec sa compagne. Pourtant, il avait dû la prévenir qu'il ne s'agissait pas que d'une conquête de passage. Sinon, pourquoi les aurait-il présentées ?

—Est-ce que maman t'a donné du fil à retordre, dernièrement ? demanda Ash.

Tiffany fit une grimace et prit une gorgée de vin avant de répondre.

—Comme je te l'ai déjà dit, elle a essayé de passer à mon appartement, une fois. Depuis, elle téléphone tous les jours, mais je ne réponds même pas. Elle a appelé mon bureau, une fois, et je l'ai rembarrée. Depuis, je n'ai pas de nouvelles.

Ash hocha la tête.

—Bon, c'est bien. Tu vas voir, elle va finir par comprendre que c'est inutile d'insister et elle va te laisser tranquille pour s'attaquer à une autre proie.

—Ah, parce qu'elle te laisse tranquille, toi ? rétorqua Tiffany avec un petit sourire crispé.

—Oui, bon, je m'avance peut-être un peu, admit Ash en riant. Ce dont je suis sûr, en revanche, c'est que tu vas finir par trouver un moyen de prendre tes distances et de ne plus en souffrir autant.

—Je t'envie, souffla Tiffany. Je sais que je te l'ai déjà dit, mais je donnerais n'importe quoi pour être aussi confiante que toi.

Jodie eut un pincement au cœur en percevant la tristesse et la lassitude dans la voix de la jeune femme. Elle aurait voulu lui témoigner sa sympathie, mais choisit de se taire pour ne pas les interrompre.

Le serveur revint prendre leur commande, et, lorsqu'il s'éloigna, Ash se cala contre son dossier et fit signe à Jodie de venir plus près. Sans un mot, elle approcha sa chaise et se blottit contre lui. Il passa un bras autour de ses épaules et reprit sa conversation avec Tiffany.

—Ça fait longtemps que vous sortez ensemble ? demanda cette dernière au bout de quelques minutes.

Jodie s'immobilisa, incapable de trouver une réponse à cette question pour la simple et bonne raison qu'ils ne sortaient pas ensemble. Ils avaient complètement court-circuité cette étape, et cette expression si anodine ne rendait pas justice à l'intensité de leur relation.

—Oui, on est ensemble depuis un petit moment, déjà, répondit Ash avec le plus grand naturel.

— C'est super ! Vous formez un couple magnifique, tous les deux, reprit Tiffany avec un beau sourire. Parle-moi de toi, Jodie. Qu'est-ce que tu fais dans la vie ?

Apparemment, Ash n'avait pas beaucoup parlé d'elle à sa sœur. Elle s'humecta les lèvres d'un geste nerveux. Malgré toutes les difficultés qu'elle avait rencontrées, Tiffany était née avec une cuillère en argent dans la bouche et avait toujours évolué dans un univers auquel Jodie était complètement étrangère. Ses parents et son ex-mari étaient fortunés – et Ash lui-même était riche comme Crésus.

— Je suis artiste peintre, répondit-elle à mi-voix, et il m'arrive aussi de créer des bijoux.

Tiffany écarquilla les yeux, mais Jodie n'aurait pas su dire si c'était sous l'effet de la surprise ou du dédain. Un désagréable frisson lui parcourut la nuque, et elle se mit sur la défensive presque malgré elle.

— Oh ! J'aimerais beaucoup voir tes œuvres ! s'écria Tiffany.

— Je suis sûr qu'on pourra arranger ça un de ces jours, intervint Ash. Pour le moment, Jodie travaille sur une série de tableaux qui me sont réservés, et un mystérieux amateur d'art a exprimé le souhait d'acheter le reste de ses toiles, donc elle n'a pas beaucoup de temps pour elle.

— Ouah ! C'est génial ! Tu es déjà en train de te faire un nom.

Jodie inclina la tête sur le côté.

—Je suppose qu'on peut voir les choses comme ça. C'est tout récent, alors j'ai encore du mal à m'y faire. Quelqu'un est entré dans la galerie qui me représente, un beau jour, et a acheté tous mes tableaux, en mettant une option sur mes œuvres à venir, mais je n'ai pas la moindre idée de ce qu'il compte en faire. S'il avait l'intention d'organiser une exposition privée, j'en aurais sans doute entendu parler. Peut-être que c'est juste un collectionneur et que mes œuvres ne seront jamais accessibles au public.

—C'est quand même super flatteur. Tu dois être ravie! J'aimerais tellement être aussi indépendante, souffla Tiffany d'un air mélancolique.

—Tu as raison, je suis enchantée de pouvoir vivre de mon art sans avoir à demander l'aide de personne.

Tiffany hocha la tête en souriant, les yeux brillants, mais Jodie remarqua qu'Ash s'était crispé à ses côtés.

Avait-elle dit quelque chose qui lui avait déplu? Il ne pouvait quand même pas lui en vouloir d'apprécier son indépendance financière? Cela n'avait pas la moindre influence sur leur relation. Au contraire, cela lui garantissait qu'elle ne se soumettait à lui que par envie, et non à cause de contraintes matérielles. Si elle était avec lui, c'était par choix, tout simplement, et elle n'aurait pas voulu qu'il en soit autrement.

On leur apporta leurs plats, et pendant plusieurs minutes ils mangèrent en silence.

Soudain, Tiffany leva la tête comme pour entamer la conversation, mais quelque chose attira son attention, et elle blêmit.

— Oh merde! murmura-t-elle.

Ash fronça les sourcils et commença à se retourner pour suivre le regard de sa sœur, mais il n'en eut pas le temps. Une grande femme mince s'avança vers eux d'un pas vif et se plaça entre Ash et Tiffany.

Jodie devina sans mal qu'il s'agissait de leur mère. Elle avait de longs cheveux blonds, dont l'éclat était sans doute rehaussé par les soins d'un coiffeur. Nulle trace de gris ne trahissait son âge, et nulle ride ne venait gâcher la perfection de sa peau. Ses mains, parfaitement soignées, étaient chargées de bijoux ostentatoires.

— Oh putain! lança Ash.

Sa mère lui jeta un regard capable de faire trembler un homme moins aguerri.

— Un peu de tenue, voyons! Inutile d'être aussi vulgaire.

— Qu'est-ce que tu fais ici? Dans mon hôtel?

Il insista sur le possessif avec une véhémence qui n'échappa ni à Jodie ni à Mme McIntyre.

Elle adressa à son fils un regard étincelant de colère avant de reporter son attention sur sa fille. Jodie se félicita d'être passée inaperçue jusque-là.

— Quand vas-tu mettre un terme à ce petit jeu ridicule?

Tiffany s'empourpra violemment, et Jodie eut de la peine pour elle. Clairement, elle n'était pas encore de taille à rembarrer cette sorcière.

—Et toi? reprit-elle en pointant son index vers Ash d'un air accusateur. Je sais très bien ce que tu manigances et je peux te garantir que tu ne l'emporteras pas.

Elle parlait d'une voix glaciale qui fit frissonner Jodie. Les deux personnes à qui elle s'adressait ainsi étaient ses propres enfants, pourtant elle donnait l'impression de les détester.

—Dans ce cas, pourrais-tu avoir l'amabilité de m'informer de ce que je manigance? rétorqua Ash.

Aussitôt qu'ils avaient été interrompus, il avait repassé son bras autour des épaules de Jodie d'un geste protecteur. Ses doigts crispés mordaient profondément dans sa chair, mais elle ne chercha pas à se dégager. Il ne se rendait sûrement pas compte de la douleur qu'il lui infligeait, et Jodie comprit à quel point la visite de sa mère l'affectait, même s'il n'en laissait rien paraître.

Il avait beau la traiter de sorcière et feindre l'indifférence, il souffrait visiblement de son hostilité affichée.

Mme McIntyre le toisa d'un air mauvais, ses beaux yeux verts étincelants de furie.

—Tu te sers de Tiffany pour te venger de quelque méfait imaginaire dont tu aimes tant m'accuser. Franchement, Ash, la contraindre à trimer dans l'un de tes hôtels? C'est d'un vulgaire! Cela t'amuse de la voir s'échiner comme une vile souillon ? Cela t'amuse d'imaginer ce que je ressens depuis que j'ai appris la nouvelle ?

Ash s'avança sur sa chaise d'un geste brusque, le visage figé sous l'effet de la colère. Tiffany jeta un regard inquiet à Jodie, mais cette dernière fut soulagée de constater qu'elle ne semblait pas blessée par les accusations de leur mère. Clairement, elle n'y croyait pas. Jodie esquissa un bref sourire rassurant pour lui faire comprendre qu'elle non plus ne prêtait pas foi à ces attaques.

— Je me moque éperdument de savoir ce que tu ressens, rétorqua Ash sans desserrer les mâchoires. La seule chose qui m'importe, c'est ce que ressent Tiffany. D'ailleurs, je t'invite à lui poser la question en face puisqu'elle est juste ici. Demande-lui si elle se sent avilie parce que je lui ai donné un travail honnête grâce auquel elle gagne sa vie.

Mme McIntyre n'accorda même pas un coup d'œil à Tiffany, mais cette dernière prit la parole d'une voix calme et posée.

— C'est moi qui ai demandé à Ash de me trouver du travail, et il a eu la gentillesse d'accepter de m'aider. Je n'ai rien d'autre à ajouter, maman. Va-t'en. Tu es en train de te donner en spectacle. Tu as pourtant horreur de ça.

Face à l'expression rageuse de Mme McIntyre, Jodie s'étonna presque de ne pas voir de fumée lui sortir des oreilles. Soudain, elle se trouva la cible de ce regard vert et venimeux. Elle sentit son pouls s'accélérer mais refusa de trahir son agitation. Elle s'efforça d'afficher une sereine indifférence.

—Et ça? C'est qui? Ta dernière pute en date? Comment oses-tu inviter ma fille à dîner avec l'une de tes traînées?

Tiffany laissa échapper un cri et, les joues en feu, tourna vers Ash un regard horrifié.

Ash se leva si brusquement que sa chaise se renversa et tomba au sol avec fracas. Il fit signe aux deux vigiles postés près de l'entrée.

—Veuillez escorter cette personne hors du restaurant, ordonna-t-il sur un ton glacial. À partir de maintenant, il lui est interdit de pénétrer dans l'une de mes propriétés, quelle qu'elle soit. Je veux que vous preniez une photo d'elle et que vous la communiquiez, ainsi que son nom, à l'ensemble du personnel de sécurité de HCM. Celui ou celle qui aura le malheur de la laisser entrer se verra licencié pour faute professionnelle.

Mme McIntyre blêmit, bouche bée, puis ses joues s'empourprèrent violemment quand elle se vit flanquée par deux vigiles et qu'elle prit la mesure de la situation.

—Dehors! cracha Ash en séparant les deux syllabes. Ne t'approche plus jamais de Tiffany ou de moi. Quant à Jodie, c'est ma future femme, la mère de mes enfants, et je ne tolérerai pas que quiconque lui manque de respect, sous aucun prétexte. Maintenant dégage, et fais passer le message à papa et à grand-père: Tiffany et moi ne désirons plus faire partie de cette famille. Oubliez-nous.

—Ash, attends! supplia sa mère. Il faut que je te parle. S'il te plaît. J'ignorais complètement que Tiffany serait présente; j'ai été prise au dépourvu. Je me suis laissé emporter, mais, si je suis venue, c'est parce que j'ai quelque chose de très important à te dire.

—Et moi, je n'ai aucune envie de t'écouter, rétorqua-t-il sur un ton sans appel.

Jodie était encore bouche bée, sous le choc des paroles qu'Ash avait laissé échapper. Sa future femme? La mère de ses enfants? Il n'y allait pas de main morte! Ils ne se connaissaient que depuis peu et n'avaient encore jamais abordé la question du mariage ou des enfants. Jodie n'était pas opposée à cette idée, mais elle aurait apprécié qu'Ash lui en parle en privé avant de balancer une bombe pareille au beau milieu d'un restaurant.

Avec un coup d'œil nerveux aux agents de sécurité, Mme McIntyre reprit la parole.

—Il faut vraiment que je te parle, Ash. C'est important. Il s'agit de ton grand-père.

—Non. Tu n'arriveras pas à me manipuler comme tu le fais avec tout le monde. Après la façon dont vous m'avez traité depuis des années, je n'éprouve plus le moindre intérêt pour toi ou pour grand-père. Regarde autour de toi. Je n'ai pas besoin de vous. J'ai fait fortune à la sueur de mon front, et je soupçonne que c'est précisément pour ça que vous m'en voulez tant.

Elle blêmit de nouveau, mais ses yeux étincelaient toujours de colère. Le cœur de Jodie saignait pour Ash. Il avait beau s'être endurci, il s'agissait de sa propre mère. Elle n'osait même pas imaginer ce qu'il ressentait face au mépris haineux de cette femme qui était censée l'aimer plus que tout.

Instinctivement, elle lui prit la main et se leva pour se tenir à ses côtés, mais il s'avança légèrement, comme pour la garder des attaques vicieuses de sa mère. Elle voulait juste lui rappeler qu'elle était là, avec lui. Quoi qu'il arrive. Soumise ou pas, elle tenait à le protéger, elle aussi.

— Escortez-la, ordonna Ash aux deux vigiles.

— Je connais le chemin, protesta Mme McIntyre en repoussant l'un d'entre eux.

— Je n'en doute pas une seconde, mais je tiens à avoir le plaisir de te mettre à la porte manu militari.

Sur ce, il fit signe aux agents de sécurité, qui empoignèrent sa mère et l'entraînèrent en direction de la sortie.

Indignée, elle poussa des cris aigus qui retentirent dans tout le restaurant et attirèrent l'attention des autres clients. Jodie tressaillit en voyant quelques flashs se déclencher. Ash faisait partie des hommes les plus fortunés de New York, et sa famille était bien connue, notamment parce que son grand-père avait longtemps pris part à la vie politique de l'État. L'incident ferait sans doute la une des tabloïds dès le lendemain.

Et si Michael voyait des photos et reconnaissait Ash ? Chercherait-il à le faire chanter une fois qu'il comprendrait à qui il avait affaire ?

De plus en plus de flashs se déclenchèrent. Et se rapprochèrent. Jodie se cacha le visage d'une main. L'attirant derrière lui, Ash fit signe à d'autres agents de sécurité de calmer les ardeurs des curieux, mettant un terme à cette séance photo improvisée.

Jodie se rassit, les jambes tremblantes, et jeta un coup d'œil à Tiffany qui était d'une pâleur mortelle. Le cœur de la jeune femme se serra.

—J'ai prévu de sortir entre filles mercredi soir, annonça-t-elle sur un ton détaché. Ce serait sympa que tu viennes avec nous.

Tiffany cilla, surprise.

Ash avait repris sa place à côté de Jodie et il lui étreignit la main d'un geste chaleureux. Lorsqu'elle risqua un regard dans sa direction, elle vit qu'il la contemplait avec un mélange d'affection et de reconnaissance. Elle lui sourit pour lui communiquer sa certitude que tout allait bien se passer.

—Oh, je ne sais pas! souffla Tiffany après une longue hésitation.

—Tu devrais y aller, Tiff, l'encouragea Ash. Jodie sort avec Mia, Bethany et leurs copines. Tu t'étais bien entendue avec Bethany, si je me rappelle bien. Tu verras, elles forment un sacré petit groupe.

Tiffany rougit de plaisir.

—Dans ce cas, j'accepte avec plaisir, Jodie. Merci beaucoup. Dis-moi juste où et quand on se retrouve.

Jodie jeta un coup d'œil interrogateur à Ash. Elle-même ignorait tout des détails de la soirée. Elle savait juste que c'était prévu pour mercredi et que, après le déjeuner, Ash comptait l'emmener se choisir une robe et des chaussures appropriées.

—Un chauffeur viendra te chercher, promit Ash. Mais je te préviens : ces demoiselles prennent leurs soirées entre filles très au sérieux. Il va te falloir une petite robe sexy et des talons vertigineux. Si j'ai bien compris, c'est le *dress code* obligatoire.

Tiffany éclata de rire.

—Ça tombe bien, j'en ai plein en réserve et je commençais à désespérer d'avoir l'occasion de les ressortir un jour.

Ash sourit à sa petite sœur.

—Tiens-toi prête à 19 heures. C'est au tour de Jace de jouer les gardes du corps. Il vous rejoindra au club et vous raccompagnera en fin de soirée.

En voyant le regard brillant de Tiffany, Jodie se félicita d'avoir écouté son instinct et de l'avoir invitée.

—Merci, Jodie! Je suis sûre qu'on va s'éclater!

Jodie lui prit la main d'un geste affectueux.

—Il faut bien qu'on se serre les coudes, entre filles. Non? lança-t-elle avec un clin d'œil.

—Oh oui! Surtout quand on a affaire à des mecs comme Ash! répliqua Tiffany avec un sourire.

—Hé! s'écria Ash, faussement outré.

Jodie fit semblant de lui donner un coup de coude dans le ventre, et il se plia en deux en riant.

Puis il se redressa et recouvra son sérieux.

—Bon, et si on finissait de manger? Tiffany, il faut que tu retournes travailler, et Jodie et moi devons aller faire les boutiques.

—Toi? Les boutiques? s'esclaffa Tiffany.

—C'est bien parce que le jeu en vaut la chandelle, rétorqua-t-il en haussant un sourcil.

Cette fois, Jodie lui donna un vrai coup de coude, les joues en feu, mais Tiffany partit d'un grand éclat de rire, ce qui la détendit un peu. Le malaise provoqué par la visite de leur mère était passé, et Tiffany semblait aussi déterminée que son frère à ne pas se laisser gâcher la vie.

Un quart d'heure plus tard, Ash et elle sortirent de l'hôtel et montèrent dans la voiture.

Aussitôt qu'ils furent installés sur la banquette, il l'attira contre lui pour déposer un baiser sur sa tempe et laissa ses lèvres au contact de sa peau pendant de longues secondes.

—Je suis vraiment touché que tu aies invité Tiffany à sortir avec vous, ma chérie, murmura-t-il enfin. C'était super gentil de ta part. Je ne l'oublierai pas.

Jodie lui sourit mais se rembrunit aussitôt.

—J'espère que Mia et Bethany ne vont pas mal le prendre. Je n'y ai même pas pensé, sur le coup.

Ash s'écarta un peu en secouant la tête.

—Non, ne t'inquiète pas, elles sont vraiment adorables. Tu as eu raison, et je t'en suis reconnaissant. Ça va faire du bien à Tiffany de sortir un peu et de rencontrer des filles saines et franches, après avoir perdu toutes ses fausses amies.

—Ça me fait plaisir, tu sais. Tout le monde a besoin d'avoir des amis. La pauvre Tiffany avait l'air tellement gênée quand ta mère a débarqué…

Ash se raidit.

—Je suis vraiment désolé qu'elle ait gâché le déjeuner.

—Mais non! Elle n'a rien gâché du tout, mon cœur. Tiffany et toi ne vous êtes pas laissé faire. Je ne connais pas cette femme et je me contrefiche de ce qu'elle pense de moi.

En levant les yeux vers lui, elle remarqua qu'il la dévisageait avec intensité.

—Tu m'as appelé « mon cœur ».

Elle se détourna, les joues en feu.

—Pardon. Ça doit te paraître un peu cucul.

—Tu plaisantes? souffla-t-il en lui soulevant le menton d'un geste un peu brusque pour la forcer à croiser son regard. J'ai adoré, ma belle. C'est la première fois que tu m'appelles autrement que par mon prénom.

—C'est vrai? demanda-t-elle. Ça ne te gêne pas?

—Au contraire! Je ne fais pas partie de ces hommes qui croient qu'un peu de douceur met leur virilité en danger. Le fait que tu m'aies appelé comme ça montre que tu tiens à moi, et ça, c'est précieux.

Elle sourit.

—D'accord. Je tâcherai de m'en souvenir…, mon cœur.

Il l'embrassa avec fougue, faisant jouer sa langue contre la sienne en un ballet désormais familier. Lorsque, enfin, il s'écarta, il avait les yeux presque noirs tant ses pupilles étaient dilatées sous l'effet du désir. Il lui caressa la joue et laissa sa main là, contre sa peau.

—Moi aussi, je me contrefiche de ce que peut dire ma mère. Elle raconte n'importe quoi pour essayer de nous blesser, il ne faut surtout pas croire ce qu'elle dit. N'y pense même plus. Tu es parfaite, et c'est tout ce qui compte.

Elle sourit et l'embrassa à son tour, savourant la sensation de ses lèvres contre les siennes.

—Ça aussi, je tâcherai de m'en souvenir.

Chapitre 23

Ash lui avait tellement parlé des soirées entre filles de Mia, de Bethany et de leurs copines que Jodie était déterminée à lui réserver une surprise de taille. Elle refusa donc qu'il la voie avant son retour du club.

Il avait longuement protesté quand elle avait annoncé qu'elle irait chez Mia pour se préparer, mais elle avait tenu bon.

Certes, il avait vu la robe et les chaussures dans le magasin. Il lui avait d'ailleurs fallu vingt minutes pour la convaincre de les acheter tant elle était horrifiée par le prix. Les chaussures à elles seules coûtaient trois fois plus cher que le plus grand de ses tableaux. Ce qu'il ne verrait qu'en fin de soirée, c'était elle-même vêtue de cette robe et chaussée de ces escarpins hallucinants. Elle avait emporté sa tenue et son maquillage chez Mia, qui l'aiderait également à se coiffer.

Ash avait grommelé tant et plus, mais il avait fini par l'escorter jusqu'à sa voiture avant de donner à son chauffeur l'ordre de la conduire chez Gabe et Mia, sur la Ve Avenue. Elle lui avait fait un petit signe de la main assorti d'un clin d'œil coquin.

En arrivant, elle eut la surprise de trouver Mia et Bethany qui l'attendaient dans le vestibule. Bethany lui prit son sac des mains, et Mia l'entraîna vers l'ascenseur, qui s'ouvrit quelques minutes plus tard sur un magnifique appartement. Elles se trouvaient au dernier étage, et la vue depuis la fenêtre du salon était tout simplement sublime.

Gabe se leva du canapé lorsqu'elles entrèrent, et, en l'apercevant, Jodie eut un mouvement de recul. Cet homme était tellement intimidant! Elle savait pertinemment qu'elle ne craignait rien en sa présence, mais il émanait de lui une telle puissance… Et puis elle ne l'avait rencontré que brièvement et n'était pas encore à l'aise avec lui.

Il s'approcha de Mia et l'embrassa longuement, avec une fougue qui fit frissonner Jodie. Bethany lui adressa un clin d'œil amusé.

—Mesdemoiselles, je vous laisse, annonça-t-il enfin. Le chauffeur vous attend en bas, vous n'avez qu'à appeler le portier quand vous êtes prêtes à descendre. Jace vous rejoindra un peu plus tard au club, comme prévu, et vous raccompagnera. Quant à moi, je vais dîner avec Ash.

Mia décocha un sourire brûlant à son mari, et, à en juger par la réaction de ce dernier, il était déjà impatient que la soirée touche à sa fin.

—Si tu as besoin de quoi que ce soit, tu m'appelles, dit-il en soulevant le menton de sa femme. J'aurai mon téléphone sur moi, donc n'hésite surtout pas. D'accord?

Mia leva les yeux au ciel.

—Tu sais très bien que je t'appellerai au moindre souci, Gabe, mais ne t'inquiète pas. Jace sera là, sans compter Brandon et ses collègues. Ils prennent toujours très bien soin de nous.

Jodie fronça les sourcils, un peu perdue. Bethany le remarqua et se pencha vers elle.

—Brandon est le copain de Caroline, la meilleure amie de Mia, lui murmura-t-elle à l'oreille. Ou plutôt je devrais dire son fiancé puisqu'il vient de la demander en mariage – c'est justement ce qu'on fête ce soir. Bref, il est videur au *Vibe*, la boîte où on va, et il veille sur nous quand on y est.

Jodie hocha la tête.

Gabe donna un dernier baiser à Mia, puis salua Bethany et Jodie.

—Amusez-vous bien, mais ne prenez pas de risques. D'accord? Ne vous séparez pas, gardez toujours un œil sur vos verres et n'allez pas aux toilettes seules.

—Oh, ça va! râla Mia. On n'est pas une bande d'adolescentes débiles! On sait se débrouiller!

Gabe rit doucement et eut le bon goût de prendre un air contrit avant de se diriger vers l'ascenseur.

Les trois jeunes femmes avaient à peine gagné l'immense salle de bains lorsque le portable de Mia sonna. Elle jeta un coup d'œil à son téléphone et poussa un gros soupir.

—C'est pas vrai! Il n'est même pas encore parti qu'il m'appelle déjà!

Bethany sourit malicieusement, et Jodie et elles attendirent patiemment que Mia réponde.

—OK, dit-elle au bout d'un instant. Moi aussi, je t'aime, ajouta-t-elle d'une voix douce.

Elle reposa son téléphone et leva les yeux vers ses amies.

—Gabe a croisé Tiffany en sortant de l'ascenseur. Elle est en train de monter. Je vais l'attendre dans le salon. Pendant ce temps, Jodie, enfile ta robe pour qu'on puisse te coiffer et te maquiller.

—Entendu! lança Bethany. Allez, va chercher Tiffany, et que la fête commence!

Une heure plus tard, les quatre jeunes femmes sortirent de l'ascenseur, Mia en tête, et se dirigèrent vers la limousine qui les attendait devant l'immeuble.

Une fois qu'elles furent confortablement installées à l'intérieur, Mia sortit une bouteille de champagne du seau à glace.

—Ce n'est pas parce que Caro se trouve déjà au club qu'on va se priver de boire un verre en son honneur, déclara-t-elle en remplissant quatre flûtes.

Bethany prit un des verres en acquiesçant d'un air solennel.

Tiffany trinqua avec entrain, ses grands yeux verts illuminés par un sourire.

—Merci de m'avoir invitée, les filles, dit-elle. Ça fait des semaines que je me borne à aller travailler le matin et à rentrer chez moi le soir. Je commençais à ressentir mon âge !

—Quelle horreur ! s'écria Mia en riant. On va remédier à ça tout de suite, tu vas voir !

Tiffany se tourna vers Jodie, et son sourire s'estompa.

—Je suis vraiment désolée pour ce qu'a dit ma mère, l'autre jour. J'étais tellement gênée ! J'ai d'autant plus honte que, pendant des années, je me suis comportée comme elle. Ash ne s'est jamais laissé faire, lui, et c'est pour ça qu'elle lui en veut, mais moi et mes deux autres frères…

Elle s'interrompit avec une grimace.

Jodie se pencha en avant pour lui prendre la main avec gentillesse.

—Tu n'as rien à te reprocher, Tiff, dit-elle en reprenant le diminutif employé par Ash au restaurant.

Cela parut faire plaisir à Tiffany, dont le visage s'éclaira instantanément.

—Au contraire, tu lui as tenu tête, ajouta-t-elle. J'étais très impressionnée.

—Tu m'étonnes! intervint Mia avec une petite moue. Sans vouloir t'offenser, Tiffany, ta mère est une vraie salope. Je ne sais pas comment elle a pu donner naissance à un type aussi génial qu'Ash… et à toi, évidemment.

—Oh, tu ne m'offenses pas, tu sais, répliqua Tiffany. Je suis bien placée pour savoir que tu n'exagères pas, en plus. J'aimerais bien comprendre pourquoi ma mère est comme ça, mais le mystère reste entier.

Bethany lui sourit d'un air compatissant.

—Tout ce que je sais, c'est que Jace s'inquiète pour Ash chaque fois qu'elle donne signe de vie.

—N'en parlons plus pour ce soir! lança Tiffany avec un sourire. On est là pour s'amuser, non?

—Tu as raison! renchérit Jodie. Et puis je vais avoir besoin de l'aide de Mia et de Bethany parce que, apparemment, Ash s'attend à une fin de soirée plutôt spectaculaire, et je ne voudrais surtout pas le décevoir.

Mia et Bethany partirent d'un grand éclat de rire.

—Ne t'inquiète pas, on va te mettre au courant, lui assura Mia avec un petit sourire coquin. La première fois, j'ai dû donner quelques tuyaux à Bethany, mais elle a vite compris le principe, et je crois que son homme était plus que ravi.

—Argh! Vous allez me tuer, grommela Tiffany. Je n'ai pas de beau gosse qui m'attend à la maison, moi. Et puis je vous avoue que ça fait très, très longtemps que je ne me suis pas éclatée au lit.

Bethany pinça les lèvres un instant.

—Voyons voir… Mia, tu ne sais pas si, parmi les copains de Brandon, il y en a qui sont célibataires ? Ils sont tous plutôt du genre canon…

—Je demanderai à Caro dès qu'on sera arrivées.

—Attendez ! Je ne veux pas avoir l'air d'une pauvre fille en chaleur ! protesta Tiffany.

—Mais non, ne t'inquiète pas, la rassura Bethany. Ça ne coûte rien de demander à Caro de te présenter à de beaux célibataires.

Elles arrivèrent devant le club. À peine la limousine fut-elle arrêtée qu'une jolie jeune femme ouvrit la portière et passa la tête à l'intérieur avec un grand sourire avant de tendre son bras gauche pour exhiber un gros diamant.

—Regardez-moi ça ! s'écria-t-elle. Elle est magnifique, non ?

Mia agrippa la main de la jeune femme et l'attira dans la voiture.

—Oh, mon Dieu, Caro ! Elle est sublime ! Brandon a vraiment assuré !

Le sourire de Caroline illumina l'intérieur de la limousine, puis s'élargit encore lorsqu'elle aperçut Jodie et Tiffany.

—Salut ! Moi, c'est Caroline !

—Salut. Je suis Jodie, et voici Tiffany.

—Enchantée, les filles. Brandon nous attend. Il nous a réservé notre table habituelle, mais ce soir on a droit à deux serveuses attitrées au lieu d'une. On est en train de s'agrandir, moi je vous le dis! Bientôt, on aura le club pour nous toutes seules lors de nos petites soirées.

—Hum…, fit Mia d'un air pensif. Ça, c'est une idée : notre propre club privé. Je ne dirais pas non, moi.

—Tu n'as qu'à demander à Gabe, lança Bethany tout en descendant de voiture. Je suis sûre qu'il s'empresserait de t'en offrir un!

—C'est pas faux! rétorqua Mia en riant.

—Chessy, Gina et Trish sont déjà arrivées, elles nous attendent à notre table, expliqua Caroline.

Puis elle tourna la tête, et un grand sourire illumina son visage. Jodie suivit son regard et aperçut un grand type super musclé qui, lui aussi, souriait comme un bienheureux. Il portait un petit bouc et une boucle d'oreille, et elle devina sans peine qu'il s'agissait de Brandon le videur.

—Mesdemoiselles, lança-t-il d'une belle voix grave. Si vous voulez bien me suivre, je vais vous accompagner jusqu'à votre table.

Mia s'approcha de lui et lui tapota gentiment l'épaule.

—Bien joué, Brandon! La bague de Caro est absolument magnifique!

—Je suis content qu'elle te plaise, dit-il, tout fier. J'ai trouvé la femme parfaite, alors je tenais à dénicher une bague qui soit à la hauteur.

—Oh, c'est mignon! soupira Tiffany. Surtout dans la bouche d'un type aussi craquant.

Jodie ne pouvait qu'approuver.

Caroline rougit, mais ses yeux brillaient d'amour. Jodie se fit la réflexion que, deux semaines auparavant, ce genre de scène l'aurait fait grincer des dents, parce que Michael n'exprimait jamais ses sentiments en public. À vrai dire, il n'exprimait jamais ses sentiments. Heureusement, elle était avec Ash, à présent, et lui n'avait aucun scrupule à faire savoir au monde entier que Jodie était sienne.

Le petit groupe longea la file d'attente et gagna l'entrée, puis Brandon les conduisit jusqu'à une table située dans un coin, un peu surélevée et séparée de la piste par une rambarde.

La musique faisait vibrer la pièce, et Jodie se prit à avancer en rythme avec la pulsion entêtante des basses. Elle avait déjà mal aux pieds et résolut d'ôter discrètement ses escarpins à la première occasion. Elle les remettrait au moment de rentrer.

Lorsqu'elles arrivèrent à leur table, une serveuse les attendait avec un grand plateau. Mia lui sourit avant de se tourner vers Jodie et Tiffany pour leur expliquer le principe.

—Tina nous accueille toujours avec deux cocktails chacune. On porte un toast et on descend le premier cul sec, puis on sirote tranquillement le deuxième avant d'aller danser. Comme je ne savais pas ce que vous aimiez et que, d'habitude, on boit soit des cosmopolitans soit des amaretto sour, je vous en ai commandé un de chaque. Si vous voulez autre chose, prévenez Tina dès maintenant, et elle ira vous chercher ce que vous voulez.

—C'est parfait! J'adore les cosmopolitans! cria Tiffany pour se faire entendre par-dessus la musique.

—Je ne bois pas beaucoup, indiqua Jodie, mais ce soir je vais faire une exception. Ash est tellement impatient de me voir rentrer pompette!

Bethany et Mia éclatèrent de rire.

—Ça fait des mois que Gabe et Jace s'amusent à le torturer en lui racontant nos exploits à l'issue de ces soirées entre filles, expliqua Bethany en levant les yeux au ciel. Goûte un amaretto sour, reprit-elle en tendant un verre à Jodie. C'est mon péché mignon. Je ne bois pas beaucoup non plus, mais ça, je ne m'en lasse pas. C'est doux et fruité, pas trop alcoolisé… et ça me suffit largement! conclut-elle avec un clin d'œil.

Quand chacune eut un verre en main, elles se rassemblèrent pour que Mia puisse finir les présentations, puis elles portèrent un toast.

—À Caro! cria Mia. Et au magnifique diamant à son doigt!

—À Caro! reprirent les autres en chœur.

Elles trinquèrent, renversant un peu de leur cocktail, puis burent cul sec et reposèrent leur verre vide sur le plateau de la serveuse, qui avait déjà disposé la deuxième tournée sur la table.

—On va danser? lança Caro.

Jodie suivit les autres sur la piste. Elle adorait danser, et, à vrai dire, cela lui avait manqué pendant les mois qu'elle avait passés avec Michael qui n'aimait pas beaucoup sortir. Elle résolut de se défouler pour conjurer ce mauvais souvenir.

Elle s'était tout de suite sentie à l'aise avec les amies de Mia et de Bethany. À en juger par le grand sourire de Tiffany, elle aussi.

—Il faut que je vous explique la règle du jeu! lança Mia.

—La règle du jeu? répéta Jodie.

—Oui, intervint Bethany. On s'amuse à se chauffer les unes les autres, histoire de faire baver les types qui nous regardent, et, quand notre ange gardien pour la soirée arrive, on se déchaîne complètement et on lui offre un spectacle inoubliable.

Jodie éclata de rire.

—Je commence à comprendre pourquoi Ash insistait autant pour que je vienne.

Mia lui sourit, une étincelle malicieuse dans le regard.

—Patience, ma belle. On va tout te raconter quand on aura un petit coup dans le nez.

Jodie acquiesça, amusée. Cela lui laissait le temps d'apprécier la musique et l'ambiance.

Elle qui n'avait pas l'habitude de sortir très apprêtée, elle se sentait merveilleusement bien grâce aux bons soins de Mia et de Bethany. Cette dernière avait relevé ses cheveux en un chignon joliment désordonné, dont s'échappaient quelques mèches, et Jodie trouvait le résultat plutôt sexy.

Mia l'avait maquillée à grand renfort d'ombres à paupières moirées, et l'effet était assez spectaculaire. Généralement, Jodie n'était pas prétentieuse, mais elle savait qu'elle allait tourner les têtes ce soir.

Bethany l'avait carrément baptisée « la déesse de bronze », faisant référence à la couleur de la robe qu'elle avait choisie avec Ash. Il s'agissait d'un étroit fourreau sans bretelles, très court, qui accentuait la finesse de ses jambes, allongées par ses talons vertigineux. Elle se sentait belle, tout simplement.

Entre le bustier de la robe et ses cheveux relevés, son collier serti de pierres précieuses attirait les regards. Jodie avait remarqué que Mia et Bethany lui jetaient des coups d'œil curieux, comme si elles mouraient d'envie de lui poser mille questions. Elle se demandait combien de temps il leur faudrait pour rassembler le courage de l'interroger.

Brandon passait régulièrement s'assurer qu'elles n'avaient besoin de rien, accompagné de trois de ses collègues. L'un d'entre eux, cependant, ne ressemblait pas à un simple videur. Alors que les autres portaient un jean et un tee-shirt noir, il était vêtu d'un luxueux costume avec des boutons de manchette dont les diamants semblaient authentiques.

Il était apparu au moment où Caro présentait Tiffany aux videurs et il avait exigé de faire sa connaissance. Depuis, Tiffany et lui étaient en grande conversation, un peu à l'écart, et la jeune femme souriait, rayonnante. Jodie en conclut que le nouveau venu lui témoignait un intérêt opportun.

Lorsqu'elles furent de retour à leur table, elle donna un petit coup de coude à Mia et désigna le couple qui bavardait.

— Qui c'est, le mec qui discute avec Tiffany ?

Mia suivit son regard et fronça les sourcils.

— Je ne sais pas. Je vais demander à Brandon.

Avant que Jodie ait pu lui dire de ne pas le déranger pour cela, elle avait attiré l'attention du videur, qui s'approcha d'elles, un bras passé autour des épaules de Caro en un geste possessif.

—Tu connais le type qui parle à Tiffany? demanda Mia de but en blanc.

Brandon tourna la tête un instant avant de répondre avec un sourire :

—Un peu, oui. C'est Kai Wellington, le propriétaire des lieux.

—Le propriétaire? Carrément? s'écria Jodie en écarquillant les yeux.

—Oui, carrément, confirma Brandon en riant. On ne le voit pas souvent ici parce qu'il a plusieurs autres clubs. D'ailleurs, il vient d'en ouvrir un nouveau à Las Vegas, ajouta-t-il en serrant doucement Caro contre lui. Il m'a proposé d'aller y travailler en tant que chef de la sécurité, mais je n'irai que si Caro est prête à me suivre.

L'espace de quelques secondes, Mia eut l'air atterrée, ce qui fit de la peine à Jodie. Après tout, Caroline était sa meilleure amie. Mais Mia se reprit aussitôt et adressa aux deux fiancés un sourire chaleureux.

—Tu veux dire qu'il t'offre une promotion?

—Oui, on peut dire ça, répondit Brandon, amusé.

—Félicitations! lança Mia, même si sa lèvre inférieure tremblait légèrement.

Puis elle se précipita vers Caro et la serra fougueusement dans ses bras.

— Je suis ravie pour vous, Caro! Tu es contente?

Caroline s'écarta un peu pour sourire à son amie.

— Oui, je suis super contente. C'est génial que M. Wellington fasse confiance à Brandon, comme ça. Il le mérite vraiment. Évidemment, ça ne me fait pas plaisir de quitter New York… et de te laisser ici, acheva-t-elle avec une petite moue triste.

Brandon attira Caro près de lui et passa l'autre bras autour des épaules de Mia.

— Il faut voir le bon côté des choses, mesdames. Vous pourrez venir faire vos soirées entre filles à Las Vegas, de temps en temps. Je vous garantis que vous serez reçues comme des princesses.

— J'aime beaucoup la logique de cet homme! intervint Bethany en riant.

— Pour en revenir à M. Wellington et à Tiffany, reprit Jodie, est-ce qu'il t'a dit quelque chose avant de demander à Caro de les présenter?

Brandon tourna la tête vers son patron avant de reporter son attention sur les jeunes femmes.

— Non, c'est quelqu'un de très discret. En revanche, ça ne fait pas de doute qu'il s'intéresse à Tiffany. Il ne l'a pas quittée des yeux de toute la soirée.

D'après ce qu'avait pu voir Jodie, Tiffany semblait elle aussi captivée par son interlocuteur. En apprenant la nouvelle, Ash ne manquerait pas de mener une enquête approfondie sur Kai Wellington afin de s'assurer qu'il était bien digne de sa sœur.

—Les filles, ça ne va pas du tout, on est en train de prendre du retard sur notre consommation de cocktails! lança Caroline. Jace ne va pas tarder à arriver et il va être très déçu si Bethany n'est pas au moins un peu pompette.

Mia éclata de rire, et Bethany tendit la main vers son verre en souriant.

—Je dois me remettre au travail, mais je vais dire à Tina de vous apporter la tournée suivante, annonça Brandon. Si vous voulez un peu de calme pour siroter vos cocktails ou bavarder, je peux vous installer dans un des salons privés qui surplombent la piste. Vous pouvez couper le son des haut-parleurs.

Jodie sourit, touchée par cette attention. Il avait sûrement compris que Mia et Caroline avaient envie de discuter du déménagement de cette dernière, et que ce ne serait pas possible au beau milieu du club.

—Excellente idée! s'écria Bethany. On peut y aller dès maintenant? J'ai mal aux pieds et je ne dirais pas non à un peu de calme.

—D'accord, suivez-moi. Je vais faire signe à Tina au passage pour qu'elle prévienne Chessy et les autres, histoire qu'elles sachent où vous trouver quand elles auront assez dansé.

Les trois jeunes femmes emboîtèrent le pas à Brandon, mais Jodie fit halte à hauteur de Kai et de Tiffany. Elle tenait à s'assurer que cette dernière n'avait pas besoin qu'on la tire d'une situation délicate.

—Salut ! lança-t-elle en souriant à Kai avant de se tourner vers Tiffany. Tiff, je voulais te dire qu'on va s'installer dans un salon privé là-haut, si tu nous cherches.

Kai passa un bras autour de la taille de la jeune femme et l'attira contre lui. Il n'était donc pas du genre à perdre son temps. Son sourire était doux et chaleureux, mais la détermination de son regard n'échappa nullement à Jodie. C'était un homme intimidant, impressionnant. Elle jeta un coup d'œil à Tiffany pour juger de sa réaction.

—C'est très aimable à vous de nous prévenir, répliqua Kai d'une voix grave qu'elle peina à entendre par-dessus la musique. Ne vous inquiétez pas pour Tiffany, je prends bien soin d'elle et l'accompagnerai moi-même jusqu'à votre salon privé lorsqu'elle le souhaitera.

—Ça te va, Tiffany ? demanda Jodie directement à l'intéressée, qui n'avait pas encore ouvert la bouche.

Cette dernière sourit en rougissant de plaisir, et Jodie fut aussitôt rassurée.

—Oui, c'est parfait, Jodie. Merci. Je vous rejoins très bientôt.

—Prenez votre temps, souffla Jodie avec un sourire.

—Comptez sur nous, murmura Kai.

Chapitre 24

ASH ÉTAIT ÉTENDU SUR SON CANAPÉ, UN VERRE À LA main, et Gabe était confortablement installé dans un fauteuil en face de lui. Les deux hommes avaient fini de dîner. Gabe était passé chercher des plats à emporter chez un traiteur après avoir laissé Mia, Bethany et Jodie se préparer.

Ash consulta sa montre avec un sourire amusé.

—À ton avis, est-ce qu'elles sont déjà toutes soûles ?

—Si elles ne le sont pas encore, elles ne doivent pas en être loin, rétorqua Gabe avec une grimace.

Ash rit doucement pour masquer son impatience. Il mourait d'envie de voir Jodie lui revenir, pompette et mignonne comme tout dans sa belle robe et ses talons. Elle avait refusé de sortir de la cabine d'essayage pour qu'il les voie dans le magasin et s'était contentée de le torturer en lui assurant qu'il apprécierait le résultat.

Elle lui aurait plu même vêtue d'un sac à patates, cela dit. Ce qu'elle portait n'avait pas tant d'importance que cela ; ce qui comptait, c'était elle, tout simplement. Néanmoins, la perspective de la voir arriver, coiffée et maquillée, les paupières alourdies par l'alcool… Et puis Gabe et Jace avaient pris un malin plaisir à lui faire comprendre que ces soirées entre filles se terminaient toujours de façon spectaculaire, et il tenait à ne pas rater cela.

Soudain, son téléphone sonna, et il l'attrapa, s'attendant à voir le nom de Jodie s'afficher, mais il fronça les sourcils en apercevant le numéro du portier de l'immeuble.

—Ash à l'appareil.

—Monsieur McIntyre, vous avez des visiteurs. Ils voulaient monter directement, mais j'ai préféré vous appeler. Ils prétendent être vos parents.

—Oh, c'est pas vrai ! grommela Ash.

Pourquoi fallait-il qu'ils viennent justement ce soir-là ? Ils n'avaient encore jamais mis les pieds chez lui – pas plus que dans son bureau. Il doutait même fortement qu'ils aient vu l'intérieur d'un de ses hôtels avant que sa mère fasse irruption au *Bentley*.

Cette visite-surprise n'augurait rien de bon. Il avait pourtant dit à sa mère en termes on ne peut plus clairs qu'il n'éprouvait pas la moindre curiosité pour ce qu'elle avait à lui confier. Il n'aurait pas dû se contenter de lui interdire l'entrée de ses bureaux et de ses hôtels, mais il était à mille lieues de se douter que son père et elle viendraient jusqu'à chez lui. Ils étaient plutôt du genre à essayer de l'attirer dans leurs filets.

Il jeta un coup d'œil à Gabe qui le surveillait d'un air soucieux. Il secoua la tête pour lui faire comprendre qu'il ne s'agissait pas d'un problème concernant leurs compagnes.

— Je descends. Ne les laissez surtout pas monter. D'ailleurs, s'ils venaient à se représenter ici, notez bien que je leur interdis l'accès à mon appartement, quelles que soient les circonstances, mais particulièrement si Mlle Carlysle est seule à l'intérieur.

— Entendu, monsieur.

Ash raccrocha et se leva d'un bond.

— Qu'est-ce qui t'arrive? Pourquoi tu fais cette tête? demanda Gabe.

— Mes parents sont en bas, répondit Ash sèchement. Je vais descendre les informer qu'ils ne sont pas les bienvenus chez moi.

— Oh merde! Je viens avec toi.

— Ce n'est pas la peine, rétorqua Ash d'une voix calme. Tu n'as qu'à m'attendre ici, je n'en ai pas pour longtemps.

Gabe se leva malgré tout.

— Ce n'est peut-être pas la peine, mais je viens quand même.

Ash haussa les épaules. La plupart des gens n'aimaient pas laver leur linge sale en public, mais Gabe n'était pas n'importe qui. Au contraire, Jace et lui constituaient sa vraie famille, précisément. Et puis Gabe était au courant des manigances du clan McIntyre. La seule qu'il ignorait, c'était la visite-surprise de sa mère au restaurant du *Bentley*, mais si Ash ne lui en avait pas parlé – pas plus qu'à Jace – c'était uniquement parce que cela lui était sorti de l'esprit. Jodie occupait l'essentiel de ses pensées.

Il mit brièvement Gabe au courant dans l'ascenseur.

—Ma mère est passée au *Bentley* lundi, pendant que je déjeunais avec Jodie et Tiffany. Je l'ai mise à la porte en donnant l'ordre à l'équipe de sécurité de ne plus jamais la laisser entrer dans l'un de nos hôtels.

—Non ?! Elle n'abandonne jamais, celle-là !

—Il faut croire que non. Elle a eu le culot d'insulter Tiffany et Jodie, puis de me supplier d'écouter ce qu'elle avait à me raconter. Comme si j'allais lui accorder une seule seconde de mon temps après la façon dont elle venait de traiter ma femme et ma sœur !

Gabe secoua la tête, atterré.

—Ce n'est pas de gaieté de cœur que je te suggère ça, mais tu devrais peut-être envisager de réclamer une ordonnance restrictive pour qu'ils ne puissent plus venir te harceler. Comme ça, s'ils essaiaient de revenir te pourrir la vie, ce serait à la police qu'ils auraient affaire. Ils finiraient peut-être par comprendre que tu ne plaisantes pas et que tu prends ta tranquillité – et celle de Tiffany – très au sérieux.

—Je vais leur faire comprendre en direct, rétorqua Ash, les mâchoires serrées.

Affronter ses parents dans le hall de son immeuble ne lui plaisait pas franchement, mais il était hors de question qu'ils mettent les pieds chez lui. Son appartement était son sanctuaire, et il refusait d'y laisser pénétrer des gens dont le comportement lui faisait horreur. Il ne voulait pas non plus leur faire le plaisir d'amener la lutte sur son propre terrain. Jamais.

Aussitôt que les portes de l'ascenseur s'ouvrirent, il aperçut ses parents qui attendaient, l'air renfrogné. Il ne vit pas la moindre lueur de complicité quand leurs regards se croisèrent, pas le moindre indice qu'ils avaient en face d'eux leur propre fils. Ils ne lui avaient jamais témoigné d'affection, et Ash ne comprenait toujours pas comment des parents pouvaient se montrer aussi froids et distants envers leurs enfants.

Il s'avança vers eux mais s'arrêta à quelques mètres, le visage de marbre, et les toisa en silence jusqu'à ce que son père tressaille et détourne la tête d'un air coupable.

—Qu'est-ce que vous faites là? demanda-t-il d'une voix brusque.

Sa mère l'étudia un instant puis jeta un regard méprisant à Gabe.

—Voyons, Ash, il s'agit d'une affaire privée. Ne pourrions-nous pas en discuter en famille, chez toi?

—Gabe fait partie de ma famille, rétorqua Ash. Vous pouvez parler en toute confiance.

Elle renifla légèrement avant d'adopter une expression étrange. Ash comprit avec un frisson d'horreur qu'elle essayait d'avoir l'air douce et conciliante. Le résultat était plus proche de l'image d'un vampire cherchant à séduire sa proie.

—Je voulais te présenter mes excuses pour m'être comportée avec maladresse l'autre jour.

Aussitôt, elle rougit, comme si ces quelques mots l'étouffaient physiquement. C'était sans doute le cas : formuler des excuses ne faisait pas partie de son quotidien.

—J'accepte tes excuses. Au revoir.

Un éclat de colère pure passa dans le regard de Mme McIntyre, même si elle s'efforça de garder son expression affable.

—Ton grand-père aimerait nous inviter à dîner, tous ensemble – y compris toi et Tiffany. Cela lui ferait très plaisir de vous revoir – et à nous aussi, bien sûr. Tes frères seront présents, avec leur épouse et leurs enfants.

—Pas question, rétorqua Ash.

Son père se racla la gorge et prit la parole pour la première fois depuis leur arrivée.

—Pourquoi tu n'y réfléchis pas à deux fois, fiston ?

—« Fiston » ?! répéta Ash avec une grimace de dégoût. D'où tu sors ça ? Tu ne m'as jamais traité comme ton fils ! Arrêtez tout de suite vos simagrées et expliquez-moi pourquoi vous êtes là, parce que cette histoire de dîner est tout simplement ridicule.

Sa mère pinça les lèvres et, cette fois, ne chercha même pas à masquer son irritation.

—Il parle de modifier son testament, cracha-t-elle. Il est déçu par la façon dont notre famille « se délite » – pour reprendre son expression. La défection de Tiffany l'a beaucoup touché. Il prétend que si j'étais une meilleure mère mes enfants ne se donneraient pas autant de mal pour m'échapper. Il commence à nous laisser entendre qu'il serait temps qu'on s'assume financièrement, ton père et moi, et qu'il en a marre de financer un « nid de vipères » – une fois de plus, je cite. Il menace de tous nous déshériter si nous ne parvenons pas à former une famille unie.

Ash partit d'un grand éclat de rire qui fit visiblement enrager sa mère.

— Ça te concerne également ! Ainsi que Tiffany ! persifla-t-elle. S'il décide de nous évincer, ton père et moi, vous n'obtiendrez rien non plus.

Ash secoua la tête, amusé.

— Il faut croire que tu n'as rien écouté de ce que je te répète depuis des années, très chère mère. Je me contrefiche de la fortune de grand-père. Je n'en ai pas besoin, et ça ne m'a jamais intéressé, mais surtout je ne veux plus jamais vous être redevable. Je ne veux plus avoir affaire à vous.

— Toi, tu t'en moques peut-être, mais pense un peu aux conséquences que tes choix pourraient avoir pour ta sœur, rétorqua Mme McIntyre.

— Je m'engage à subvenir aux besoins de Tiffany, le cas échéant, lui indiqua Ash d'une voix aussi calme que glaciale. Elle non plus n'a ni besoin ni envie de faire partie de cette famille empoisonnée. Si elle est venue me demander mon aide, c'était justement pour vous échapper. Je n'ai fait que respecter son souhait et rendre son choix possible.

Elle serra les poings, tremblante de rage, puis dirigea sa furie vers son mari.

—Fais quelque chose, William! Ne reste pas planté là comme un lâche! S'il change son testament, c'est la ruine assurée!

—Il n'y a rien qu'il puisse faire, intervint Ash posément. Ni lui ni toi n'avez le pouvoir de m'obliger à faire semblant de me réconcilier avec cette famille de rapaces. Tant pis pour mes frères s'ils sont incapables de subvenir aux besoins de leur femme et de leurs enfants. Tant pis pour vous deux, qui dépendez toujours de grand-père à votre âge! Vous récoltez ce que vous avez semé, ni plus ni moins, mais Tiffany et moi, on ne veut plus être mêlés à tout ça.

—Je te déteste! cracha-t-elle.

Ash tressaillit face à tant de violence, même s'il n'apprenait rien de nouveau. Il ne put s'empêcher de ressentir une profonde blessure à entendre ces mots si durs dans la bouche de la femme qui lui avait donné la vie.

—Elizabeth, ça suffit! intervint son père. Tu ne penses pas ce que tu dis, voyons. Il s'agit de notre fils, tout de même! Ne va pas t'étonner si, après cela, il refuse de nous fréquenter.

Pourtant Ash savait pertinemment qu'elle n'avait dit que la stricte vérité. Il voyait dans ses yeux la haine intense qu'elle lui vouait depuis qu'il avait décidé de prendre ses distances avec eux et de mener son existence comme il l'entendait.

—Je crois qu'il est temps pour vous de partir, articula-t-il d'une voix calme. Je vous prierai de bien vouloir ne jamais remettre les pieds ici. Vous n'êtes plus les bienvenus dans ma vie, qu'il s'agisse de mes hôtels ou de mon appartement. Je vous déconseille fortement de m'approcher ou d'approcher Tiffany, Jodie et le reste de ma famille. Je vous préviens : si jamais vous essayez de les empoisonner comme vous m'empoisonnez depuis des années, je vous le ferai payer. Quand j'en aurai fini avec vous, vous n'aurez plus que vos yeux pour pleurer, et je prendrai bien soin de m'assurer que grand-père vous évince proprement. Je vous défie de mettre ma parole en doute.

— Tu bluffes ! s'esclaffa sa mère.

Ash se contenta de la toiser en haussant un sourcil. Cela suffit à la faire pâlir, puis elle se détourna quand elle comprit qu'il était bel et bien sérieux.

Quand elle osa de nouveau affronter son regard, elle parut… vieillie. Hagarde. Vaincue. Elle s'avança d'un pas et posa une main sur son bras. Il dut user de toute sa volonté pour réprimer un mouvement de recul.

— Ash, je t'en supplie, ne fais pas ça. Si tu veux qu'on sorte de ta vie, alors très bien, on vous laissera tranquilles, Tiffany et toi. Si tu arrives à convaincre grand-père de revenir sur sa décision, si tu me promets d'assister à un dîner – un seul dîner–, je te promets que je n'essaierai plus de te contacter. Je suis prête à signer une attestation écrite, si tu veux. Je t'en prie, ne laisse pas la haine que tu éprouves envers moi mettre tes frères en péril. Pense à leurs enfants. À leur femme. Pense à ton père. S'il nous déshérite, on n'aura plus rien pour vivre.

— Ne la laisse pas te culpabiliser, Ash, intervint Gabe.

Ash leva une main.

— Je refuse de venir dîner avec vous tous, et il n'est pas question que j'expose Tiffany ou Jodie à ce genre de torture.

Sa mère sentit qu'il s'adoucissait un peu et se pencha vers lui, pleine d'espoir.

— Tu n'as pas besoin de venir dîner si tu ne le veux pas, mais il faut que tu lui parles, Ash. Je suis sûre que tu peux trouver une explication satisfaisante à la décision de Tiffany. Dis-lui que vous vous êtes réconciliés – qu'on s'est tous réconciliés. Fais ce que tu veux, pourvu que tu arrives à le persuader de ne pas nous évincer.

— Non, mais sérieux ! Vous êtes pathétique ! s'écria Gabe.

Elle lui décocha un regard chargé d'une telle méchanceté qu'Ash frémit. Comment était-il possible que ces personnes méprisables, aussi haineuses qu'aigries, aient pu lui donner la vie, à lui ?

— Je veux bien l'appeler, concéda-t-il.

Gabe secoua la tête, déçu.

— Rien de plus, poursuivit-il. Après ça, vous arrêtez de me harceler. Compris ? Si jamais vous avez le culot de remettre les pieds dans un lieu qui m'appartient, que ce soit un de mes hôtels, les bureaux de HCM ou l'immeuble où je vis, je vous le ferai regretter. Est-ce que c'est clair ?

Mme McIntyre s'empressa de hocher la tête, les yeux emplis d'une forme d'espoir proche de la panique. Le simple fait qu'elle se soit abaissée à le supplier prouvait qu'elle ne savait plus quoi faire pour sauver sa peau.

Il aurait dû l'envoyer paître et se laver les mains de toute cette histoire, mais il s'agissait néanmoins de sa famille – de son sang. Il avait beau souhaiter ne plus jamais avoir affaire à eux, l'idée de causer leur ruine l'horrifiait.

—Dehors! reprit-il sur un ton sans appel. Vous avez suffisamment gâché ma soirée comme ça.

—Merci, souffla son père. C'est très important pour ta mère – pour nous tous. Dis à Tiffany que… (Il s'interrompit avec un soupir et se passa une main sur le visage.) Dis à Tiffany que je l'aime, qu'elle me manque et que j'espère qu'elle va bien.

Ash acquiesça en silence puis désigna la porte du regard.

Sa mère, convaincue qu'elle venait de remporter cette bataille, tourna les talons et sortit, hautaine.

Quand Ash reprit la direction de l'ascenseur, il aperçut la grimace écœurée de Gabe.

—Je suis vraiment désolé pour toi, mon pote, grommela ce dernier. Je savais qu'ils étaient gratinés, mais je crois que, jusqu'à maintenant, je ne m'étais pas rendu compte à quel point.

—Tu sais ce qu'ont dit, rétorqua Ash avec un haussement d'épaules. On peut choisir ses amis, mais on ne choisit pas sa famille.

Chapitre 25

Jodie suivit Bethany, Mia et Caroline jusqu'au petit salon privé où les menait Brandon. La pièce surplombait la piste de danse, et Brandon leur assura qu'elle était munie d'une vitre sans tain et que personne ne pourrait les voir.

—Je retourne travailler, mais je passerai vous voir. D'accord ? souffla-t-il avant d'embrasser Caroline tendrement.

Cette dernière s'assit à côté de Jodie dans le grand canapé moelleux, Mia se plaça de l'autre côté, et Bethany se posta sur le bras du fauteuil.

—Alors comme ça tu vas aller vivre à Las Vegas, murmura Mia.

—Ouais, souffla Caroline, les larmes aux yeux. Brandon veut qu'on se marie avant de partir. On a six semaines pour tout organiser et pour trouver un endroit où habiter une fois là-bas. M. Wellington est super : il nous paie le déménagement et se portera garant pour l'achat d'un appartement. Il estime beaucoup Brandon et s'est engagé à doubler son salaire, donc on n'aura pas à s'inquiéter le temps que je trouve du travail là-bas.

—C'est merveilleux, Caro, dit Mia d'une voix douce, mais tu vas me manquer !

—C'est vrai, tu vas nous manquer, à toutes. Nos soirées entre filles ne seront plus les mêmes, sans toi.

Caroline les embrassa sur la joue puis se leva.

—Je vais aux toilettes. J'en profiterai pour voir si les autres veulent nous rejoindre. À tout de suite !

Mia la regarda sortir de la pièce avec une petite moue triste.

—Pfff… ça va être dur, sans elle !

—Je te comprends, lui assura Bethany, mais on reste là, nous.

Mia releva la tête avec un grand sourire et, sur une impulsion, lui saisit la main ainsi qu'à Jodie.

—Bon, maintenant qu'on est enfin seules, Bethany et moi avons à peu près un million de questions à te poser, Jodie. Je ne veux surtout pas te mettre mal à l'aise, mais on meurt d'envie d'en savoir un peu plus sur Ash !

Jodie éclata de rire.

—Oh, ça ne me gêne pas, mais j'ai peur de vous décevoir ! Notre relation n'a rien de très exotique.

—Genre ! s'esclaffa Mia. Tu ne nous feras pas croire ça ! Commence par nous raconter comment il est au lit. Bethany en a déjà une petite idée, mais je suis vraiment curieuse !

Aussitôt, elle se plaqua une main sur la bouche, effarée par ce qu'elle venait de laisser échapper.

—Oh pardon! Je suis désolée, Jodie! Oh, mais quelle andouille! gémit-elle en se cachant le visage entre les mains. J'ai vraiment honte, des fois. Gabe et Jace me disent tout le temps que je ferais mieux de tourner ma langue sept fois dans ma bouche avant de parler au lieu de raconter tout ce qui me passe par la tête sans réfléchir.

—Ne t'inquiète pas, Mia, la rassura Jodie avec un sourire amusé. Je suis au courant de cette histoire.

Elle jeta un coup d'œil à Bethany qui semblait encore plus mal à l'aise que Mia. Elle avait les joues en feu et ne savait plus où regarder.

—J'espère que tu comprends que ça ne comptait pas, murmura-t-elle. Enfin, ce que je veux dire, c'est que ça n'avait aucune importance pour Ash. Oh, mon Dieu, c'est encore pire que la première fois que je me suis retrouvée face à Jace et à Ash après cette fameuse soirée!

—Il ne faut pas que ça te tracasse, Bethany, dit Jodie en lui prenant gentiment la main. Je t'avoue que, quand Ash m'a raconté ça, j'étais méfiante. Ou plutôt je redoutais un peu de te rencontrer parce que j'avais peur de vous imaginer ensemble en te voyant. Mais, en fait, ça va. Maintenant que je te connais, ça ne me pose plus le moindre problème, surtout depuis que je t'ai vue avec Jace. J'ai compris qu'il n'y avait rien de plus qu'une profonde amitié entre Ash et toi.

—Ah, ouf! souffla Bethany, sincère. J'adore Ash, tu sais, mais comme un ami, effectivement. Je suis complètement folle de Jace.

—Je crois que j'ai raté ma chance d'en savoir plus sur Ash et toi, Jodie, intervint Mia avec une moue faussement boudeuse.

—Pas forcément! rétorqua Jodie en riant. Moi aussi, j'ai des questions à vous poser au sujet de votre relation. Par exemple, Bethany: le collier que tu portes, c'est un simple bijou ou…?

Bethany s'empourpra et effleura du bout des doigts le diamant qui reposait au creux de sa gorge.

—Non, ce n'est pas qu'un simple bijou, avoua-t-elle. Depuis que Jace me l'a offert, je ne l'enlève plus.

—Et le tien, Jodie? s'enquit Mia. C'est une marque d'appartenance, aussi?

La jeune femme hocha la tête.

—Ce n'est pas juste! Moi aussi, j'en veux un! s'écria Mia. J'adorerais que Gabe me choisisse un collier rien que pour moi et me le passe autour du cou, mais ce n'est pas son délire. Pour être honnête, ça ne me branchait pas plus que ça jusqu'à ce que je voie celui de Bethany. La symbolique me plaît beaucoup.

Bethany et Jodie lui sourirent, puis Jodie vida son verre d'un trait et le reposa sur la table basse. Elle avait la tête qui tournait un peu, mais c'était encore très léger. Elle retira ses escarpins et remua les orteils en réprimant un soupir de soulagement.

—Oh, regardez! Voilà Jace! s'écria Mia qui était allée se poster près de la baie vitrée donnant sur la piste de danse. Il est en avance, non? ajouta-t-elle en se tournant vers Bethany. Ou alors c'est nous qui sommes en retard sur notre taux d'alcoolémie.

—En effet, je crois qu'on n'a pas tout à fait tenu notre rythme habituel, commenta Bethany sur un ton nostalgique.

—Ça ne va pas du tout! s'écria Mia. Il faut absolument qu'on remédie à ça. On va se faire des shots, c'est la seule solution.

—Houla! Je n'ai encore jamais tenté ça, moi, intervint Jodie.

—Ne t'inquiète pas, la rassura Mia. De toute façon, après le premier tu ne sens plus rien.

Au même moment, la porte s'ouvrit sur le reste de la troupe qui entra bruyamment, Tina sur ses talons. La serveuse déposa leurs cocktails sur la table basse puis prit la commande de Mia.

—Quoi?! Des shots? s'écria Caroline. Depuis quand on boit des shots?

—Il faut bien un début à tout, rétorqua Mia. On est à peine pompettes alors que Jace est déjà arrivé. Il faut qu'on se rattrape, et vite!

—Apportez carrément la bouteille! lança Chessy à l'intention de la serveuse. Ou même deux: on est nombreuses, ce soir!

—À vos ordres, les filles, dit Tina en riant.

Les nouvelles venues prirent place dans les canapés et fauteuils disponibles, et croisèrent les jambes, si bien que des escarpins de toutes les couleurs pointaient dans tous les sens. Quelques minutes plus tard, Tina revint et disposa sur la table une bouteille de tequila ainsi que des verres à shots, qu'elle remplit à ras bord avant de s'éclipser.

—Tout le monde est servi? demanda Trish en levant son verre.

—Oui! répondirent-elles en chœur.

—Alors, c'est parti! lança Gina en buvant sa tequila cul sec, aussitôt imitée par les autres.

Jodie eut l'impression d'avaler du feu liquide. Elle toussa, les larmes aux yeux, tandis que l'alcool traçait un chemin brûlant jusqu'à son estomac… puis jusqu'à sa vessie. Instantanément, elle eut envie d'aller aux toilettes.

—Deuxième round! cria Trish en remplissant les verres.

De nouveau, les jeunes femmes trinquèrent et burent d'une traite.

Soudain, un rire grave retentit derrière elles, et toutes les têtes se tournèrent vers Brandon qui se tenait sur le seuil en compagnie de Jace. Les deux hommes les couvaient d'un regard amusé. Puis Jace s'écarta pour laisser passer Tiffany qui avait les yeux brillants et les joues roses de plaisir.

Kai Wellington lui emboîtait le pas, une main posée sous son coude. Cependant, il la lâcha lorsqu'elle s'avança vers la table basse.

— Désolée, les filles, j'ai un peu traîné, murmura-t-elle. Il en reste ?

Gina lui lança un verre vide. Tiffany l'attrapa au vol avant de le tendre à Mia pour qu'elle le remplisse, tout en se disant que ces filles étaient complètement déjantées, Jodie et elle comprises. Il fallait vraiment qu'elle ait perdu la tête pour faire ça. Elle risquait une méchante gueule de bois le lendemain, mais pour l'instant elle s'éclatait comme une petite folle.

— Je suis jalouse de vous, les filles, avoua-t-elle, un peu nostalgique.

— Ah bon ? Pourquoi ? s'enquit Bethany en inclinant la tête sur le côté.

— Parce que, si j'ai bien compris, vous avez toutes un mec qui vous attend à la maison, qui vous trouve trop mignonnes quand vous êtes pompettes et qui ne demande qu'à vous arracher votre jolie robe pour vous prendre sauvagement, en ne vous laissant que vos talons. Je n'ai jamais rencontré quelqu'un qui ait envie de me faire ça, conclut-elle avec une petite moue triste.

— Maintenant, si, intervint Kai à voix basse.

Tiffany rougit jusqu'aux oreilles, mais ses yeux brillaient de plaisir.

— Ouah ! souffla Mia. Tiffany, ma belle, on dirait que tu ne vas pas rentrer seule ce soir.

— Peut-être, oui ! lança Tiffany en riant.

—Il n'est pas question de «peut-être», ma beauté, gronda Kai. Prends tout ton temps pour t'amuser avec tes copines, mais ensuite, je te préviens, tu rentres avec moi.

—Je vais finir par mouiller ma culotte, chuchota Gina.

—Tu m'étonnes! renchérit Trish. Bien joué, Tiffany. Il est super sexy!

Tiffany leur décocha un sourire éclatant, puis s'empressa de vider son verre.

—Elles font souvent la fête comme ça? demanda Kai, l'air amusé.

—Oui, répondirent Brandon et Jace d'une même voix.

—Pourquoi ça tourne? intervint Jodie qui ne savait plus très bien où regarder. Kai, Brandon nous a dit que ce club t'appartenait. Est-ce que tu peux m'expliquer comment ça se fait qu'il tourne comme ça?

Kai rit doucement.

—Je crois pouvoir t'assurer que la seule chose qui tourne, c'est ta tête. Un des effets secondaires de la tequila.

Bethany fronça les sourcils.

—Quoi? C'est la tequila qui tourne? Je ne comprends plus rien.

Jace éclata de rire.

—Et ce n'est que le début, soupira Brandon.

Tina revint dans la pièce avec des verres propres et une deuxième bouteille de tequila.

—Cette fille est géniale, commenta Caroline en remplissant une nouvelle tournée. On devrait l'emmener à Vegas avec nous, Brandon.

—Allez, les filles, cul sec ! On a encore toute la nuit devant nous ! s'écria Chessy.

Jodie but encore deux shots, mais elle avait l'impression que ses yeux allaient lui sortir de la tête. À côté des autres, elle faisait figure de petite joueuse. La pièce tournait tout autour d'elle comme un manège un peu fou et peuplé de deux versions de chaque personne présente, ce qui commençait à faire beaucoup de monde. Elle résolut d'arrêter la tequila pour le reste de la soirée.

—Et si on remettait la musique ? demanda Mia. Puisqu'on a fini de papoter, j'ai bien envie de danser. Qui vote pour ?

—Moi ! lança Jodie en levant la main. Mais il va falloir m'aider à me relever.

Au moins trois paires de mains la remirent sur ses pieds, puis Mia appuya sur l'interrupteur placé près de la vitre, et la musique retentit dans le petit salon. Aussitôt, toutes les filles se levèrent et se mirent à danser en riant.

—C'est génial ! Je m'éclate ! cria Jodie.

—Tant mieux ! répliqua Mia.

—Merci de m'avoir invitée, les filles ! intervint Tiffany. Je passe une super soirée, et en plus Kai veut que je rentre avec lui. Vous croyez que je devrais accepter ?

Jodie jeta un coup d'œil aux deux hommes toujours postés près de la porte. Ils avaient sûrement entendu la question de Tiffany.

En effet, Kai esquissa un sourire.

—Est-ce que j'ai le droit de répondre? lança-t-il d'une voix suave.

Jodie se retourna vers Tiffany.

—Est-ce que tu en as envie?

La jeune femme cilla un instant.

—Oui. Oui, j'en ai envie.

—Tant qu'il me donne ses coordonnées pour que je puisse le contacter demain matin et m'assurer qu'il ne t'a pas égorgée dans ton sommeil, ça me va.

Puis, un sourire aux lèvres, elle se remit à danser sans plus prêter attention aux éclats de rire qui retentissaient autour d'elle. Elle s'amusait trop bien, ivre de tequila et du plaisir d'avoir trouvé de telles amies.

Elle ferma les yeux et se laissa porter par la musique.

Ash décrocha son téléphone en voyant que c'était Jace qui l'appelait.

—Salut, Jace. Ça va? Ces dames ne t'ont pas encore rendu fou?

Il entendit son ami rire doucement dans le combiné.

—Tu ferais bien de venir nous rejoindre, Ash.

—Pourquoi? demanda-t-il en jetant un regard à Gabe. Elles vont bien?

— Oh oui ! Ne t'en fais pas pour elles, mais je pense qu'on ferait mieux de passer au plan B.

— C'est quoi, le plan B ?

— Eh bien, le plan A, c'était que je les raccompagne toutes en limousine, mais la soirée ne s'est pas exactement passée comme prévu. À l'instant où je te parle, les filles sont affalées dans un salon privé et discutent de trucs auxquels je ne comprends rien. Je me disais donc que tu ferais bien de venir chercher ta chérie et de la ramener directement chez toi si tu tiens à terminer cette nuit dignement.

Ash éclata de rire.

— OK, on arrive. Surveille-les en nous attendant.

— Promis, dit Jace avant de raccrocher.

— Qu'est-ce qui se passe ? s'enquit Gabe, les sourcils froncés.

— Apparemment, elles sont en train de comater dans un des salons privés du club. Il nous conseille d'aller chercher Mia et Jodie si on veut profiter de cette soirée jusqu'au bout.

— OK. On n'a qu'à prendre ta voiture, et j'appellerai mon chauffeur en chemin pour qu'il nous rejoigne là-bas.

— Alors, c'est parti ! lança Ash.

Vingt minutes plus tard, ils s'arrêtaient devant le club, et Ash ordonnait à son chauffeur de se garer non loin. Puis ils descendirent.

Heureusement que Brandon était venu les accueillir ! La file d'attente était encore longue, et, sans l'aide du videur, ils n'auraient peut-être même pas pu entrer.

—Je ne suis pas sûr de vouloir tout savoir, grommela Ash en suivant Brandon à l'intérieur.

—Tu as raison! rétorqua ce dernier en riant. Ce qui compte, c'est qu'elles ont passé une bonne soirée. Le propriétaire du club est resté dans leurs parages quasiment tout le temps, et l'équipe de sécurité garde toujours un œil sur lui, donc elles étaient tranquilles.

—Qui c'est, le propriétaire du club? Et pourquoi il traînait avec nos femmes, d'abord? demanda Gabe.

Brandon rit de plus belle.

—Rassure-toi, il s'intéressait uniquement à Tiffany. Il ne l'a pas quittée des yeux de toute la soirée, ce qui n'est pourtant pas son genre. Il a l'air très impressionné.

Ash fronça les sourcils. Il s'agissait de sa sœur, quand même.

Brandon les conduisit à l'étage, qui formait une mezzanine en demi-cercle autour de la piste de danse. Arrivé devant la porte de l'un des salons, il frappa discrètement et ouvrit. Ash aperçut Jace ainsi qu'un homme qu'il ne reconnut pas – sans doute le fameux propriétaire.

Jace leva la tête vers eux et leur fit signe d'entrer, un sourire aux lèvres. À peine Ash eut-il mis un pied à l'intérieur qu'il écarquilla les yeux.

La pièce était envahie de femmes toutes plus belles les unes que les autres. Plus d'un homme aurait rêvé de se trouver face à un tel tableau, pourtant le regard d'Ash s'arrêta sur Jodie, et il ne vit plus qu'elle.

Elle était à moitié allongée sur un canapé, la joue appuyée sur le bras du fauteuil. Mia était assise par terre devant elle, la tête appuyée contre les cuisses de Jodie, tandis que Bethany était allongée en sens inverse et avait glissé ses pieds sous les fesses de Jodie.

Chessy, Gina et Trish étaient assises sur la moquette, adossées à la vitre et calées les unes contre les autres, et Tiffany se trouvait sagement appuyée contre le mur un peu plus loin. Quant à Caroline, elle était étendue en travers d'un fauteuil, les jambes passées par-dessus le bras.

Elles ne dormaient pas encore mais ne semblaient plus conscientes de grand-chose.

Ash rit doucement et, en se tournant, vit que Gabe et les autres souriaient, attendris eux aussi.

— Bon. Et maintenant qu'est-ce qu'on en fait ? demanda-t-il.

Gabe lui décocha un sourire narquois.

— Tu veux que je te fasse un dessin ?

Jodie leva les yeux vers lui et lui décocha un sourire éblouissant. Elle semblait incapable de le regarder bien en face et dodelinait de la tête.

— Salut, mon cœur ! lança-t-elle. Tu es venu en double ? C'est génial ! Comme ça, on peut se faire un plan à trois, rien que tous les deux. Enfin, tu vois ce que je veux dire…

Gabe, Jace et Brandon partirent d'un même éclat de rire, et Ash se précipita pour faire taire Jodie.

—Oui, ma chérie. Je vois ce que tu veux dire, ce n'est pas la peine d'entrer dans les détails, murmura-t-il en lui posant une main sur la bouche.

Il la sentit sourire sous ses doigts, et, quand il s'écarta un peu, son cœur se serra tant elle était belle.

—Tu es venu me chercher pour me ramener à la maison et me prendre sauvagement en me laissant seulement mes talons ? Parce que Mia et Bethany m'ont tout raconté, alors tu n'as pas intérêt à me décevoir, reprit-elle sur un ton solennel.

Il se pencha sur elle pour l'embrasser sur le front.

—OK, ma belle. Je te promets que je vais faire de mon mieux. Tu es prête ?

—Oui ! lança-t-elle en levant les deux bras d'un geste théâtral avant de se poser un doigt sur les lèvres. Attends ! J'ai un secret ! Il ne faut pas le dire à Ash, mais Tiffany a rencontré un type trop canon et elle envisage de rentrer avec lui. Je suis sûre qu'en bon grand frère Ash préférerait mener une enquête approfondie sur le beau gosse avant de le laisser raccompagner sa sœur.

Ash fronça les sourcils puis chercha Tiffany du regard avant de se tourner vers Jace.

—Elle est sérieuse, là ?

L'inconnu qui, jusque-là, se tenait en silence à côté de Jace, s'avança vers lui. Ash comprit immédiatement à sa posture calme et posée qu'il s'agissait d'un homme fortuné et bien dans sa peau. Il n'éprouvait pas le besoin d'étaler sa richesse : son élégance parlait pour lui.

Ash le toisa sans un mot, et l'inconnu soutint son regard sans flancher.

— Je m'appelle Kai Wellington, annonça-t-il d'une voix grave. Ce club m'appartient. J'ai proposé à Tiffany de la raccompagner en fin de soirée.

— Je ne voudrais pas que vous profitiez d'elle dans l'état où elle est, rétorqua Ash.

— Bien sûr que non. Je suis patient.

Ash tressaillit à l'idée de ce qu'impliquait cette patience. Il n'avait pas envie d'en savoir davantage.

— Ne t'en fais pas, Ash. Je m'assurerai qu'elle rentre chez elle en toute sécurité, intervint Brandon.

Kai jeta un regard amusé à ce dernier, sans doute un peu surpris de voir un de ses employés prendre ainsi sa défense. Il ignorait sans doute qu'Ash, Gabe et Jace avaient fait comprendre à Brandon qu'ils comptaient sur lui pour assurer la sécurité de leurs compagnes et de leurs amies tant qu'elles se trouvaient dans le club.

— Merci, Brandon. Appelle-moi pour m'assurer qu'elle est bien rentrée, s'il te plaît.

— Donnez-moi votre carte, je m'en chargerai, intervint Kai.

Ash sortit son portefeuille et tendit une de ses cartes à Kai.

— Si vous voulez y aller, mes collègues et moi ferons en sorte que Gina, Trish et Chessy rentrent sans encombre, proposa Brandon. Caro reste avec moi jusqu'à la fin de mon service.

Gabe acquiesça.

—Super. Réveillons ces belles endormies et allons-y, déclara Ash.

Chapitre 26

—CONSEIL DE GUERRE! cria MIA en se postant au milieu de la pièce.

Elle fit signe à Jodie et à Bethany de venir la rejoindre, et les deux jeunes femmes se mirent péniblement debout. Jodie vacilla et regarda ses pieds, perplexe. Ils semblaient en panne. Elle faillit piquer du nez, mais un bras fort la retint.

—Oups!

Elle recouvra un équilibre précaire et décocha son plus beau sourire à son gentil sauveur. S'agissait-il d'Ash? Le manège tournait tellement vite qu'elle ne reconnaissait plus rien ni personne.

Elle se dirigea vers Mia et attrapa le bras de Bethany lorsque celle-ci la bouscula. Enfin, elles arrivèrent à hauteur de Mia, prises de fou rire.

—Voilà ce qu'on va faire, lança Mia dans un murmure conspirateur mais assez fort pour être entendue de tous. On va déjeuner ensemble demain et se raconter notre fin de soirée. Je suis super curieuse de savoir comment Ash va réagir.

Jodie fronça les sourcils et jeta un coup d'œil par-dessus son épaule aux quatre hommes, qui les couvaient d'un regard attendri.

—Et Tiffany ? demanda-t-elle le plus discrètement qu'elle put. Si elle passe la nuit avec le big boss, je veux tout savoir. Pas vous ?

—Ah si ! décréta Bethany solennellement.

—Tiffany, au rapport ! cria Mia.

La jeune femme se remit debout et vint rejoindre leur petit cercle, les joues roses de plaisir.

—On déjeune ensemble demain pour se raconter les détails croustillants de la soirée, l'informa Mia.

Des grognements gênés retentirent derrière elles, et Jodie se retourna pour faire taire ces messieurs d'un regard menaçant – ou presque – : ils éclatèrent de rire. Elle reporta son attention sur ses copines.

Tiffany surveillait Kai en se mordant la lèvre, indécise.

—Je ne sais pas, les filles. J'ai un peu peur de ne pas être à la hauteur.

—Compte sur moi pour te mettre à l'aise, intervint Kai.

—Hé ! Ils nous espionnent ! s'écria Mia.

—Difficile de faire autrement, ma puce, rétorqua Gabe en riant. Je pense qu'on t'entend jusqu'sur la piste de danse.

Mia esquissa une moue contrariée et s'efforça de murmurer.

— Rendez-vous à 13 heures à *Isabella's* pour un débriefing général.

— Ça fait partie du rituel ? s'enquit Kai.

— Aucune idée, répondit Jace. Je préfère ne pas savoir ce qu'elles disent de nous le lendemain. Bonjour la pression !

Les jeunes femmes éclatèrent de rire, puis Mia tendit la main droite au milieu de leur petit cercle, aussitôt imitée par les autres.

— Je compte jusqu'à trois, puis on va récupérer nos mecs ! Un. Deux. Trois !

Elles lancèrent les mains en l'air dans un même mouvement et s'écartèrent les unes des autres, emportées par leur élan. Jodie faillit trébucher. Elle cherchait des yeux ses beaux escarpins à paillettes.

— Mes chaussures ! Je ne trouve plus mes chaussures ! s'écria-t-elle, effarée. Ça ne va pas du tout ! Il faut absolument que je les retrouve !

— C'est ça que tu cherches, ma chérie ?

Elle releva la tête et aperçut Ash qui se tenait devant elle et balançait ses escarpins au bout de son index. Il avait les yeux rieurs, mais elle y perçut néanmoins une lueur flatteuse. Elle tira un peu sur sa robe, histoire qu'elle couvre bien tout ce qu'il fallait.

Ash sourit de plus belle et se pencha vers elle pour remonter son bustier, effleurant au passage la naissance d'un sein.

—Ce bout de téton qui dépasse est absolument ravissant, mais je préfère être le seul à le voir.

Jodie se plaqua les mains sur la poitrine, horrifiée, puis se tourna vers les autres hommes.

—Oh non ! Ils ont vu mes tétons ?!

Tous accueillirent cette question d'un grand éclat de rire, mais firent sagement « non » de la tête. Ash attira Jodie contre lui et l'embrassa tendrement.

—Non, ma belle. Ne t'inquiète pas. Je suis le seul à avoir remarqué.

Il ponctua cette affirmation d'un regard appuyé aux trois autres, qui s'empressèrent d'adopter un air innocent.

—Ah, ouf ! Bon, c'est pas tout ça. Il faut que je remette mes chaussures, maintenant, grommela-t-elle.

Ash la fit asseoir sur le canapé et lui remit ses escarpins avec des gestes d'une infinie douceur. Elle le regarda faire, fascinée. Il referma une grande main chaude sur sa cheville et la caressa un instant avant de l'aider à se relever.

Elle se remit debout et testa son équilibre. Elle avait ôté ses talons avant de commencer à boire sérieusement et ne tenait pas à s'étaler de tout son long.

Ash lui prit le coude d'une main ferme puis l'attira contre lui pour lui offrir la stabilité de son corps. Elle se laissa faire avec un soupir de bien-être en inspirant le parfum chaud et délicieux de son homme.

—Merci d'avoir pris soin d'elles, Brandon, dit-il en se dirigeant vers la porte.

— Ben, et moi ? s'écria Jace. Je te préviens : la prochaine fois, c'est à ton tour.

— J'attends ça avec impatience, rétorqua Ash en souriant.

Il entraîna Jodie à l'extérieur, ralentissant le pas lorsqu'elle trébucha. Elle était douce comme un chaton, et il se maudit d'habiter aussi loin du club. Il mourait d'envie de tenir la promesse qu'il lui avait faite et de la prendre sans attendre en ne lui laissant que ses talons.

Gabe et Jace n'avaient pas menti, et il les enviait d'avoir connu ce genre de soirée avant lui, mais il avait Jodie à présent. Elle commençait à s'intégrer à son groupe d'amis – à sa famille. Il envisageait l'avenir avec un bonheur à la fois étourdissant et serein, fort de la conviction qu'elle était sienne.

Ash connaissait beaucoup d'hommes qui rechignaient à laisser leur compagne sortir avec des copines. S'ils savaient à quoi ils pouvaient s'attendre une fois leur femme rentrée à la maison, ils changeraient vite d'avis et iraient faire le plein de petites robes sexy et de talons à paillettes.

Il guida Jodie dans les escaliers qui descendaient vers la piste, où des collègues de Brandon leur frayèrent un passage au milieu de la foule.

Une fois dehors, il entraîna Jodie vers la voiture et l'aida à monter à l'arrière. Le temps qu'il la rejoigne, elle était déjà affalée sur la banquette. Une de ses chaussures s'était détachée de son talon et menaçait de tomber. Il lui prit la cheville d'un geste doux et lui remit son escarpin.

Elle ouvrit les yeux et lui décocha un grand sourire tout étourdi.

—Salut, toi ! lança-t-elle d'une voix suave.

—Salut, toi-même, dit-il en riant.

Il se pencha sur elle pour lui déposer un baiser sur le bout du nez. Elle était tellement mignonne ! Et toute à lui…

—Tu t'es bien amusée ?

—Ouais ! souffla-t-elle. Tu avais raison : Mia et Bethany sont vraiment géniales, et leurs copines aussi.

Elle s'interrompit, les sourcils froncés, et Ash inclina la tête, curieux de découvrir ce qui la chagrinait ainsi.

—En revanche, Mia était triste parce que Caro va déménager. Brandon et elle vont se marier et aller vivre à Las Vegas. Mais ce n'est pas grave, il lui restera quand même Bethany. Et moi, ajouta-t-elle en se désignant d'un geste maladroit.

—Oui, ma chérie. Et toi, reprit Ash en riant.

—Et Tiffany ! renchérit Jodie, toute joyeuse. Elle a passé une bonne soirée, Ash. Au début, elle était triste parce qu'elle n'avait pas de beau mec à la maison pour lui arracher sa robe, mais ensuite elle a rencontré Kai.

—Je ne suis pas sûr d'aimer l'idée qu'elle rentre avec un type qui l'a draguée dans un club.

—Moi, il me plaît bien, dit Jodie. Il a l'air super déterminé, et tout. Mais en bien… Un peu comme toi.

Ash secoua la tête, l'air renfrogné.

—Raison de plus pour ne pas apprécier que ma sœur passe une nuit sans lendemain avec lui.

— Oh, je ne pense pas que ce sera un truc sans lendemain ! objecta Jodie. Il avait l'air super sérieux. On aurait dit qu'il voulait la dévorer. J'en avais des frissons partout.

— Quoi ? Ce mec t'a donné des frissons ? s'écria Ash, irrité.

— Mais t'inquiète ! rétorqua-t-elle en pouffant. Tu sais bien que je ne veux que toi, mais c'est vrai qu'il est super sexy, et, clairement, Tiffany lui plaît beaucoup, alors je suis contente pour elle.

— Je préférerais me renseigner un peu sur lui avant de me prononcer là-dessus, dit-il dans un soupir. J'aimerais m'assurer qu'il est vraiment réglo.

Aussitôt, il eut conscience de l'hypocrisie de ses paroles. Lui-même avait plus d'une fois trempé dans des histoires un peu louches. Il ne regrettait rien, mais ne pouvait pas non plus nier les faits. En revanche, il savait que ses intentions avaient toujours été honorables. Kai Wellington pouvait-il en dire autant ?

Il secoua la tête. Il ne voulait plus penser à Tiffany et à Kai pour l'instant. S'il ne recevait pas le coup de fil que celui-ci lui avait promis, il enverrait quelqu'un chez Tiffany pour s'assurer que tout allait bien. Dès le lendemain, il commanditerait une enquête de fond sur le propriétaire du club.

En attendant, il avait dans les bras une femme adorablement pompette, qu'il était impatient de déshabiller.

— Ma chérie, cette robe et ces chaussures te vont à ravir.

Elle lui décocha un sourire éblouissant qui creusa une fossette dans sa joue.

—Je te plais, comme ça?

—Oh oui, tu me plais! Mais je crois que tu me plairas encore plus quand je t'en aurai débarrassée.

—Ah non, pas les chaussures! rétorqua-t-elle avec une grimace. Il faut que tu me laisses les chaussures. C'est très important. Ça fait partie du rituel, d'après Mia et Bethany, et je ne voudrais surtout pas casser le rituel.

—Tu as raison, ma belle. Je te laisse les chaussures. Promis, dit-il en luttant pour garder son sérieux.

Enfin, ils arrivèrent devant chez lui, et il sortit avant d'aider Jodie à descendre de voiture. Une fois certain qu'elle tenait bien sur ses pieds, il la guida vers l'entrée de l'immeuble et jusque dans l'ascenseur.

Aussitôt que les portes s'ouvrirent sur son appartement, il entraîna Jodie en direction de sa chambre, mais s'immobilisa lorsque son téléphone sonna. Il ne reconnut pas le numéro, mais supposa qu'il s'agissait de Kai Wellington et décrocha.

—Ash McIntyre.

—Kai Wellington à l'appareil. Tiffany est bien rentrée chez elle, tout va bien. Ne vous inquiétez pas, monsieur McIntyre : votre sœur est entre de bonnes mains.

—Merci, murmura-t-il. J'apprécie que vous m'ayez appelé.

Après avoir raccroché, il se promit de prendre des nouvelles de sa sœur le lendemain matin, puis il reporta son attention sur Jodie et l'aida à s'asseoir sur le lit.

—Ok, ma chérie. À toi de prendre les commandes de cette soirée. Dis-moi de quoi tu as envie. Je suis à ton service.

Elle lui sourit, les yeux brillants, et se passa la langue sur les lèvres. Il laissa échapper un grondement. Cette femme allait avoir raison de lui.

— Oh, c'est facile ! Commence par m'enlever ma robe, puis prends-moi dans tous les sens.

Le ton factuel avec lequel elle dit cela, combiné à son regard plein d'espoir, le fit rire.

— Tout ce que tu veux, ma belle. Je ne voudrais surtout pas décevoir ma tigresse.

Elle sourit avec un soupir satisfait.

— Oh, j'adore !

— Qu'est-ce que tu adores, ma belle ?

— Quand tu m'appelles « ma tigresse ». C'est à la fois mignon et sexy.

— Ma belle tigresse toute dorée, répéta-t-il dans un murmure grave.

Jodie leva les bras.

— Allez, enlève la robe dorée de ta tigresse et fais-lui l'amour jusqu'à ce qu'elle ronronne de plaisir.

Il s'approcha en riant et l'aida à se remettre debout.

— Compte sur moi, ma douce.

Elle poussa un nouveau soupir de bonheur et vacilla légèrement.

— J'adore tous les petits noms que tu me donnes !

Ash lui adressa un clin d'œil et la fit tourner pour pouvoir défaire la fermeture de sa robe, qu'il laissa tomber à ses pieds. Il tendit la main à Jodie pour qu'elle ne perde pas l'équilibre en dégageant ses chaussures du tissu, puis prit le temps de la contempler et retint son souffle.

—Ouah! Où est-ce que tu as trouvé cette culotte?

—Oh, ça fait longtemps que je l'ai! déclara-t-elle avec un petit air satisfait, mais rassure-toi: c'est la première fois que je la porte. Personne d'autre que toi ne l'a jamais vue. Je la gardais pour une occasion spéciale, alors je me suis dit que c'était approprié.

—Oh oui, c'est tout à fait approprié!

Elle lui fit face et ouvrit de grands yeux, comme si elle s'apprêtait à lui révéler un secret de la plus grande importance.

—Il y a une fente, donc tu n'as même pas besoin de me l'enlever.

Il lui prit le menton et se pencha sur elle pour l'embrasser tendrement. Elle avait goût de tequila et elle lui rendit son baiser avec un enthousiasme torride.

Elle poussa un petit gémissement et se colla contre lui comme une chatte en chaleur. Pourtant, il ne voulait pas lui donner satisfaction trop tôt. Dans l'état où elle était, il suffirait d'un orgasme pour qu'elle s'endorme comme une bienheureuse, or il avait envie de faire durer le plaisir.

—Tu veux que je te prenne dans tous les sens, c'est ça? demanda-t-il d'une voix autoritaire qui la fit frissonner contre lui. Alors je vais commencer par ta bouche, puis je vais pénétrer ton sexe si doux avant de venir jouir dans ton joli petit cul.

—Ash…, plaida-t-elle avec une ferveur qui le fit sourire.

Elle était déchaînée et se frottait contre lui de façon totalement indécente.

—Mets-toi à genoux, ordonna-t-il brusquement.

Il se pencha pour attraper un oreiller qu'il posa devant elle avant de l'aider à y prendre place. Il s'assura qu'elle avait trouvé son équilibre, puis, d'un geste vif, défit sa braguette et sortit son membre déjà durci.

Il referma son poing dans les cheveux dorés de la jeune femme et approcha son sexe de ses lèvres. Elle ouvrit la bouche avec un léger soupir qui passa sur la peau fine de son gland et le fit frissonner des pieds à la tête. Un grognement lui échappa lorsqu'elle referma ses lèvres autour de lui et fit jouer sa langue sur toute sa longueur. Il s'avança au plus profond en un long mouvement.

—Tu es magnifique, Jodie!

Elle le suçait avec vigueur et tentait de le retenir chaque fois qu'il se retirait, tout en émettant des bruits terriblement excitants.

Il se délectait du spectacle des lèvres de la jeune femme autour de son érection luisante de salive. Elle passa de longues minutes à faire glisser sa langue sous son sexe, puis se retira légèrement et décrivit de lents cercles autour de son gland avant de refermer ses lèvres dessus pour lui offrir une résistance lorsqu'il s'avança de nouveau.

Conscient qu'il n'allait pas pouvoir continuer comme cela très longtemps, il s'écarta doucement et l'aida à se relever.

Elle avait les yeux embrumés par l'alcool et le désir, lumineux et chaleureux.

Il l'allongea sur le lit et se pencha sur elle en posant un genou entre ses cuisses écartées. Il lécha doucement l'un de ses seins avant d'en attirer la pointe entre ses dents et de sucer avec vigueur. Puis il entreprit de la mordiller légèrement tout en remontant vers la peau fine de son cou et jusqu'au lobe de son oreille. Il en décrivit le contour du bout de la langue avant de le happer entre ses lèvres.

—Ash! cria-t-elle en étirant la chuintante en un soupir. Tu vas me rendre folle!

—C'est l'idée, ma belle. Je veux te mener à un état d'excitation tel que tu puisses m'accueillir dans ton cul sans le moindre effort.

—Oh! fit-elle avec un violent frisson. Je n'en peux déjà plus! Si tu savais ce que tu me fais!

—Oh oui, ma belle, je sais très bien ce que je te fais! rétorqua-t-il, amusé.

Puis il se pencha sur elle de nouveau et s'amusa à lui lécher et à lui pincer les tétons jusqu'à ce qu'ils soient réduits à deux petites pointes dures et rougies. Alors il déposa de longs baisers le long de son ventre et encore plus bas. Il découvrit la fente de sa culotte et écarta délicatement ses quelques boucles avant de goûter sa chair satinée. Il aspira brièvement son clitoris entre ses lèvres, mais ne s'attarda pas sur ce point si sensible. Il descendit encore un peu et introduisit sa langue en imitant les mouvements d'une pénétration.

—Tu es délicieuse, ma belle, gronda-t-il en s'écartant un peu. Je suis complètement accro.

Puis il reprit ses assauts jusqu'à ce qu'elle perde toute retenue et le supplie d'y mettre un terme. Elle se cambrait et s'agitait, mais il lui retint fermement les hanches pour l'obliger à subir ses attentions.

—Ash! Je vais jouir!

Aussitôt, il s'éloigna, la laissant gémissante et hors d'haleine. Il se releva et se déshabilla entièrement, le souffle court, puis il l'attira au bord du lit avant de faire remonter ses jambes autour de sa taille et de saisir à pleines mains les talons de ses chaussures.

Jodie écarquilla les yeux, une lueur d'excitation coquine dans ses prunelles aigue-marine. Il lui fit replier les jambes de façon à les écarter au maximum. Il ne prit même pas la peine de préparer son entrée. Il se contenta de s'assurer que la fente de sa culotte était bien ouverte et la pénétra d'une violente poussée.

Elle cria son nom tandis que son sexe étroit et brûlant l'accueillait entièrement. Il crispa les mâchoires pour se contrôler et donna de rapides coups de reins. Puis, quand il sentit qu'elle commençait à se contracter autour de lui, il s'immobilisa en elle et inspira profondément pour endiguer la montée de son propre plaisir.

Il se retira lentement et ne lâcha ses talons que pour lui arracher la fine culotte en soie, dont la fente ne lui offrait malheureusement qu'un accès limité. Une fois qu'il l'eut entièrement dénudée, il passa les mains sous ses fesses pour présenter son anus à ses assauts. Elle écarquilla les yeux lorsqu'elle comprit qu'il comptait la prendre dans cette position. D'habitude, il la faisait mettre à quatre pattes. Ainsi, elle était beaucoup plus vulnérable, les jambes écartées, entièrement offerte.

Il attrapa le tube de lubrifiant et en versa un peu dans sa main.

— Je n'en mets pas beaucoup, cette fois. Juste assez pour que ça rentre. Je veux que tu me sentes te pénétrer.

Elle hocha la tête tout en se passant la langue sur les lèvres, et il faillit jouir sur-le-champ. Mâchoires crispées, il enduisit son membre de lubrifiant, puis positionna son gland et donna une première poussée. Aussitôt, il lâcha son sexe et reprit les talons de Jodie de façon à lui écarter les jambes au maximum.

Alors il pénétra lentement mais sans hésitation. Elle s'ouvrit à lui sans trop de résistance, les yeux toujours écarquillés.

— C'est bien, ma belle, l'encouragea-t-il. Laisse-moi entrer. Je vais te baiser vite et fort. Il va falloir que tu te caresses parce que je compte garder les mains sur tes chaussures. Mais attention : tu n'auras le droit de jouir que quand je te le dirai. D'accord ?

— D'accord, souffla-t-elle d'un air rêveur.

Elle glissa une main le long de son ventre et exerça une légère pression sur son clitoris avec un soupir de plaisir.

Ash profita du fait qu'elle était absorbée par ses propres caresses pour la pénétrer entièrement d'une vigoureuse poussée. Elle se cambra à sa rencontre avec un cri aigu.

Il s'immobilisa tout contre elle, les testicules pressés contre ses fesses.

—C'est trop bon, ma belle. Je ne vais pas tenir longtemps, alors vas-y, fonce.

—J'y suis presque, Ash. Baise-moi !

Il n'allait certainement pas désobéir à un ordre pareil. Il entama de longs et puissants mouvements, faisant claquer ses cuisses contre les fesses de la jeune femme avec tant de vigueur que ses seins tressautaient en rythme. Elle ferma les yeux et rejeta la tête en arrière tandis qu'il poursuivait ses assauts.

Elle jouit la première, et son hurlement de plaisir déclencha l'orgasme d'Ash. Il se répandit en jets puissants qui facilitèrent son passage et accéléra encore la cadence. Jodie avait toujours deux doigts pressés contre son clitoris et haletait, les yeux dans le vague. Elle finit par laisser retomber sa main.

Ash s'immobilisa jusqu'à ce que ses spasmes se calment, puis il lâcha les talons de Jodie et se pencha doucement sur elle.

Il la prit dans ses bras et l'attira contre lui. Ils étaient tous deux hors d'haleine, épuisés et comblés.

Il n'avait jamais ressenti cela. Jodie était la seule femme à lui faire cet effet-là. Il avait l'impression que son cœur allait éclater tant il était riche de sentiments beaux et forts qu'il aurait voulu lui avouer.

Elle lui caressa les cheveux pendant quelques instants, puis il sentit sa main retomber sur le matelas et son corps se détendre sous le sien. Il redressa la tête avec un sourire attendri.

Elle dormait.

Il se retira doucement, amusé, puis alla se doucher en vitesse avant de revenir dans la chambre armé d'un gant de toilette à l'aide duquel il nettoya Jodie. Quand il fut satisfait, il lui retira ses talons puis la souleva de façon à l'allonger avec la tête sur l'oreiller. Enfin, il s'allongea derrière elle et éteignit la lumière avant de la caler contre lui, bien à l'abri dans ses bras.

Il la caressa longuement, émerveillé. Il espérait vraiment que ces soirées entre filles deviendraient une habitude et se promit d'offrir à Jodie quantité d'escarpins extravagants – ainsi que des ensembles de lingerie coquine.

Chapitre 27

— Tu sais si Tiffany compte venir ? demanda Mia à Jodie lorsque cette dernière s'installa sur la banquette à côté de Bethany.

— Oui, elle m'a envoyé un texto au moment où je partais de l'appartement. Elle ne devrait pas tarder à arriver.

— Est-ce qu'elle a mentionné sa fin de soirée ? s'enquit Bethany.

— Non, mais elle a promis de tout nous raconter de vive voix.

— Au moins, elle a eu la bonne idée de prendre un jour de congé, fit remarquer Mia. Je n'aurais pas aimé devoir aller travailler avec une gueule de bois pareille. Ces shots m'ont achevée ! Gabe a été super mignon, cela dit. Il s'est occupé de moi ce matin avant de partir, mais ça ne m'a pas empêchée de me rendormir jusqu'à ce qu'il soit l'heure de venir vous rejoindre.

— Oui, Jace aussi, renchérit Bethany en riant. C'est fou comme ils sont gentils après une nuit de débauche alcoolisée.

Jodie éclata de rire.

— Ash m'a apporté le café au lit et m'a fait prendre plusieurs cachets. Je ne sais pas de quoi il s'agissait, mais c'était efficace. En sortant de la douche, je me sentais presque humaine.

— Ah ! Voilà Tiffany ! s'écria Bethany en faisant signe à la nouvelle venue.

Elle les aperçut et vint s'asseoir à côté de Mia.

— Salut, les filles ! lança-t-elle gaiement.

— Toi, tu as la mine d'une fille qui a passé une nuit de rêve, commenta Mia avec le plus grand sérieux.

Tiffany rougit, mais ses yeux brillants trahissaient son bonheur.

— Alors ?! Raconte-nous tout ! s'écria Jodie.

Tiffany sourit, aux anges.

— Si vous saviez ! Il est génial ! Je ne sais même pas par où commencer. J'adore son côté mystérieux. Vous savez ? Il a cette autorité des gens qui ne parlent pas beaucoup. Quand il ouvre la bouche, on l'écoute.

— Oui, bon, mais il est comment au lit ? s'enquit Mia, impatiente.

Les autres éclatèrent de rire.

— Eh bien, pour tout vous dire, il ne m'a pas touchée hier soir, avoua Tiffany. Il m'a raccompagnée chez moi, m'a mise au lit, et après ça je ne me souviens plus de rien. Tout ce que je sais, c'est que, quand je me suis réveillée ce matin, il était là, à côté de moi, en boxer. Croyez-moi, ce mec a un corps de dieu ! Je vous jure, j'ai failli en baver sur mon oreiller !

Jodie pouffa à cette description.

—Il est trop mignon, en plus : ce matin, pendant que je prenais ma douche, il m'a préparé le petit déjeuner et est revenu me l'apporter dans la chambre. Franchement, je ne connais rien de plus craquant qu'un beau mec qui ose faire des trucs aussi gentils.

—C'est clair ! intervint Bethany. Mais dis-moi : il était toujours en boxer, à ce moment-là ?

—Oui, répondit Tiffany en rougissant. J'ai dû beaucoup me concentrer pour ne pas avaler mon café de travers, je vous l'avoue.

—Bon, et ensuite ? demanda Mia.

—Il a pris une douche aussi, dit Tiffany, qui semblait prendre un malin plaisir à les faire languir.

—Oui, mais après ? s'écria Mia.

—Après, il est revenu dans la chambre, et là on a fait l'amour, déclara enfin Tiffany avec un sourire coquin.

—Ah ! souffla Bethany en riant. À en juger par ta tête, ça devait être super, mais j'aimerais quand même que tu nous racontes. Kai me fait un peu penser à Jace ; je suis sûre que c'est un dieu au pieu.

—Stop! cria Mia en se plaquant les mains sur les oreilles. Pitié! Je ne veux surtout pas savoir si mon frère est un dieu au pieu.

Jodie lui fit une petite grimace.

—Tu n'es pas drôle, Mia! Tu ne peux pas faire abstraction pendant quelques minutes?

La jeune femme fit «non» de la tête avec conviction, ce qui fit rire Bethany.

Tiffany reposa la tête contre le dossier de la banquette avec un soupir rêveur. Jodie se fit la réflexion qu'elle semblait déjà bien mordue – puis se rappela qu'il ne lui avait pas fallu beaucoup plus longtemps pour tomber éperdument amoureuse d'Ash. Elle avait rendu les armes quand elle s'était laissé entraîner chez lui. Non, c'était même pire que ça: il l'avait captivée depuis le premier jour, quand elle l'avait aperçu dans le parc. Elle avait mis du temps à l'admettre, tout simplement.

—C'était incroyable! murmura Tiffany. Tu as raison, Bethany: c'est un dieu. Il est à la fois super exigeant et super doux, ajouta-t-elle avec un frisson.

Jodie vit les avant-bras de la jeune femme se hérisser de chair de poule, mais, presque aussitôt, cette dernière se rembrunit.

—Rien à voir avec mon ex-mari. Beurk! C'étaient le jour et la nuit.

—Oublie ton ex, lança Jodie. C'est du passé, tout ça. Donne-nous plutôt des détails croustillants.

De nouveau, les filles partirent d'un grand éclat de rire. Jodie se rendait bien compte qu'elles commençaient à attirer l'attention des autres clients. D'ordinaire, cela l'aurait mise terriblement mal à l'aise, pourtant elle se sentait merveilleusement bien. Elle adorait ses nouvelles copines et s'amusait comme une folle.

—J'ai joui trois fois de suite, avoua Tiffany dans un chuchotement. Trois fois ! Vous vous rendez compte ?

—Génial ! s'écria Bethany avec un grand sourire. Tu penses que c'était juste comme ça ou que vous allez vous revoir ? Il t'a demandé ton numéro ? Il a parlé de t'appeler ?

—Du calme, Bethany. Une question à la fois, intervint Mia.

Tiffany sourit, et Jodie se fit la réflexion qu'elle était de plus en plus belle. Les ombres qui hantaient son visage jusque-là avaient disparu, et elle semblait sereine, sûre d'elle. En un mot : heureuse.

—Oh, il a mon numéro ! affirma-t-elle, et il a insisté pour que j'entre tous les siens dans le répertoire de mon téléphone. Il voulait savoir ce que je faisais aujourd'hui et avec qui. Il m'a carrément déclaré que ce n'était pas qu'une histoire d'un soir et qu'il comptait bien me revoir.

—Ouah ! souffla Mia, impressionnée.

—Il ne m'a même pas demandé mon avis ! poursuivit Tiffany avec un grand sourire. Il m'a dit qu'il viendrait me chercher ce soir pour m'emmener dîner et que je passerais la nuit avec lui à son hôtel.

—À son hôtel? répéta Jodie en fronçant les sourcils. Il n'a pas d'appartement à New York?

—Non. Il a des clubs un peu partout et voyage beaucoup, donc il n'a pas de résidence fixe. Dernièrement, il était surtout basé à Las Vegas et il va encore y passer pas mal de temps, en tout cas les premiers mois.

—Est-ce que tu sais pour combien de temps il est à New York? demanda Bethany en fronçant les sourcils.

—Non, répondit Tiffany avec un haussement d'épaules. J'ai décidé de ne pas me prendre la tête. On verra bien ce qui se passe. Si ça se trouve, je ne suis qu'un caprice temporaire à ses yeux. Je préfère ne pas trop m'emballer; je risquerais d'être déçue.

—Moi aussi, j'en ferais bien mon caprice, tiens, commenta Mia.

Bethany éclata de rire.

—Ça, ce sera répété et amplifié! déclara-t-elle.

—Tu n'oserais pas faire une chose pareille, rétorqua Mia. C'est contre le code d'honneur des copines. Ce qui est dit entre copines reste entre copines.

—C'est vrai, admit Bethany, mais ça m'amuse tellement de te taquiner.

—Et puis j'ai largement de quoi m'occuper avec Gabe, ajouta Mia avec un sourire coquin. Je ne vais certainement pas me priver de regarder les beaux mecs, mais je n'ai aucune envie de toucher un autre homme que Gabe.

—Vous croyez au coup de foudre, vous ? intervint Tiffany d'une petite voix. J'ai trente ans et je crois bien que je n'ai encore jamais été amoureuse. Clairement, avec mon ex-mari, ce n'était pas de l'amour. Ça me rend méfiante : si j'ai été aussi impressionnée par Kai, c'est peut-être juste parce que personne n'avait manifesté un tel désir pour moi auparavant. J'aurais peut-être réagi pareil avec n'importe qui d'autre.

Jodie posa sa main sur celle de Tiffany.

—Moi, j'y crois, au coup de foudre. Ça arrive plus souvent que tu ne le penses. Et puis cesse de comparer ce qui t'arrive maintenant avec ton premier mariage. Tout le monde fait des erreurs, mais tu as eu le courage de te sortir de là avant qu'il soit trop tard. Tu commences tout juste à te construire une nouvelle vie, plus rien ne t'empêche d'être heureuse.

—Je n'aurais pas dit mieux, commenta Bethany. Jace m'affirme qu'il est tombé amoureux de moi dès le premier coup d'œil. D'après ce que tu nous as raconté, Kai a l'air déjà bien accro.

Mia passa un bras autour des épaules de Tiffany.

—Fonce, ma belle ! Profites-en à fond. Si ça dure, tant mieux. Sinon, tu auras toujours des copines sur qui compter. Et puis tu peux faire confiance à Ash et aux autres pour botter les fesses de Kai si jamais il ne te traite pas comme tu le mérites.

Cette remarque fit rire Bethany et sembla amuser Tiffany, mais Jodie savait que Mia disait vrai. Ash le lui avait déjà prouvé.

—Vous avez raison, les filles. Autant en profiter pendant que ça dure, et tant pis s'il cherche juste une camarade de jeu le temps de son passage à New York. Je veux bien me dévouer pour ça! J'espère juste que je ne me transformerai pas en chieuse pleurnicharde quand il s'en ira.

—Qui dit qu'il s'en ira? fit remarquer Jodie. Un type qui te sert le petit déjeuner au lit dès le premier jour, ce n'est pas exactement une brute épaisse qui dégaine et qui dégage aussi sec.

Mia pouffa.

—Je suis d'accord, intervint Bethany. Le premier soir, avec Jace, je pensais qu'il ne cherchait rien de plus alors je me suis dépêchée de m'enfuir. Je n'aurais jamais imaginé qu'il mettrait Manhattan sens dessus dessous pour me retrouver. Évidemment, ça n'a pas toujours été simple, mais le fait est qu'il était accro dès le départ.

—Bon, assez parlé de moi, décréta Tiffany en se tournant vers Jodie. Dis-nous tout sur Ash et toi. Je n'avais jamais vu mon frère comme ça. Certes, on n'a pas eu l'occasion de passer beaucoup de temps ensemble, ces dernières années, mais s'il avait eu une copine stable je l'aurais su.

—Tu sais, ça ne fait même pas trois semaines qu'on est ensemble, tempéra Jodie en riant.

—Il est fichu, crois-moi, intervint Mia avec le plus grand sérieux. Je le connais depuis longtemps. Jusqu'à récemment, Jace et lui sortaient toujours avec les mêmes femmes, et le résultat n'était pas toujours très glorieux. J'ai croisé leur dernière greluche commune et… (Elle s'interrompit avec une grimace et se racla la gorge.) Pas toi, Bethany, celle d'avant. Houla, je m'enfonce… Faites-moi taire !

Bethany rougit violemment, mais Jodie éclata de rire.

—Ne vous inquiétez pas, les filles. Ça ne me gêne pas du tout. Au contraire, je trouve ça super que ce ne soit pas tabou.

Tiffany les regardait d'un air perplexe, mais aucune d'entre elles n'osa lui expliquer toute l'histoire.

—Bref, comme je le disais avant de malencontreusement mettre les deux pieds dans le plat, j'ai croisé la dernière pouffe qu'ils ont partagée. Ils m'avaient emmenée dîner, et je suis sûre qu'elle nous a suivis. Elle n'était pas du tout du genre à fréquenter le petit pub sympa mais sans prétention où on était en train de se goinfrer de nachos. Bref, elle est entrée comme une furie et nous a tapé un scandale, en m'insultant au passage parce qu'elle m'a prise pour sa remplaçante, conclut-elle avec un frisson d'horreur.

—J'imagine que ça ne s'est pas bien terminé, commenta Bethany avec un sourire malicieux.

—Non, en effet. Apparemment, elle n'avait pas bien compris le message quand ces messieurs l'avaient informée que c'était fini. Ce que je voulais dire, surtout, c'est que pendant longtemps Jace et Ash sont sortis avec les mêmes filles et qu'ils ne choisissaient pas forcément très bien leurs camarades de jeu. Et puis Jace a rencontré Bethany, et ça a marqué la fin de leurs plans à trois. Je sais que ça a beaucoup fait réfléchir Ash. Je ne pense pas qu'il t'aurait installée chez lui s'il n'était pas sérieux.

—Merci, ça me rassure, souffla Jodie.

—Tu es amoureuse ? demanda Tiffany avec un clin d'œil. Tes intentions envers mon frère sont-elles honorables ?

Les filles éclatèrent de rire, et Jodie leva les deux mains.

—En tout cas, je peux te jurer que j'y suis allée doucement avec lui, hier soir.

—Ça ne répond pas à la question, fit remarquer Mia.

Jodie poussa un gros soupir.

—Oui, je suis amoureuse, même si je ne le lui ai pas encore avoué. Je veux attendre le bon moment. C'est peut-être un peu bête, mais je préfère éviter de lui balancer ça dans le feu de l'action, par exemple. Je tiens à ce qu'il comprenne que je le pense vraiment et que je ne dis pas ça sur un coup de tête.

—Et lui ? Est-ce qu'il t'a fait part de ses sentiments ? demanda Bethany d'une voix douce.

—Non, répondit Jodie avec une grimace.

—Moi, je suis sûre qu'il est fou amoureux de toi, affirma Mia. Rien qu'à voir comment il te regarde, j'en ai des frissons partout.

—Et vous l'auriez entendu quand notre mère a débarqué au restaurant et qu'elle a fait une remarque désobligeante sur Jodie. J'ai cru qu'il allait l'étrangler – avec ma bénédiction.

Elles riaient de bon cœur quand le serveur apporta leur commande. Elles passèrent le reste du déjeuner à manger tout en bavardant. La conversation tournait essentiellement autour de leurs hommes respectifs, du sexe et… du sexe.

Jodie n'avait jamais été aussi heureuse. Sa vie était tout simplement parfaite… Elle avait Ash – ce qui, en soi, aurait déjà suffi à son bonheur – et un groupe de copines qu'elle appréciait davantage chaque fois qu'elle les voyait. C'étaient des filles franches et honnêtes, dotées d'un esprit vif et d'un cœur d'or. Que demander de plus ?

Ses œuvres commençaient à bien se vendre. Peu importait qu'il s'agisse d'un unique client : cela signifiait que cette personne avait suffisamment apprécié son travail pour tout rafler d'un coup, ce qui était franchement flatteur.

Par ailleurs, même si Ash et elle ne s'étaient pas encore avoué leurs sentiments, elle ne doutait pas d'avoir trouvé l'homme de sa vie. Il lui avait déjà parlé d'avenir, avait même mentionné une bague de fiançailles et de futurs enfants ! Il n'aurait certainement rien dit de tel s'il n'était pas sérieux.

Elle se cala contre le dossier de la banquette avec un soupir de bonheur et prit une gorgée de vin. Après tout, elle avait un chauffeur pour la raccompagner à la maison.

Une heure plus tard, les filles se séparèrent, et Jodie proposa à Tiffany de la raccompagner, puisque cette dernière était venue à pied.

—J'ai passé un super moment, déclara la sœur d'Ash lorsque la voiture se gara devant son immeuble. Merci de m'avoir invitée, Jodie, tant ce midi qu'hier soir.

—Je t'en prie, dit Jodie avec un grand sourire. Moi aussi, je me suis bien amusée. Il faudrait qu'on fasse ça plus souvent.

—Carrément ! lança Tiffany tout en descendant de voiture.

— Tu me tiens au courant, pour Kai. D'accord ? cria Jodie avant qu'elle referme la portière.

Tiffany leva les deux pouces avec un sourire ravi.

Le chauffeur redémarra, et Jodie envoya un texto à Ash pour lui dire qu'elle rentrait. Avec un peu de chance, il pourrait se libérer un peu plus tôt et venir la rejoindre.

Un frisson d'anticipation lui remonta dans l'échine. Elle était comblée, tout simplement.

En arrivant devant chez Ash, elle remercia le chauffeur puis entra dans l'immeuble. Le portier était au téléphone, mais, en l'apercevant, il posa une main sur le combiné et l'appela.

— Mademoiselle Carlysle, j'ai réceptionné un paquet pour vous en votre absence. Vous voulez que je vous le fasse monter ?

— Merci, mais ce n'est pas la peine, répondit-elle avec un sourire. Ce n'est pas lourd, n'est-ce pas ? Je vais l'emporter directement.

Elle avait commandé de nouveaux pinceaux : ce devait être cela.

— Très bien. Il est sur mon bureau. Donnez-moi juste une petite seconde, je vais vous le chercher.

— Ne vous dérangez pas, voyons ! Vous êtes au téléphone. Je vais le trouver, dit-elle en se dirigeant vers la petite pièce où le portier entreposait les livraisons en attente.

— Non ! Mademoiselle Carlysle !

Elle poussa la porte et, aussitôt, aperçut un petit carton posé sur le bureau. Elle vérifia qu'il lui était bien adressé et le cala sous son bras avec un sourire avant de tourner les talons.

C'est alors qu'elle aperçut plusieurs tableaux appuyés contre le mur.

Elle s'immobilisa, intriguée. À travers le papier bulle, elle crut reconnaître l'une de ses œuvres. Cela n'avait pourtant pas de sens.

Elle s'avança et regarda le deuxième tableau. Il s'agissait également d'une de ses créations !

Chapitre 28

Jodie inspecta chacune des toiles l'une l'après l'autre, et son estomac se serra quand elle comprit qu'elle avait sous les yeux l'intégralité des œuvres qu'elle avait vendues par l'intermédiaire de M. Downing.

Mais qu'est-ce que… ?

Soudain, elle repoussa les tableaux contre le mur, blême. Non, ce n'était pas possible. Il n'aurait quand même pas fait ça !

Et pourtant elle avait la preuve du contraire.

— Mademoiselle Carlysle, je vous en prie, plaida le portier. Vous n'auriez pas dû entrer.

— Non, en effet, murmura-t-elle.

Elle sortit de la pièce en le bousculant légèrement et ne se retourna pas lorsqu'il la supplia de l'écouter. Que pouvait-il bien avoir à lui dire ?

Elle monta dans l'ascenseur, les yeux brûlants de larmes. Comment Ash avait-il osé lui faire une chose pareille ? Elle avait l'impression de n'être qu'une pauvre niaise. Elle n'aurait jamais imaginé qu'Ash soit le mystérieux amateur d'art qui avait acquis toutes ses œuvres. Pourtant, elle aurait pu s'en douter. Depuis le départ, il avait soigneusement orchestré les moindres détails de leur relation.

Un profond désespoir s'empara d'elle. Elle qui se croyait enfin reconnue et indépendante, elle devait en fait tout à la générosité d'Ash. Elle vivait de son argent à lui, dans son appartement à lui. Le bonheur qu'elle avait ressenti un peu plus tôt – cette sensation d'avoir enfin trouvé sa place dans le monde – s'était évaporé quand elle avait découvert ses tableaux.

En sortant de l'ascenseur, elle passa devant les cartons qu'ils avaient rapportés de chez elle et dont la plupart étaient déjà presque vides, et se laissa tomber dans le canapé avant de se cacher le visage dans les mains.

Quelle humiliation! Elle repensa à toutes les fois où elle avait évoqué sa chance incroyable, et elle eut honte de son enthousiasme naïf. Ash l'avait laissée parler et se ridiculiser!

Il lui avait menti, alors qu'elle ne l'en aurait jamais cru capable. Certes, ce n'était qu'un mensonge par omission, mais elle n'aurait jamais eu l'idée de lui demander si c'était lui, le client mystère de la galerie. Et puis l'enjeu était énorme. Monumental.

Comment avait-il pu lui cacher une chose pareille?

Des larmes amères lui brûlaient les paupières, mais elle refusa d'y céder. Elle refusa également de chercher du réconfort dans l'idée que, peut-être, sa réaction était excessive. Il ne s'agissait pas d'un petit détail sans importance. C'était précisément parce qu'elle se sentait forte et indépendante financièrement qu'elle avait accepté la proposition d'Ash. Elle n'aurait jamais foncé tête baissée dans cette relation si elle avait été consciente de cette cruelle inégalité. Elle s'était soumise de son plein gré, parce qu'elle n'y était pas obligée. Certes, ses revenus n'étaient pas comparables à la fortune d'Ash, mais le simple fait de savoir qu'elle n'avait pas besoin de lui pour survivre lui avait permis de prendre sa décision en toute sérénité. Par ailleurs, en tant qu'artiste reconnue, elle n'avait pas à rougir face au succès professionnel de son amant.

Sauf que tout cela n'était qu'une illusion.

Elle vivait dans son appartement, et tout l'argent qui dormait sur son compte en banque provenait d'Ash. Elle n'avait rien gagné par son mérite. Dire qu'il l'avait payée le double du prix affiché! Elle aurait dû se méfier quand M. Downing lui avait fait part de cette information. Les gens normaux ne s'amusaient pas à entrer dans une galerie d'art un beau jour pour acheter plusieurs tableaux d'un coup en offrant, dans un élan de magnanimité, de payer deux fois plus cher.

Quelle conne!

Elle avait été assez bête pour croire qu'un inconnu s'était laissé émouvoir par ses œuvres, pour croire que son talent était bien réel, alors même que M. Downing avait refusé qu'elle lui apporte davantage de toiles parce que les précédentes ne se vendaient pas. À présent, elle savait à quoi s'en tenir.

Elle ferma les yeux, anéantie. Elle s'était offerte à lui sans réserve, et il l'avait ridiculisée.

Elle se rappela toutes ses belles paroles, quand il lui assurait qu'elle était un cadeau qu'il s'engageait à chérir et à protéger envers et contre tout. Quel hypocrite! Dire qu'elle avait annoncé la bonne nouvelle à ses amis, toute fière que son talent soit enfin reconnu ! Étaient-ils au courant ?

Soudain, une idée encore plus terrible lui traversa l'esprit. Puisque Ash lui avait menti à propos d'une chose pareille, que lui avait-il caché d'autre ?

Elle releva la tête, suffoquée par l'intensité de son chagrin. Elle s'efforça de respirer calmement, mais en vain.

Elle était amoureuse de lui, et elle avait cru qu'il l'aimait aussi.

Elle se massa les tempes et tenta de réfléchir à ce qu'elle pouvait faire. Puis elle aperçut les cartons alignés le long du mur, et son désespoir se mua en une colère froide. Elle n'allait certainement pas rester là bien sagement et faire comme si de rien n'était. Pas question ! Elle avait passé ces dernières semaines dans un mensonge et se retrouvait confrontée à la désagréable évidence que son art n'intéressait personne. Pour couronner le tout, elle avait délaissé sa création de bijoux depuis qu'elle avait emménagé chez Ash. Confiante dans le fait que ses toiles à venir avaient déjà trouvé preneur, elle s'était consacrée à sa peinture, sachant que cela lui rapportait bien plus.

Elle prit une profonde inspiration et se leva, bien décidée à agir. Il ne lui faudrait pas longtemps pour remballer ses affaires, surtout qu'elle ne comptait emporter que son matériel de peinture et les quelques vêtements qu'elle avait apportés avec elle. Ash lui en avait acheté d'autres depuis, mais elle ne voulait rien garder qui lui appartienne.

Comme un automate, elle remplit les cartons, sans prendre le soin qu'elle y avait mis la première fois. Il ne lui fallut qu'une demi-heure pour tout organiser et pour rassembler ses vêtements et ses affaires de toilette dans son petit sac de voyage. Puis elle examina la pile de cartons. Elle n'allait pas pouvoir les transporter toute seule, mais, au moins, elle avait un endroit où aller. Heureusement qu'elle n'avait pas encore eu le temps de résilier son bail.

Redressant les épaules, elle sortit son téléphone pour chercher les coordonnées d'une société de déménagement. Quelques minutes plus tard, l'affaire était réglée, même si elle avait dû débourser une coquette somme pour obtenir un camion sur-le-champ. Il ne lui restait plus qu'à attendre que des inconnus viennent emporter ses maigres possessions et effacer toute trace de sa présence dans l'appartement d'Ash.

Elle avait mal, horriblement mal. Son cœur et son âme étaient ivres de douleur, pourtant elle se sentait incapable de rester avec un homme qui l'avait manipulée ainsi. Certes, il ne l'avait pas blessée physiquement comme l'avait fait Michael, mais, en cet instant, Jodie aurait préféré des bleus et une lèvre fendue plutôt que cette souffrance infernale qui lui vrillait les entrailles.

Les déménageurs arrivèrent une heure plus tard et entreprirent de descendre ses cartons pour les charger dans leur camion. La jeune femme resta dans l'appartement jusqu'à ce qu'ils aient tout emporté, les encourageant silencieusement à se dépêcher. Elle ne voulait surtout pas qu'Ash rentre alors qu'ils étaient encore là. Heureusement, il n'avait pas encore appelé.

Le temps qu'il quitte le bureau et arrive chez lui, elle serait déjà loin, chez elle. Et, cette fois, elle ne se laisserait pas attendrir par des mots doux et de belles promesses creuses.

Elle s'en voulait de l'aimer – lui en voulait à lui parce qu'elle l'aimait et qu'il l'avait attirée dans son monde. Elle appréciait beaucoup ses amis, adorait Mia, Bethany et Tiffany, mais elle allait devoir les oublier à présent. Elles ne l'avaient acceptée dans leur cercle que parce qu'elle était avec Ash, mais elle allait devoir retourner à son existence solitaire.

Dans l'ascenseur, elle se rendit compte de deux failles dans son plan. La première, c'était qu'elle n'avait aucun moyen de rentrer chez elle. L'immeuble d'Ash était loin des stations de métro, et même si elle appelait un taxi sur-le-champ il lui faudrait attendre, avec la peur qu'Ash revienne.

La seconde faille, c'était qu'elle ne pouvait pas le quitter sans l'affronter en face. Elle ne lui devait rien, mais elle ne voulait pas se terrer chez elle en se demandant quand il se rendrait compte qu'elle était partie et comment il réagirait. À coup sûr, il viendrait chez elle lui demander des comptes, et elle tenait à éviter cela.

Elle résolut donc de faire d'une pierre deux coups en se rendant aux locaux de HCM avec le chauffeur d'Ash, qui était encore sûrement garé dans le parking de l'immeuble. De toute façon, ce dernier n'allait pas tarder à aller chercher son employeur. Elle sortit donc son téléphone du gros sac marron qu'elle portait à l'épaule et appela le chauffeur. Puis elle remit les clés de son appartement aux déménageurs pour qu'ils puissent commencer à décharger sans avoir à l'attendre.

Quelques minutes plus tard, elle était en route pour les bureaux de HCM, les joues baignées de larmes silencieuses.

Chapitre 29

Ash reposa la tête contre le dossier de son fauteuil sans pour autant éloigner le téléphone de son oreille. Cet appel n'en finissait pas, et il n'avait qu'une envie : raccrocher et rentrer retrouver Jodie.

Il était impatient qu'elle lui raconte sa journée, notamment son déjeuner avec les filles. Puis il l'emmènerait dîner dans un endroit discret et chaleureux, où ils pourraient bavarder tranquillement et, plus tard, ils feraient l'amour jusqu'à l'épuisement.

Après un coup frappé à la porte, Eleanor passa la tête à l'intérieur. Ash fronça les sourcils, vaguement inquiet. Pour qu'Eleanor l'interrompe en pleine conférence téléphonique, il fallait qu'il se passe quelque chose d'urgent.

Il s'excusa auprès de son interlocuteur et coupa le son avant d'adresser un regard interrogateur à Eleanor.

—Pardonnez-moi de vous déranger, monsieur, mais Mlle Carlysle est ici et demande à vous voir.

Il lui fallut un instant pour comprendre qu'elle parlait de Jodie.

—Faites-la entrer, dit-il sèchement.

Dès qu'Eleanor fut sortie, il expliqua à son interlocuteur qu'il devait couper court à leur conversation et raccrocha, puis il se leva pour aller accueillir Jodie. Elle n'était jamais venue dans leurs bureaux. Il ne se rappelait même pas lui en avoir donné l'adresse.

Quelques secondes plus tard, la porte s'ouvrit sur la jeune femme. Elle entra d'un pas lent, pâle, les yeux rougis… comme si elle avait pleuré.

Ash se précipita vers elle et la prit dans ses bras, mais elle se raidit contre lui.

—Qu'est-ce qui ne va pas, ma chérie? Qu'est-ce qui t'est arrivé?

Elle s'écarta de lui et s'avança vers le centre de la pièce, où elle s'immobilisa en lui tournant le dos.

—Jodie? demanda-t-il en fronçant les sourcils.

Voyant qu'elle ne répondait pas, il s'approcha d'elle et posa une main sur son épaule pour la forcer à se retourner. Il tressaillit en croisant son air hagard, son regard torturé. Une terreur sans nom le saisit aux tripes.

La Jodie qu'il connaissait était toujours vive et enjouée, le visage illuminé par un merveilleux sourire, mais la Jodie qu'il avait en face de lui en cet instant précis semblait épuisée et terriblement triste.

Il pinça les lèvres lorsqu'elle recula d'un pas pour échapper à son contact.

— Souviens-toi de ce qu'on avait dit, Jodie : si on a besoin d'avoir une conversation importante, à plus forte raison si tu es contrariée, on le fait alors que tu es dans mes bras, pas à l'autre bout de la pièce. Je refuse que tu me tiennes à distance comme ça.

Il fit mine de l'attirer contre lui, mais elle l'empêcha d'approcher.

— Tu n'as plus ton mot à dire, Ash, déclara-t-elle, tendue. C'est fini entre nous. J'ai fait déménager mes affaires dans mon appartement.

De tous les possibles, Ash n'aurait jamais imaginé qu'elle puisse lui annoncer une chose pareille.

— Non ! Pas question ! s'exclama-t-il. Explique-moi ce qui se passe, enfin !

— J'ai vu les tableaux, répondit-elle d'une voix enrouée. Tous les tableaux.

Et merde !

Il se passa une main dans les cheveux avec un profond soupir.

— Ce n'est pas comme ça que je comptais t'apprendre que c'était moi, ton client mystère.

— Moi, je pense plutôt que tu ne comptais pas me le dire du tout.

—Ce n'est pas une raison pour mettre un terme à notre relation et pour partir de chez moi!

—On parie? rétorqua-t-elle sur un ton cassant qui ne lui ressemblait pas.

—Ma chérie, calme-toi, s'il te plaît, et laisse-moi t'expliquer. Je suis sûr qu'on peut tout arranger, mais je refuse d'avoir cette conversation dans mon bureau, comme ça.

—Tu voudrais que je me calme?! s'écria-t-elle d'une voix aiguë. Tu m'as menti, Ash. Tu m'as menti, putain! Comment veux-tu que je me calme?

—C'est faux, je ne t'ai jamais menti.

—Oh, arrête tes conneries! Tu sais très bien ce que tu as fait! Tu m'as menti et tu m'as complètement ridiculisée! Toutes les fois où je parlais de mon extraordinaire coup de chance, toutes les fois où je m'en suis vantée auprès de tes amis… Tu m'as laissée faire alors que rien de tout ça n'était vrai! Tu m'as fait croire que j'avais accompli quelque chose, que j'étais indépendante financièrement et que je pouvais enfin envisager l'avenir avec sérénité. Tu m'as vraiment prise pour une conne, Ash!

—Ne dis pas ça, Jodie! Ce n'était pas du tout mon intention!

Elle le fit taire d'un geste.

—Tu veux savoir pourquoi j'ai accepté de venir vivre avec toi? Parce que je croyais que j'avais le choix. Parce que je n'avais pas besoin de ta générosité pour survivre. Parce que j'en avais envie, pas besoin. Et puis ça me donnait l'impression que nous étions égaux, toi et moi, même si nos finances n'étaient pas comparables. Ma carrière était quelque chose dont je pouvais être fière. J'étais enfin heureuse, Ash! Mon talent était enfin reconnu, j'avais des amis formidables… Je t'avais, toi! Sauf que rien de tout ça n'était réel! Ce n'était qu'un tissu de mensonges!

Les paroles de la jeune femme l'atteignirent en plein cœur, aussi sûrement que des flèches. Il n'avait effectivement pas envisagé les choses sous cet angle. Il n'avait montré aucune considération pour son estime de soi ou pour sa volonté d'être libre de ses choix. Certes, il avait voulu qu'elle dépende entièrement de lui, mais ce n'était pas dans le but de la blesser. Au contraire.

—Tu m'as manipulée, dès le début, poursuivit-elle avec une grimace peinée. Tu as tout orchestré de façon que je tombe dans le piège. J'aurais dû m'en douter quand tu m'as fait du chantage pour m'obliger à dîner avec toi. Même avant ça: quand je me suis rendu compte que tu m'avais fait suivre. Je ne comprends pas comment j'ai pu être aveugle à ce point. Tu as tellement l'habitude de te prendre pour Dieu et de diriger ton petit monde que tu as tout naturellement cru que tu avais le droit d'intervenir dans ma vie!

—Jodie, arrête! ordonna-t-il. Ça suffit. Je suis désolé si je t'ai fait de la peine. Ce n'était vraiment pas mon intention, je t'assure. Je suis certain qu'on peut s'expliquer et laisser tout ça derrière nous.

Elle secoua la tête avant même qu'il ait achevé sa phrase. Une angoisse infernale le prit à la gorge, le suffoquant presque.

—Je t'en supplie, Jodie ! Je t'aime !

Elle ferma les yeux, et une larme roula le long de sa joue. Lorsqu'elle osa le regarder de nouveau, ce fut avec une expression de désespoir si intense qu'il sentit son estomac se serrer.

—Il y a encore quelques heures, j'aurais donné n'importe quoi pour te l'entendre dire, murmura-t-elle. J'avais même réussi à me convaincre que tu étais amoureux de moi mais que tu n'avais pas encore trouvé le bon moment pour me l'avouer. Sauf que c'est trop tard. Je ne peux plus te croire maintenant que je sais jusqu'où tu es prêt à aller pour obtenir ce que tu désires. Si ça se trouve, tu dis ça uniquement pour me manipuler en jouant avec mes émotions.

Il la contempla en silence, abasourdi. Alors que pour la première fois il avouait son amour à une femme, elle pensait que c'était uniquement dans le but de la manipuler ?

Son sang se mit à bouillir d'une colère sourde. Il se détourna, pris de panique car il ne trouvait rien à dire pour sa défense. Il ne savait pas quoi faire. Elle était en train de le quitter alors qu'il imaginait vivre avec elle jusqu'à la fin de ses jours.

Elle porta une main tremblante à son cou.

—Non ! hurla-t-il en la voyant détacher le fermoir de son collier.

Elle retira le bijou et le lui tendit. Il le saisit d'un geste machinal.

—J'ai fait enlever toutes mes affaires et j'ai laissé mon jeu de clés sur le comptoir de la cuisine, annonça-t-elle à voix basse. Au revoir, Ash. Tu as été la meilleure chose qui me soit jamais arrivée – et la pire.

Il leva une main dans l'espoir de la retenir. Il était hors de question qu'elle franchisse cette porte et disparaisse de sa vie.

—Attends une minute, Jodie. Je refuse d'admettre que c'est fini et je ne vais certainement pas abandonner aussi facilement. Je suis bien décidé à me battre pour notre histoire, parce qu'elle en vaut la peine. Tu en vaux la peine, Jodie, et j'espère que tu penses la même chose à mon sujet, quelle que soit l'ampleur de ta colère contre moi.

—Je t'en prie, Ash. Je ne suis pas en état de parler de ça maintenant, plaida-t-elle, les yeux brillants de larmes. Laisse-moi partir. Je suis trop furieuse pour formuler une pensée cohérente et je ne voudrais pas dire des choses que je regretterais ensuite.

Il s'approcha d'elle et l'attira dans ses bras. Cette fois, elle ne résista pas. Il lui souleva doucement le menton pour la regarder dans les yeux.

—Je t'aime, Jodie, et je ne dis pas ça pour jouer avec tes sentiments. Si je le dis, c'est parce que c'est vrai, purement et simplement. Je t'aime.

Elle ferma les yeux et se détourna, mais il posa une main sur sa joue et cueillit une larme.

—Pourquoi ? murmura-t-elle. Pourquoi tu m'as caché que c'était toi qui avais acheté mes tableaux ?

—Je ne sais pas, reconnut-il avec un soupir. Peut-être que je craignais que tu ne réagisses comme tu viens de le faire.

J'adore vraiment tes œuvres, Jodie. Je suis tombé sous le charme dès que je les ai vues à la galerie, et ça me met hors de moi que tu puisses t'imaginer que tu n'as aucun talent sous prétexte que c'est moi qui les ai achetées. C'est complètement faux.

Elle s'arracha à son étreinte et lui tourna le dos. Il remarqua que ses épaules tremblaient.

— Je ne suis pas en état de discuter maintenant, Ash. Laisse tomber, s'il te plaît.

— Pas question. Tu viens de m'annoncer que tu avais fait enlever toutes tes affaires de notre appartement et tu voudrais que je laisse tomber ? Qu'est-ce que tu crois ? Que je vais te souhaiter tout le bonheur du monde et te laisser partir ? C'est impossible : mon bonheur dépend de toi, Jodie.

Elle croisa les bras d'un geste protecteur.

— Il faut que j'y aille. Les déménageurs doivent m'attendre à mon appartement.

Ash faillit s'étrangler, pris de panique. Elle allait vraiment partir, tout cela à cause de ces fichus tableaux. Le pire, c'était qu'il comprenait sa colère. En achetant ses toiles, il n'avait pas réfléchi à ce qu'elle ressentirait en découvrant la vérité, et à présent il cherchait en vain un moyen de se faire pardonner. En aurait-il seulement l'occasion si elle lui échappait et allait vivre loin de lui ?

Paralysé, il la vit faire volte-face et se diriger vers la porte.

— Jodie, attends. Je t'en supplie.

Elle s'arrêta sans pour autant se retourner.

— Regarde-moi, s'il te plaît.

Elle obéit, lentement, et il crut recevoir un coup de poing dans le ventre en apercevant son visage baigné de larmes. Il se maudit d'en être la cause.

— Promets-moi que tu vas y réfléchir, plaida-t-il d'une voix étranglée. Je veux bien te laisser tranquille ce soir, mais je ne vais pas te laisser sortir de ma vie sans me battre, Jodie.

Elle ferma les yeux un instant et poussa un profond soupir.

— Je vais y réfléchir, murmura-t-elle. Je ne sais plus très bien où j'en suis ; j'ai besoin de remettre de l'ordre dans ma tête. Quand j'ai accepté de me soumettre à ta volonté et à ta protection, c'était de mon plein gré, parce que, précisément, je n'en avais pas besoin. Est-ce que tu saisis la nuance ? Si je n'avais eu aucun moyen de subvenir à mes besoins, tu aurais pu me soupçonner de n'être avec toi que pour profiter de ton argent. Je ne veux pas de ça entre nous. Jamais. J'ai besoin de me sentir indépendante, d'être capable de m'assumer toute seule si besoin. Je veux pouvoir me regarder dans le miroir et me dire que je suis libre de choisir ma vie comme je l'entends.

Ash baissa la tête. Elle avait parfaitement raison. Il aurait réagi de la même façon s'il avait été à sa place. Pourtant, il n'avait pas tenu compte de sa sensibilité quand il avait acheté ses tableaux en secret. Il avait commis une erreur stupide et risquait d'en payer les conséquences en perdant Jodie.

— Je comprends, ma chérie, dit-il d'une voix enrouée. Je t'assure que je comprends. Je te laisse jusqu'à demain pour réfléchir, mais je te préviens : je n'ai pas dit mon dernier mot.

Elle déglutit, pâle comme la mort, puis se détourna et partit, emportant son cœur et son âme, le laissant planté là avec, dans les mains, le collier qui symbolisait leur union.

Chapitre 30

Jodie passa de longues heures à se tourner dans son lit sans trouver le sommeil avant de renoncer à dormir et de s'immerger dans son art. Pour la première fois, son choix ne se porta pas sur les couleurs vives qu'elle affectionnait d'habitude. Des gris sombres et sinistres envahirent la toile, l'imprégnant d'une tristesse dont elle n'eut conscience qu'après coup.

L'aube la surprit, toujours à l'œuvre, la nuque et les épaules raidies. Elle recula d'un pas pour évaluer le tableau : son sujet reflétait son humeur, son désespoir.

Elle faillit jeter toutes ses couleurs sur la toile pour noyer cette image, mais se retint et, d'une main tremblante, apposa sa signature – un simple J majuscule placé dans le coin en bas à droite.

Elle était fière de sa création, même si elle n'avait rien en commun avec ses thèmes habituels. Peut-être aurait-elle davantage de succès ? Peut-être que les gens n'aimaient pas les couleurs vives et les images sensuelles ?

Tandis qu'elle inspectait son œuvre, un titre s'imposa : *Averse à Manhattan*. Ce n'était guère original, mais cela s'accordait avec son humeur même si, au-dehors, un soleil éclatant brillait dans un beau ciel bleu. Elle avait représenté de hauts gratte-ciel aux contours brouillés par la pluie et dont les derniers étages se perdaient dans des nuages menaçants. Elle fut frappée de reconnaître, au premier plan, l'immeuble où habitait Ash.

Elle se leva avec un soupir et étira longuement ses muscles endoloris. Puis elle passa dans la cuisine pour se préparer du café. Heureusement, il lui en restait de l'instantané dans l'un de ses placards. Elle se promit de refaire le plein de provisions une fois qu'elle aurait dormi un peu. Elle fit bouillir de l'eau et remplit une tasse, consciente qu'il lui aurait plutôt fallu une intraveineuse, vu l'état d'épuisement dans lequel elle se trouvait.

Son café dans une main, elle retourna dans le salon et ouvrit les rideaux pour laisser entrer la lumière matinale. La ville s'éveillait à peine avec une légère rumeur.

Elle adorait son petit appartement, même si le loyer était un peu cher. Avec un pincement au cœur, elle se rendit compte qu'elle allait sans doute devoir trouver un nouveau logement moins coûteux à présent qu'elle ne pouvait plus compter sur le mystérieux amateur d'art qui s'était épris de ses œuvres.

Il fallait également qu'elle passe à la galerie pour expliquer à M. Downing qu'il ne pouvait plus vendre ses tableaux à Ash. Elle anticipait déjà sa réaction : il risquait de refuser de l'exposer puisqu'elle le privait de son meilleur client. C'était sans doute mieux ainsi. Cela éviterait qu'Ash persiste à acquérir ses œuvres sous un nom d'emprunt en faisant en sorte qu'elle ne puisse pas remonter jusqu'à lui.

Oui, elle allait devoir déménager et repenser ses priorités. Elle commencerait par reprendre la création de bijoux. Elle avait négligé son site Internet depuis qu'elle s'était installée chez Ash, mais elle savait que, si elle produisait régulièrement, elle pourrait s'assurer des revenus à peu près stables. Cela lui laisserait le temps de réfléchir à la nouvelle direction qu'elle souhaitait faire prendre à son art.

M. Downing lui avait dit qu'elle avait tendance à trop se disperser. Elle ne pouvait que lui donner raison, mais cela ne l'aidait pas beaucoup. Si le public n'aimait pas les tableaux coquins et colorés qu'elle affectionnait, vers quel genre de thème devait-elle se tourner ?

Pendant quelques mois au moins, elle n'aurait aucun mal à produire des scènes sombres et désolées comme la toile qu'elle venait de peindre. Il lui faudrait du temps pour se remettre de sa relation avec Ash. Elle l'aimait. Elle s'était laissé séduire sans y réfléchir à deux fois et, à trop jouer avec le feu, elle s'était brûlé les ailes.

Elle secoua la tête et finit son café, puis reposa sa tasse vide sur la table basse. Il était temps qu'elle se remette au travail.

Peut-être que, si elle produisait une deuxième toile dans le même genre qu'*Averse à Manhattan* et qu'elle les apportait à M. Downing, il accepterait de les exposer. S'il refusait, elle passerait au plan B – même si elle ne l'avait pas encore bien défini.

Elle jeta un coup d'œil à son téléphone, qu'elle avait mis en mode silencieux. Elle hésita à regarder si elle avait des messages puis se ravisa. La seule personne qui aurait pu chercher à la joindre, c'était Ash, et elle n'avait pas envie de penser à lui pour l'instant. Elle se remit donc au travail.

D'habitude, elle passait plusieurs jours sur une toile, raffinant sans cesse le trait à la recherche de la perfection, mais pas ce jour-là. Elle appliqua les couleurs à grands coups de pinceau et ne s'arrêta que lorsque la scène fut achevée. Tant pis si le résultat était approximatif par endroits. De toute façon, son souci du détail ne lui avait pas exactement valu l'enthousiasme des foules, par le passé.

Aussitôt, elle rejeta ses considérations amères. Elle n'était pas du genre à se morfondre et ne comptait pas se laisser aller à s'apitoyer sur son sort. Sa mère lui avait fait promettre qu'elle n'abandonnerait jamais ses rêves, et elle tiendrait parole, coûte que coûte.

Elle travailla d'arrache-pied pendant des heures, à en juger par la course du soleil dans le ciel. À un moment, elle se leva pour aller tirer les rideaux et dissimuler son labeur aux regards des passants. Elle avait remarqué deux hommes qui s'étaient arrêtés devant chez elle en se penchant comme pour voir ce qu'elle esquissait. Elle aimait travailler en privé, à plus forte raison si elle se mettait à coucher ses humeurs et ses émotions sur la toile.

Alors qu'elle venait d'apporter les dernières touches au tableau, on frappa à la porte. Elle se figea, le cœur en émoi. Ash était-il venu ? Il ne lui avait pas caché son intention de se battre pour la reconquérir. De son côté, elle avait soigneusement évité de réfléchir à leur situation, préférant trouver refuge dans son art.

Elle se leva, hésitante. Elle aurait pu faire la sourde oreille, mais elle refusa de se montrer aussi lâche. Si Ash s'était déplacé jusque chez elle, la moindre des choses était de lui dire en face qu'elle avait besoin de davantage de temps.

Le cœur battant à tout rompre, elle s'essuya les mains et alla ouvrir. Elle cilla, surprise, en découvrant que ce n'était pas Ash qui se tenait devant elle. Elle n'osa pas mettre un mot sur l'émotion qu'elle ressentit alors, mais cela ressemblait fort à de la déception. Bouche bée, elle regarda tour à tour Mia et Bethany, qui la dévisageaient d'un air déterminé.

— Tu fais peur à voir, déclara Mia de but en blanc. Tu as dormi, cette nuit ?

— Quelle question, Mia ! C'est évident que non, rétorqua Bethany.

— Qu'est-ce que vous faites ici ? s'enquit Jodie dans un murmure.

— Permets-moi de commencer par répondre à ta prochaine question : non, ce n'est pas Ash qui nous a envoyées, dit Mia d'une voix ferme. Et, si on est ici, c'est pour t'emmener déjeuner. N'envisage même pas de refuser.

Jodie écarquilla les yeux.

—Je te conseille de nous suivre sans broncher, Jodie, renchérit Bethany en riant. Tu connais Mia : quand elle a une idée en tête, elle ne l'a pas ailleurs. Je suis sûre que Gabe pourrait le confirmer.

Mia donna un coup de coude à Bethany avec une grimace faussement outrée, et Jodie ne put s'empêcher de sourire, soulagée.

—OK. Donnez-moi juste une minute, j'ai besoin de me débarbouiller un peu. J'étais en train de travailler ; je viens tout juste de finir, conclut-elle d'une voix lasse.

—Prends ton temps, la rassura Mia avec un gentil sourire.

—Entrez, faites comme chez vous. Je suis désolée, c'est le bazar. Je n'ai pas eu le temps de déballer mes cartons ; je n'ai pas arrêté de peindre depuis que je suis rentrée.

—C'est ça que tu viens de terminer ? demanda Bethany en entrant dans le salon et en désignant les deux nouvelles toiles.

Jodie hocha la tête en s'essuyant les mains sur son jean, mal à l'aise.

—C'est magnifique, souffla Mia d'une voix douce. Tellement riche en émotions !

Ne sachant pas quoi ajouter à cela, Jodie se racla la gorge.

—Donnez-moi une petite minute, d'accord ?

Mia et Bethany acquiescèrent, et elle se dépêcha de passer dans la salle de bains pour se rendre à peu près présentable.

Elle fit une grimace en apercevant son reflet. Les filles avaient raison : elle faisait vraiment peur à voir.

Elle se lava le visage à l'eau fraîche puis fit de son mieux pour dissimuler ses cernes – sans vraiment y parvenir. Elle appliqua néanmoins une touche de blush, un peu de mascara et un soupçon de gloss. Elle ne risquait pas de remporter un concours de beauté, mais, au moins, elle n'avait plus l'air d'un zombie.

Lorsqu'elle revint dans le salon, Mia et Bethany l'entraînèrent au-dehors, où une voiture les attendait.

Sur le trottoir, Jodie reconnut les deux hommes qu'elle avait remarqués un peu plus tôt. Ash avait dû les embaucher pour surveiller son appartement. Il avait promis de la laisser réfléchir tranquille, mais n'avait pas pu s'empêcher de garder un œil sur elle. Elle aurait dû se réjouir d'être ainsi protégée, mais sa confiance avait volé en éclats, et cette attention sans doute honorable lui apparut comme une preuve supplémentaire de la nature despotique d'Ash.

— On voulait inviter Tiffany à se joindre à nous, et puis on s'est dit que ce serait peut-être un peu gênant vu que c'est la sœur d'Ash, déclara Mia une fois qu'elles furent installées à l'arrière de la voiture.

Jodie réprima une grimace.

Bethany lui prit gentiment la main.

— Ne fais pas cette tête-là, Jodie. Tout va s'arranger, tu vas voir.

Jodie cilla rapidement pour refouler les larmes qui lui brûlaient les paupières.

—J'en doute sincèrement.

—Eh bien, pas moi! intervint Mia avec véhémence. Tu vas tout nous raconter pendant qu'on déjeune tranquillement. Je suis sûre qu'on va trouver un moyen de botter les fesses d'Ash et que tout va rentrer dans l'ordre.

Bethany éclata de rire, mais Jodie les regarda tour à tour, interloquée.

—Mais… Ash est votre ami, dit-elle. Vous ne m'en voulez pas de l'avoir quitté?

—Toi aussi, tu es notre amie, indépendamment d'Ash, rétorqua Mia. Et puis, entre filles, il faut bien qu'on se serre les coudes. Je suis sûre que ce qui vous arrive est entièrement la faute d'Ash, ajouta-t-elle avec un clin d'œil.

—Tout à fait, renchérit Bethany. C'est déjà arrivé plus d'une fois que Gabe et Jace se comportent comme de gros imbéciles, alors ça m'étonnerait qu'Ash ait dérogé à la règle. Après tout, ce n'est qu'un homme.

Jodie éclata de rire malgré les larmes qui lui brouillaient la vue.

—Merci, les filles! Je vous adore!

—Nous aussi, on t'adore, Jodie, dit Mia d'une voix douce. Maintenant, on va aller se goinfrer de trucs bien caloriques en cassant du sucre sur le dos de la gent masculine.

Dix minutes plus tard, elles étaient attablées dans un petit pub non loin de chez Jodie. Aussitôt qu'elles eurent passé commande, Mia entra dans le vif du sujet.

—Alors, raconte-nous ce qui vous est arrivé. Tout ce que Jace et Gabe ont su nous dire, c'est que tu as quitté Ash, que tu as déménagé de chez lui et qu'il s'est méchamment bourré la gueule hier soir.

Jodie se cacha le visage entre les mains.

—Oh non ! Je ne sais plus quoi faire. D'un côté, je suis toujours furieuse contre lui, mais, de l'autre, je me demande si je n'ai pas réagi un peu violemment.

—Qu'est-ce qui s'est passé ? s'enquit Bethany.

Jodie prit une profonde inspiration avant de leur raconter toute l'histoire : le fait qu'Ash l'avait fait suivre après leur première rencontre, qu'il avait acheté les bijoux qu'elle avait déposés chez le prêteur sur gages puis qu'il l'avait convaincue d'emménager chez lui après ce qui s'était passé avec Michael. Évidemment, elle leur révéla que c'était lui qui avait acheté tous ses tableaux à la galerie.

—Ouah ! soupira Mia en se calant contre le dossier de la banquette lorsque Jodie eut terminé. Je devrais sans doute être surprise, mais, à vrai dire, c'est tout à fait le genre d'Ash.

—Et de Jace et de Gabe, intervint Bethany. Ce sont de vraies têtes de mules, tous les trois.

—Ça, c'est vrai, convint Mia. Ils ont au moins le mérite d'être tenaces.

—Vous croyez que j'y suis allée un peu fort ? demanda Jodie. Par moments, je me dis que j'aurais dû me montrer plus modérée, mais j'ai tellement mal !

—Non, Jodie. Je crois que tu n'as rien à te reprocher, la rassura Bethany.

Mia se pencha en avant, les coudes posés sur la table.

—Je te comprends parfaitement, Jodie, et je pense que ta colère est justifiée, mais il y a un truc qu'il ne faut pas oublier. Je ne dis pas ça pour te blesser, mais il y a plein de femmes qui seraient prêtes à se jeter sur Ash. Sauf que lui, c'est toi qu'il veut. Toi et personne d'autre.

Bethany hocha la tête.

—Ton désir de rester indépendante malgré tout te fait honneur, et Ash n'aurait pas dû aller à l'encontre de ça, seulement voilà : c'est un mec, et les mecs, c'est souvent un peu con. Ash cherchait uniquement à t'aider, et il s'y est pris de la seule façon qu'il connaît, c'est-à-dire en n'en faisant qu'à sa tête. Cela ne l'empêche pas d'être super fier de toi, Jodie. Il nous a plus d'une fois vanté tes mérites et ton talent ; il était réellement très impressionné par tes tableaux. Je crois sincèrement qu'il n'avait aucunement l'intention de te blesser. Il pensait te donner un coup de pouce tout en ayant le plaisir de t'apporter un certain confort matériel. Il s'y est pris comme un manche, mais avec les meilleures intentions du monde. Ça ne fait aucun doute. Ce type a un cœur d'or. Il n'y a qu'à voir la façon dont il a aidé sa sœur alors qu'elle s'était montrée aussi odieuse que leur mère pendant des années. D'ailleurs, Gabe m'a dit que, quand ses parents ont eu le culot de venir lui demander une faveur, il n'a pas osé les envoyer au diable, malgré la façon dont ils l'ont traité depuis qu'il a pris son indépendance.

—J'ai eu beaucoup de mal à me faire à l'idée que Jace puisse vouloir de moi, tu sais, intervint Bethany d'une voix douce. Quand j'ai appris qu'il m'avait cherchée dans tous les foyers de Manhattan, je n'ai pas compris ce qui m'arrivait. Je ne comprenais pas pourquoi il tenait tant à m'aider. Lui aussi, il aurait pu choisir à peu près n'importe quelle femme, mais c'était moi qu'il voulait, tout comme Ash te veut, toi. On pourrait passer des heures à essayer d'analyser leurs motifs en long, en large et en travers, mais ça ne changerait rien au fait que ces messieurs savent très exactement ce qu'ils veulent et que ce qu'ils veulent, c'est nous. Je ne dis pas que ça a été de tout repos : Jace a commis pas mal de gaffes au début, mais on a dépassé tout ça, et je suis contente qu'on ait réussi parce qu'il me rend heureuse comme personne d'autre ne le pourrait.

—Vous croyez que ma réaction était exagérée ? demanda Jodie avec tristesse.

—Non, pas du tout, la rassura Mia. Ash n'a pas su reconnaître et respecter quelque chose qui était très important pour toi, et c'était une erreur qu'il a intérêt à admettre et à réparer. Cela dit, est-ce que tu es sûre de ne pas pouvoir lui pardonner ? Il a fait une connerie, certes, mais il ne pensait pas à mal, au contraire.

Mia avait parfaitement su résumer la situation : Ash était-il réellement impardonnable ? Même si sa colère était justifiée, était-ce une raison suffisante pour tout arrêter ? C'était une solution tellement… définitive.

Elle se cacha le visage dans les mains.

—Oh, mon Dieu! Vous avez raison! (Bethany lui caressa gentiment le dos.) J'aurais dû lui en parler et lui faire comprendre que je n'appréciais pas, mais sans m'énerver, au lieu de mettre les voiles comme ça, sans lui laisser la moindre chance de s'expliquer, poursuivit-elle. Il doit être furieux contre moi, et je ne peux même pas lui en vouloir!

—Ça m'étonnerait qu'il soit furieux, Jodie, intervint Mia. À mon avis, il sera trop heureux que tu lui accordes une nouvelle chance.

Jodie secoua la tête, atterrée.

—Ce n'est pas aussi simple. Il m'a dit… (Elle poussa un gros soupir.) Il m'a dit qu'il m'aimait, et moi, je lui ai balancé des trucs horribles. Je l'ai accusé d'essayer de me manipuler.

—C'était la première fois qu'il te disait «je t'aime»? demanda Bethany d'une voix douce.

Jodie hocha la tête.

—Alors ta réaction est tout à fait compréhensible, intervint Mia. Est-ce que toi, tu l'aimes?

—Oui! Comme une folle, admit Jodie dans un souffle.

—Eh bien, voilà! s'écria Bethany avec un grand sourire ravi. Si vous vous aimez, vous allez trouver un moyen de régler cette histoire et de vous pardonner.

—J'aimerais bien que ce soit aussi facile, marmonna Jodie. Je me suis comportée comme une véritable hystérique. Je n'arrive pas à croire que j'ai vraiment débarqué dans son bureau comme une furie pour lui raconter toutes ces horreurs. Si seulement je pouvais tout rembobiner!

—Si l'amour était facile, ça se saurait, fit remarquer Mia. Ça nous est déjà arrivé à tous de faire des erreurs, aussi bien à Gabe et à Jace qu'à Bethany et à moi. Bienvenue au club, ma belle! La perfection, ça n'existe pas. Votre relation sera ce que vous en ferez, et je suis sûre que vous pouvez en faire quelque chose d'extra-ordinaire. Va le voir ou appelle-le, mais fais-lui comprendre que tu es prête à lui pardonner. Je suis certaine qu'il ne te décevra pas.

Jodie eut l'impression qu'on venait d'ôter un poids énorme de ses épaules. Un fol espoir s'empara d'elle lorsqu'elle comprit que tout n'était peut-être pas perdu. Rien de ce qu'avait fait Ash n'était impardonnable. Elle-même risquait sûrement de faire des erreurs, et elle avait l'intime conviction que, quand cela arriverait, Ash se montrerait bien plus compréhensif qu'elle ne l'avait été.

—Merci infiniment, les filles! lança-t-elle avec un sourire. Je vais rentrer prendre une bonne douche, puis j'appellerai Ash, en espérant qu'il accepte de m'écouter.

—Oh oui, ne t'inquiète pas pour ça! rétorqua Mia en riant. Viens, on va te raccompagner chez toi.

Jodie secoua la tête.

—C'est gentil, mais j'aime autant rentrer à pied. Ça va me faire du bien de marcher un peu, j'ai besoin de remettre mes idées au clair.

—Tu es sûre? insista Bethany.

—Oui, et puis ce n'est pas loin.

—OK, mais promets-nous de nous tenir au courant! exigea Mia.

—Oui, promis ! Et encore merci. Ça me réchauffe le cœur de savoir que vous étiez prêtes à lui botter les fesses de ma part alors qu'on ne se connaît que depuis quelques semaines.

—C'est à ça que ça sert, les amies, non ? rétorqua Mia avec un sourire malicieux.

Jodie se leva et serra les deux jeunes femmes dans ses bras. Une fois dehors, elle attendit qu'elles soient installées dans leur voiture et leur fit un signe de la main.

Puis elle lança son sac par-dessus son épaule et reprit la direction de son appartement, l'esprit en ébullition. Seulement, cette fois, un optimisme joyeux avait remplacé son désespoir du matin.

Si Ash l'aimait vraiment, il l'écouterait et lui pardonnerait sa réaction impulsive.

Le trajet jusque chez elle se révéla plus long qu'elle ne l'aurait cru, si bien qu'elle arriva épuisée. Elle était impatiente de prendre une longue douche chaude avant d'appeler Ash.

Elle se maudit d'avoir laissé son téléphone dans son appartement en partant. Ash avait sûrement cherché à la joindre, donc elle aurait pu se faire une idée de son humeur en écoutant ses messages.

Elle inséra la clé dans la serrure, mais la porte était déjà ouverte. Elle fronça les sourcils, puis se rappela l'état dans lequel elle se trouvait quand elle était partie : elle avait sans doute oublié de fermer. Il fallait vraiment qu'elle soit plus vigilante, même si Ash et elle se réconciliaient et qu'elle retournait vivre dans son immeuble bien sécurisé. Elle repensa soudain aux deux hommes qu'il avait engagés pour la protéger, même après sa scène de la veille. Elle jeta un coup d'œil alentour, mais ne les vit nulle part. Ash les avait-il rappelés pour leur dire d'abandonner leur surveillance ?

Vaguement contrariée par cette éventualité, elle entra et referma la porte à clé derrière elle, mais, aussitôt qu'elle entra dans le salon, elle comprit qu'elle n'était pas seule.

Trois inconnus se tenaient devant elle, la mine patibulaire. Elle reconnut les deux hommes qu'elle avait pris pour des gardes du corps embauchés par Ash. De toute évidence, elle s'était trompée. Ces types n'étaient clairement pas là pour assurer sa protection.

Avant qu'elle ait eu le temps de réagir, l'un d'eux alla se poster entre elle et la porte – qu'elle avait fermée à clé.

— Mademoiselle Carlysle, commença le troisième homme d'une voix qui la fit frémir, j'aimerais que vous transmettiez un message de ma part à Gabe Hamilton, à Jace Crestwell et à Ash McIntyre.

Elle ouvrit la bouche pour leur dire de sortir de chez elle, mais une douleur fulgurante explosa au niveau de sa nuque et rayonna dans tout son corps. Elle s'effondra sans comprendre d'où venait cette atroce souffrance. Puis les coups reprirent et se multiplièrent avec une violence croissante. Elle sentit le goût de son propre sang et essaya de crier, mais n'y parvint pas. Elle arrivait à peine à respirer.

Elle était en train de mourir.

Bizarrement, cette idée ne lui fit pas peur. Au moins, cela mettrait un terme à son calvaire.

Soudain, les coups cessèrent, et le silence descendit sur la pièce. Une main rude l'attrapa par les cheveux et lui releva la tête d'un geste brusque. Le troisième homme entra dans son champ de vision et approcha son visage à quelques centimètres du sien.

— Dites-leur que j'ai le pouvoir de détruire tout ce qui leur est cher, gronda-t-il. Je vais leur faire payer le mauvais tour qu'ils m'ont joué. Ils m'ont ruiné, et je compte bien leur rendre la politesse.

Il plaça quelque chose dans la main de Jodie puis laissa retomber sa tête sur le sol. Une décharge de douleur lui parcourut l'échine. Elle entendit des pas s'éloigner, puis la porte de son appartement qu'on ouvrait et qu'on refermait.

Elle parvint à émettre un gémissement plaintif. *Ash !* Il fallait absolument qu'elle parvienne à atteindre son téléphone pour le prévenir. Si elle y arrivait, il viendrait la chercher, et tout irait bien.

Elle essaya de se redresser, mais un hurlement lui échappa lorsqu'elle tenta de s'appuyer sur sa main droite. Elle voulut inspecter les dégâts, mais sa paupière tuméfiée commençait à l'empêcher d'y voir clair. Que lui avaient-ils fait ?

Elle se dressa sur son coude et se traîna péniblement jusqu'à la table basse, où elle avait laissé son téléphone. Incapable de l'attraper du premier coup, elle le fit tomber au sol et pria pour qu'il ne soit pas endommagé.

De sa main gauche, elle essaya de faire défiler ses contacts, sans succès. Heureusement, Ash était la dernière personne qu'elle avait appelée. Elle appuya sur la touche en espérant qu'il réponde.

Chapitre 31

ASH ÉTAIT PHYSIQUEMENT PRÉSENT À LEUR RÉUNION hebdomadaire des cadres de l'entreprise, mais son esprit était ailleurs. Il se coltinait une gueule de bois de tous les diables après avoir noyé son chagrin dans l'alcool la veille. Gabe et Jace l'avaient ramassé à la petite cuillère puis mis au lit tout habillé. Il s'était réveillé avec l'impression d'être passé sous un train, pourtant le mal de tête n'était rien en comparaison de la douleur d'avoir perdu Jodie.

Non. Il refusait d'admettre qu'il l'avait perdue. Pas encore. Elle était furieuse contre lui, et sa colère était justifiée. Il avait promis de la laisser tranquille au moins jusqu'au lendemain afin qu'elle puisse réfléchir à la situation et, avec un peu de chance, décider que la stupide maladresse qu'il avait commise ne remettait pas en question toute leur relation.

La journée était bien entamée à présent, et il trépignait d'impatience. Aussitôt que cette fichue réunion serait terminée, il foncerait chez elle et la supplierait à genoux s'il le fallait. Il était prêt à tout pour la reconquérir, pour qu'elle accepte de revenir chez lui – chez eux.

Soudain, son téléphone vibra. Son cœur se serra quand il vit que c'était Jodie qui appelait. Sans un mot, il se leva et sortit de la pièce en décrochant.

—Jodie? Ma chérie? dit-il aussitôt dans le couloir.

Il y eut un long silence, et, pendant un instant, il crut qu'elle avait raccroché. Puis ce qu'il entendit le glaça. C'était un gémissement plaintif, un faible cri de souffrance.

—Jodie, qu'est-ce qui se passe? Parle-moi, dis-moi ce qui t'arrive!

—Ash…

Elle prononça son nom dans un murmure à peine audible, au prix d'un effort évident.

—Je suis là, ma belle. Je t'écoute. Où es-tu?

—J'ai mal, souffla-t-elle. Viens.

Il faillit perdre ses moyens, paniqué par la brièveté de ses réponses. Elle semblait gravement blessée.

—Où es-tu? répéta-t-il.

—Chez moi.

—J'arrive, ma belle. Tiens bon, d'accord? J'arrive tout de suite.

Il retourna vers la salle de réunion et faillit percuter Gabe qui en sortait.

— Qu'est-ce qui ne va pas ? demanda-t-il. J'ai cru comprendre que c'était Jodie. Qu'est-ce qui se passe ?

— Je ne sais pas, répondit Ash d'une voix étranglée. Elle est blessée, il faut que j'aille chez elle.

— Viens, je t'emmène, décréta Gabe.

Il tourna les talons et se dirigea vers les ascenseurs à grandes enjambées. Ash lui emboîta le pas sans un mot, le cœur au bord des lèvres.

— Est-ce qu'elle t'a dit ce qui lui était arrivé ? reprit Gabe une fois qu'ils furent dans la voiture.

— Non. Putain de merde ! hurla Ash.

— Respire, mon pote. Ça va aller. On sera bientôt chez elle.

— Mia et Bethany étaient passées pour l'emmener déjeuner, non ? Est-ce que Mia t'a donné des nouvelles ? Ça ne doit pas faire longtemps qu'elles se sont quittées.

Gabe pâlit et composa le numéro de Mia.

— Ça va, ma puce ? demanda-t-il aussitôt qu'elle répondit.

Ash le vit se détendre, donc Mia allait bien. Qu'avait-il bien pu arriver à Jodie ?

— Vers quelle heure avez-vous quitté Jodie, Bethany et toi ?

Gabe écouta Mia en silence, puis lui dit au revoir et raccrocha sans mentionner leur inquiétude au sujet de Jodie.

— Alors ? s'enquit Ash.

Il suppliait intérieurement le chauffer d'accélérer, mais ils roulaient déjà bien au-dessus des limites de vitesse.

— Mia m'a dit que Jodie était rentrée chez elle à pied après le déjeuner. C'était il y a près d'une heure.

Ash ferma les yeux. Il aurait dû poster quelqu'un près de chez Jodie pour s'assurer qu'elle ne risquait rien et que Michael avait bien retenu la leçon. Il avait failli le faire mais s'était retenu pour ne pas irriter la jeune femme. Il lui avait promis de la laisser tranquille et en payait le prix.

Quelques minutes plus tard, le chauffeur s'arrêta devant l'immeuble de Jodie, et Ash sortit en courant, Gabe sur ses talons. La première chose qu'il remarqua en entrant dans son appartement, ce fut l'odeur du sang. L'estomac noué, il fonça vers le salon et s'immobilisa, horrifié.

— Oh, mon Dieu !

Jodie était allongée près de la table basse, inerte. Elle avait dû ramper pour arriver jusque-là, si on se fiait aux traces rouges répandues au sol.

— Gabe ! Appelle une ambulance !

S'il avait été capable de réfléchir, il l'aurait fait en cours de route pour gagner un peu de temps. Peut-être qu'inconsciemment il avait refusé d'envisager que l'état de Jodie puisse être aussi préoccupant.

Il courut s'agenouiller auprès d'elle mais n'osa pas la toucher. Elle avait le visage ensanglanté, les lèvres fendues, les paupières tuméfiées.

— Jodie, ma chérie ! C'est moi, Ash. Je suis là. Dis quelque chose, ma chérie. Ouvre les yeux, je t'en supplie.

Sans cesser de lui parler, il plaça un doigt sur sa carotide pour tenter de trouver son pouls.

Elle remua légèrement avec un gémissement plaintif qui lui serra le cœur.

— Ash ?

Le son de sa voix était distordu par la douleur. Il lui passa une main sur le front, seul endroit qui n'était pas entaché d'une blessure.

— Oui, ma chérie. C'est moi. Je suis là. Dis-moi ce qui s'est passé, Jodie. Qui t'a fait ça ?

— J'ai du mal… à respirer.

Elle se mit à tousser, et un filet de sang coula à la commissure de ses lèvres.

Oh non ! Oh putain, non ! Son état était encore plus sérieux que ce qu'il avait cru en arrivant. Une rage indicible explosa dans sa poitrine, et sa vision se brouilla. Il se mit à trembler si fort qu'il s'écarta un peu de Jodie pour ne pas risquer de lui faire mal.

Elle tenta de lever la main gauche, et il remarqua qu'elle tenait quelque chose. Une photo. Il la dégagea délicatement, perplexe. Ce qu'il vit lui souleva le cœur : Mia, entièrement nue, était ligotée à une table basse. Debout près de sa tête, Charles Willis approchait son sexe de sa bouche malgré le regard horrifié de la jeune femme.

Il s'empressa de ranger la photo dans sa poche avant que Gabe la voie. Ils s'occuperaient de cela plus tard. Le plus urgent était de conduire Jodie à l'hôpital.

—Ça va ? demanda Gabe en s'approchant. Houla ! Non, ça ne va pas. L'ambulance devrait arriver d'ici à cinq minutes. Qu'est-ce qui s'est passé, putain ?

—Je n'en sais rien, répondit Ash d'une voix tremblante de rage.

Il se pencha sur Jodie et déposa un léger baiser sur son front. Il mourait d'envie de la prendre dans ses bras, mais n'osa pas la bouger. Clairement, elle souffrait de lésions internes.

—Qui t'a fait ça, ma chérie ? Est-ce que tu peux me le dire ? demanda-t-il avec douceur.

Une larme roula sur la joue de la jeune femme, puis deux… Ash aurait voulu pleurer aussi, mais elle avait besoin qu'il soit fort, alors il se ressaisit.

—Il avait un message, murmura-t-elle. Pour Gabe, Jace et toi.

Les deux hommes échangèrent un regard interloqué.

—Quel message, Jodie ? Non, attends. Ne parle pas si ça te fait mal. On a le temps. Ne t'inquiète pas.

Elle s'humecta péniblement les lèvres, et Ash remarqua que sa langue était rouge sang. Il se mit à trembler de plus belle. Ce n'était pas bon signe du tout.

—Qu'il a le pouvoir…

Elle s'interrompit et parut s'étouffer. Ash était en panique. Pourquoi l'ambulance mettait-elle autant de temps ?

Jodie resta silencieuse un long moment, et il commença à craindre qu'elle n'ait perdu conscience.

— Jodie, ma chérie, reste avec moi. Ouvre les yeux, s'il te plaît. Ne t'endors pas. Regarde-moi, ma belle. Je suis juste là, je vais rester avec toi. L'ambulance ne va pas tarder à arriver. Tu vas voir, on va bien s'occuper de toi. Je vais m'occuper de toi.

Il se tut, étouffé par un sanglot.

Elle cilla doucement et ouvrit des yeux emplis de douleur.

— Il a le pouvoir… de détruire… ce qui vous est cher, souffla-t-elle péniblement. Il veut vous ruiner.

Gabe se redressa et sortit son téléphone de sa poche, blême. Il s'éloigna un peu, mais Ash l'entendit appeler Jace et lui ordonner de mettre Mia et Bethany à l'abri avant de venir les rejoindre à l'hôpital.

Enfin, une sirène retentit, arrachant un soupir de soulagement à Ash. Il fit mine de se relever, mais Gabe lui posa une main sur l'épaule.

— Je vais les accueillir, reste avec Jodie.

Sans se faire prier, Ash se pencha de nouveau sur la jeune femme pour qu'elle puisse le voir.

— L'ambulance est là, ma chérie. On va t'emmener à l'hôpital. Je reste avec toi, ma belle. Tu vas voir, tout va bien se passer. Tu vas t'en sortir, ma chérie ; c'est obligé. Je t'aime, Jodie. Je t'aime tellement !

Elle tenta de lever la main droite mais se ravisa avec un cri de douleur.

— Ma main… J'ai mal… Pourquoi ?

Il baissa les yeux, et son sang ne fit qu'un tour. Ces connards lui avaient cassé les doigts ! Tous les doigts de la main! Il crut qu'il allait devenir fou de rage. Il allait retrouver les ordures qui lui avaient fait ça et leur rendre la monnaie de leur pièce.

Pour l'instant, il s'efforça de rester concentré sur Jodie. Il saisit délicatement son poignet pour l'aider à reposer sa main au sol sans se faire mal. Puis il se pencha pour déposer un nouveau baiser sur son front, les larmes aux yeux.

— Tu as les doigts cassés, expliqua-t-il d'une voix tremblante. Ce n'est pas grave, les médecins vont arranger ça sans problème.

— Comment je vais peindre? gémit-elle tandis que de grosses larmes roulaient sur ses joues.

— Chut! Ne t'inquiète pas, ma chérie. Tu seras capable de peindre en un rien de temps, je t'assure.

En prononçant ces paroles, il leva les yeux vers les deux tableaux qui finissaient de sécher dans le salon – deux toiles sombres, chargées d'émotions tumultueuses proches du désespoir. C'était à cause de lui que Jodie avait abandonné les couleurs chaudes et vives qu'elle affectionnait tant. À cause de lui, elle avait tourné le dos à ce qui faisait l'âme de ses œuvres et avait créé ces scènes qu'il n'arrivait pas à concilier avec sa personnalité joyeuse et insouciante. Il avait devant lui le reflet de son désarroi, qu'elle avait exprimé à sa manière.

Les ambulanciers entrèrent en trombe et se dirigèrent immédiatement vers la jeune femme. Ash se recula pour leur faire de la place mais ne les quitta pas des yeux.

—Je perçois à peine la respiration dans le poumon gauche. Envoie-moi l'oxygène! lança l'ambulancier à son coéquipier.

—C'est grave? ne put s'empêcher de demander Ash.

—Je ne peux pas vous répondre précisément tant qu'on n'aura pas fait de radio, mais je dirais qu'elle a plusieurs côtes cassées, et il se peut que l'une d'entre elles ait perforé le poumon gauche.

—Attention à sa main droite; elle a les doigts cassés, indiqua Ash.

—Elle est dans un sale état, grommela l'ambulancier. Je vais lui mettre une minerve et l'embarquer, il n'y a pas de temps à perdre.

Ash pâlit.

—Vous croyez qu'elle va s'en tirer? demanda-t-il dans un murmure.

—Tout ce que je sais, c'est que je ne vais pas la laisser me claquer entre les doigts.

Son coéquipier s'approcha, et en quelques secondes ils avaient passé une minerve et un masque à oxygène à la jeune femme. Ils chargèrent le brancard dans l'ambulance, et Ash eut à peine le temps de monter avec elle avant qu'ils démarrent en trombe.

En mettant la main dans sa poche, il sentit la photo que Jodie lui avait remise. Gabe allait devoir lui expliquer deux ou trois trucs, puis Ash irait se charger du salaud qui avait mis Jodie dans un tel état.

Chapitre 32

—Qu'est-ce qui se passe, putain ? lança Jace en entrant dans la salle d'attente des urgences.

Ash entraîna ses deux amis dans une des petites salles, où les médecins rencontraient les familles des patients.

—On a un sérieux problème, annonça-t-il une fois à l'intérieur.

—Qu'est-ce qui est arrivé à Jodie ? demanda Jace. Gabe m'a juste dit de mettre Mia et Bethany en lieu sûr. J'ai appelé Kaden Ginsberg et l'ai envoyé surveiller les filles, mais apparemment elles ont compris que Jodie avait eu des ennuis et elles s'inquiètent. Je n'ai même pas pu les rassurer parce que, moi-même, je ne sais pas ce qui se passe !

Ash leva une main pour le faire taire et, de l'autre, il sortit la photo, qu'il tendit à Gabe.

Ce dernier la regarda avec un mélange de choc et de rage – puis de culpabilité. Il pâlit et alla s'asseoir dans l'un des fauteuils avec un soupir, avant de se cacher le visage dans les mains.

Jace lui prit la photo et y jeta un coup d'œil. Lui aussi blêmit en découvrant ce que représentait le cliché.

— C'est quoi, ce truc ?! s'exclama-t-il d'une voix forte qui résonna dans la pièce.

— C'est une photo que Jodie tenait à la main quand je suis arrivé, répondit Ash avec calme. Elle m'a dit que le type qui l'avait fait tabasser avait un message pour nous trois.

— Quoi ?!

— Il prétend avoir le pouvoir de détruire tout ce qui nous est cher et semble déterminé à nous ruiner. Je pense qu'il s'en est pris à Jodie parce qu'elle constituait une cible facile. Elle était seule et sans défense, alors que Mia et Bethany sont mieux protégées.

— Ça n'explique pas l'existence de cette photo, insista Jace, furieux. Que faisait Charles Willis avec Mia ? Est-ce que c'est lui qui a attaqué Jodie et qui nous menace ?

— Oui, répondit Gabe, laconique.

— OK, mon pote. Il va falloir que tu nous racontes tout ce que tu sais, rétorqua Ash.

Gabe se passa une main sur le visage, l'air dévasté.

— D'accord, mais ça ne va pas vous plaire. Je pensais que c'était derrière moi et Mia, mais j'avais tort.

— Un peu, oui, cracha Jace. Qu'est-ce que tu as fait, putain ?

— Au moment de mon voyage à Paris, on était ensemble, Mia et moi, même si vous n'étiez pas encore au courant. Juste avant notre départ, mon ex-femme est passée me voir au bureau et m'a débité tout un tas de conneries. Elle m'a notamment accusé d'avoir toujours été amoureux de Mia, même quand on était mariés. Ça m'est resté en travers de la gorge. Je n'étais pas encore prêt à admettre la nature de mes sentiments envers Mia, alors j'ai voulu me prouver que ce n'était qu'une attirance purement physique. J'ai organisé une soirée un peu spéciale à Paris.

— Spéciale comment ? gronda Ash.

Gabe poussa un profond soupir.

— On avait déjà discuté du désir de Mia d'être avec d'autres hommes – en ma présence, bien sûr. Un peu comme vous deux quand vous partagiez vos conquêtes. Bref, j'ai invité Charles Willis, Stéphane Bargeron et Tyson Cartwright à venir nous rejoindre dans notre suite.

Gabe s'interrompit en secouant la tête, mais le regard implacable de Jace le persuada de poursuivre.

— Disons que c'est parti en vrille. Je les avais autorisés à la toucher, rien de plus. J'avais clairement précisé qu'il n'était pas question d'autre chose. Pourtant, même ça, je me suis vite rendu compte que c'était intenable. J'étais sur le point d'intervenir quand Willis a essayé de forcer Mia à le prendre dans sa bouche. Quand elle a protesté, il l'a frappée.

— Quoi ?! hurla Jace. Comment as-tu pu faire ça à Mia ? Qu'est-ce qui t'a pris ?

— Attends, ce n'est pas tout, l'interrompit Gabe.

— Oh putain ! souffla Ash.

— On était rentrés à New York depuis quelques jours quand Willis a intercepté Mia un midi, alors qu'elle était sortie nous acheter de quoi manger. Il a essayé de lui faire du chantage pour la forcer à lui donner des tuyaux sur nos autres investisseurs. Il se doutait que je refuserais de traiter avec lui après son comportement à Paris, mais il s'est dit que, s'il nous faisait une offre défiant toute concurrence, je serais contraint d'accepter. Bref, il a montré cette photo à Mia et l'a menacée de la publier sur le Net si elle ne lui donnait pas ce qu'il voulait.

— J'y crois pas ! gronda Jace.

— Mia n'a pas cédé, évidemment. Elle est venue m'en parler, et je me suis chargé de Charles Willis. Enfin, du moins, c'est ce que je croyais, conclut Gabe d'un air abattu.

Ash crispa les mâchoires pour endiguer la rage qui montait en lui comme un torrent de lave en fusion.

— Je vais régler ça une bonne fois pour toutes, reprit Gabe à voix basse. J'ai fait une connerie, c'est à moi de la réparer. Je vais m'assurer qu'il ne puisse pas faire mal à Mia ou à Bethany, et lui faire regretter d'avoir posé les mains sur Jodie.

— Non ! lança Ash d'une voix cinglante qui retentit dans la pièce.

Gabe et Jace se tournèrent vers lui, perplexes.

—Cette fois, c'est à mon tour de régler son compte à ce minable, expliqua-t-il posément.

—Je ne suis pas sûr que ce soit une bonne idée, mon pote, objecta Jace en fronçant les sourcils. Tu n'es pas en état de réfléchir calmement. Laisse-nous nous en occuper.

—J'ai dit non, insista Ash. Gabe a déjà essayé de régler les choses à sa manière, et ça n'a pas marché, alors cette fois je m'en charge.

Gabe ouvrit la bouche pour parler, mais Ash le fit taire d'un regard.

—Si c'était Mia ou Bethany qu'on venait de conduire ici en ambulance, est-ce que vous laisseriez quelqu'un d'autre s'occuper du responsable?

Jace pinça les lèvres.

—Non, admit-il, mais je pense que c'est trop dangereux après ce qui s'est passé avec Michael. Tu t'en es bien tiré une fois, mais tu as eu de la chance. Charles Willis n'a plus rien à perdre, et clairement il ne s'est pas laissé intimider par les menaces de Gabe. Si tu t'en prends à lui, c'est un coup à finir en taule.

—Oh, je ne comptais pas me contenter de l'intimider par des menaces! En revanche, j'ai bien l'intention de le faire couler.

Gabe et Jace échangèrent un regard inquiet qu'il fit mine de ne pas remarquer. Il avait pris sa décision, et rien ne pourrait le dissuader.

—Ne vous en faites pas. Je ferai en sorte que ni vous ni les filles ne soyez mêlés à cette histoire. Vous pouvez me faire confiance.

—Genre! s'esclaffa Jace. Tu crois vraiment qu'on va te laisser te débrouiller tout seul? Tu devrais pourtant savoir qu'on est avec toi, jusqu'au bout.

—Je sais, et ça me touche beaucoup, mais il est hors de question que je mette ma famille en danger. Inutile d'insister. Je ne vais pas prendre de risques inconsidérés : je tiens à être là pour Jodie quand elle va se réveiller, et chaque jour de sa vie par la suite. En revanche, je refuse qu'elle ait à craindre les représailles d'un taré qui préfère s'en prendre à une femme que nous affronter, nous. Ça ne se reproduira plus jamais, je vous le garantis.

—Qu'est-ce que tu comptes faire? demanda Gabe à voix basse.

—Il vaut mieux que vous ne soyez pas au courant.

—Pourtant, c'est ma faute, soupira Gabe en se passant une main dans les cheveux.

—Tu as déjà essayé de régler le problème à ta manière, et ça n'a pas fonctionné, répéta Ash. Je ne dis pas que tu t'y es mal pris, mais de toute évidence ça n'a pas suffi. Je te comprends : ce qu'il a fait à Mia n'est pas comparable à l'état dans lequel il a mis Jodie. Seulement, maintenant, je tiens à m'assurer qu'il ne recommence jamais ses conneries.

—Pourquoi ne nous as-tu rien dit? demanda Jace à Gabe. Je n'arrive pas à croire que tu nous aies caché un truc pareil!

Surtout si tu n'étais pas absolument certain que Willis se tienne tranquille.

— Sur le moment, je ne pouvais pas vous en parler sans vous révéler qu'on était ensemble, Mia et moi, et elle ne voulait pas que tu saches. Et puis Willis a disparu de la circulation, et j'ai cru qu'il avait compris le message. Je ne voyais pas l'intérêt de ressasser toute cette histoire.

— Sauf qu'il n'avait pas compris le message, rétorqua Jace, furieux. Au contraire, il a décidé de revenir à la charge et de s'en prendre à nos femmes pour nous atteindre.

— Il faut vraiment resserrer la sécurité autour d'elles, intervint Ash.

Il comprenait la colère de Jace, mais ce n'était pas le moment de s'étriper pour cela. Le plus important était de faire en sorte que Mia et Bethany ne courent absolument aucun danger.

— C'est bien simple : elles ne mettront pas un pied dehors tant que ce taré ne sera pas hors d'état de nuire.

Ash hocha la tête.

— Je vous préviendrai quand ce sera réglé.

Jace garda le silence, mais Ash devina à son expression orageuse qu'il n'en avait pas fini avec Gabe.

— Monsieur McIntyre ?

Il fit volte-face et s'avança vers l'infirmière qui venait d'entrer.

— Comment va-t-elle ? Est-ce que je peux la voir ?

—Le médecin veut vous parler, répondit-elle en lui souriant gentiment. Elle va vous mettre au courant de l'état de santé de Mlle Carlysle et vous dire si vous pouvez aller la voir. Ne bougez pas, je vais la prévenir que vous êtes ici.

Ash fit les cent pas dans la petite pièce, tel un lion en cage. Cela faisait un long moment qu'il n'avait eu aucune nouvelle de Jodie, et il allait finir par devenir fou. Cela ne lui plaisait pas de la laisser seule, ou du moins entourée d'inconnus. Il lui avait assuré qu'il resterait avec elle jusqu'au bout et souffrait de ne pas pouvoir tenir sa promesse.

Quelques minutes plus tard, le médecin entra dans la salle d'attente. Elle paraissait toute jeune, ce qu'accentuait encore sa queue-de-cheval.

—Monsieur McIntyre ?

—Oui, c'est moi, dit-il en s'approchant.

Elle lui serra la main d'un geste énergique.

—Bonjour, je suis le docteur Newton. C'est moi qui m'occupe de Mlle Carlysle.

—Comment va-t-elle ? Quand est-ce que je pourrai la voir ?

Le médecin sourit gentiment.

—Elle est encore sous le choc. Ce qui m'inquiète le plus, c'est qu'elle souffre d'un pneumothorax. Nous l'avons intubée pour réduire la poche d'air qui s'était formée et permettre au poumon de fonctionner normalement. Nous n'avons pas encore écarté la possibilité d'une infection ; nous allons devoir la garder en observation jusqu'à ce que sa respiration soit stabilisée. Pour l'instant, je ne pense pas qu'il soit nécessaire d'opérer, mais j'ai quand même demandé qu'un chirurgien vienne l'examiner.

» Elle a plusieurs côtes fracturées, ainsi que les doigts de la main droite. J'ai aussi remarqué une fêlure du poignet droit, mais rien n'est déplacé. Par ailleurs, elle souffre d'un léger traumatisme crânien, de plusieurs ecchymoses et de diverses coupures. Elle a été sauvagement battue, monsieur McIntyre. Elle a de la chance d'être en vie.

Ash poussa un profond soupir, auquel firent écho ceux de Gabe et de Jace.

— Est-ce que je peux la voir ?

— Oui, elle est revenue du laboratoire de radiologie et sera transférée au service des soins intensifs dès que les papiers seront en ordre. Je ne peux pas vous dire exactement combien de temps elle y restera, cela dépendra du médecin en charge de ce service. En tout cas, vous pouvez aller la voir et rester avec elle jusqu'à son transfert, même s'il intervient après la fin des heures de visite. Pour des urgences comme celles-ci, on est tolérant.

— Je veux l'accompagner au service des soins intensifs, plaida Ash.

— Je comprends. Comme je vous le disais, on est assez tolérant avec ce genre de cas. Malheureusement, vous devrez patienter dehors pendant que les infirmiers l'installeront dans sa chambre, mais ils vous préviendront aussitôt que vous pourrez retourner auprès d'elle.

—Merci, souffla Ash. J'apprécie énormément tout ce que vous avez fait pour elle.

—Je vous en prie, monsieur McIntyre, c'est mon métier, répliqua-t-elle sur un ton enjoué. Maintenant, si vous voulez bien m'excuser, j'ai d'autres patients à voir. Suivez-moi, je vais vous accompagner jusqu'à sa chambre.

Ash se tourna vers Gabe et Jace.

—Vous voulez bien mettre Mia et Bethany au courant? Elles doivent se faire un sang d'encre.

—Bien sûr, dit Jace. Je vais demander à Kaden de les conduire ici et de rester avec nous.

—Merci.

Ash tourna les talons et suivit le médecin.

En entrant dans la petite pièce où reposait Jodie, il retint son souffle, et des larmes lui brûlèrent les paupières. Il porta une main à sa poitrine pour tenter d'endiguer la douleur qui lui vrillait le cœur.

—Oh, mon Dieu!

Cela lui faisait mal de savoir que, si elle gisait là, c'était uniquement parce qu'un déséquilibré avait des comptes à régler avec Gabe, Jace et lui. Il s'approcha du lit et, tout doucement, passa une main sur son front, repoussant quelques mèches de cheveux avant de l'embrasser.

—Je t'aime, Jodie, murmura-t-il. Je suis là, avec toi, comme promis. Je ne veux plus jamais qu'on se quitte, toi et moi. Plus jamais.

Elle ne remua même pas. Il ne percevait pas d'autre son que le sifflement de la machine qui alimentait le masque à oxygène et les «bip» réguliers qui rendaient compte des battements de son cœur. Elle avait l'air tellement fragile… Les infirmiers l'avaient nettoyée, et, à présent que son visage n'était plus maculé de sang, il distinguait de gros hématomes violacés qui juraient avec sa peau diaphane.

Il effleura du bout des doigts la base de son cou, là où aurait dû reposer le collier qu'il lui avait offert. Il avait hâte de la revoir porter ce bijou symbolique, ainsi qu'un diamant à son doigt. Il voulait l'entendre promettre qu'elle deviendrait sa femme. Ils seraient liés par les liens les plus forts qui soient, des liens rendus infiniment solides et infiniment doux par son amour.

Il passerait le reste de ses jours à la chérir et à la protéger – à tout faire pour la rendre heureuse.

Il passa deux heures en silence à son chevet, ne s'éloignant que pour laisser les infirmiers examiner Jodie. Enfin, on vint la transférer au service des soins intensifs.

On l'informa que cela prendrait au moins une heure. Plutôt que de tourner en rond comme un lion en cage, il décida de mettre ce temps à profit pour régler son compte à Charles Willis. Plus tôt ce salaud serait mis hors d'état de nuire, plus tôt ils pourraient cesser de s'inquiéter pour Mia et pour Bethany.

Il mit donc ses amis au courant de l'état de santé de Jodie et leur fit promettre de ne pas quitter les lieux tant qu'il ne serait pas revenu. Puis il s'éclipsa, bien décidé à punir l'ordure qui avait failli tuer Jodie.

Chapitre 33

Une douleur infernale lui vrillait le crâne, comme si quelqu'un s'évertuait à lui planter un clou dans la nuque. Elle avait mal partout ; le simple fait de respirer était une torture.

Elle percevait des voix – ou, du moins, une voix – malgré le rugissement qui résonnait dans ses oreilles.

Puis elle sentit sur son front une main chaude, dont la caresse fut suivie d'un baiser infiniment doux. Puis de paroles murmurées tout contre sa peau, rassurantes bien qu'indistinctes. Elle laissa échapper un soupir qu'elle regretta aussitôt, car il la fit cruellement souffrir.

—J'ai mal, gémit-elle sans savoir si ses mots franchissaient ou non ses lèvres.

—Je sais, ma chérie. Une infirmière va venir te donner quelque chose contre la douleur.

— Ash ?

— Oui, ma chérie, c'est moi. Si tu arrives à ouvrir tes beaux yeux, tu verras que je suis juste là.

Elle essaya, de toutes ses forces, mais en vain. Ce simple effort était déjà insupportable.

— J'arrive pas, souffla-t-elle, ses mots déformés par ses lèvres gonflées.

Ash déposa un nouveau baiser sur son front et passa une main dans ses cheveux d'un geste apaisant.

— Ce n'est pas grave, ma chérie. Ne te force pas. Je voulais juste que tu saches que je suis là et que tout va bien se passer.

Pourtant, elle tenait à le voir pour s'assurer que ce n'était pas son imagination qui lui jouait des tours. Elle rassembla toute sa volonté et fit une nouvelle tentative, mais elle se ravisa lorsqu'un rai de lumière vive lui brûla la rétine. Il lui fallut de longues minutes pour recouvrer son souffle après cet effort surhumain et la douleur qu'il lui avait causée. Puis elle essaya de nouveau.

Au début, elle ne vit que des formes floues, puis Ash apparut dans son champ de vision.

— Salut, ma belle, lança-t-il d'une voix douce mais enjouée.

Elle aurait voulu lui rendre son sourire, mais c'était trop douloureux, alors elle se contenta de ciller doucement dans l'espoir de le voir plus nettement.

— Salut, souffla-t-elle.

Elle reçut un choc en s'apercevant qu'il avait les yeux rougis, une barbe de trois jours, les cheveux ébouriffés et les vêtements tout fripés.

Elle se passa la langue sur les lèvres.

—Qu'est-ce qui m'est arrivé?

—Tu ne t'en souviens pas? demanda Ash en fronçant les sourcils.

Elle essaya de se concentrer, en vain. Elle secoua la tête.

—Ça fait longtemps?

Il lui caressa les cheveux d'un air inquiet.

—Ça fait longtemps que quoi, ma chérie?

—Que je suis là.

—Deux jours.

Elle écarquilla les yeux malgré elle.

—Deux jours?

—Oui, ma belle. Ça fait deux jours que tu es en soins intensifs. Tu nous as fait peur, tu sais.

—Je vais bien?

Question idiote, peut-être, mais elle avait tellement mal partout qu'il fallait qu'elle la pose.

Ash lui sourit tendrement.

—Oui, et tu vas aller de mieux en mieux à partir de maintenant. Je te le promets.

—Pardon, murmura-t-elle dans un soupir.

Il inclina la tête, surpris.

—Pourquoi dis-tu ça?

—Parce que je me suis emportée bêtement, répondit-elle. Je n'aurais pas dû te quitter comme ça. Je suis désolée. J'étais sur le point de t'appeler quand…

C'est alors que tout lui revint en mémoire avec une violence qui lui coupa le souffle. La terreur qu'elle avait ressentie, l'insupportable douleur physique, la certitude qu'elle allait mourir… De grosses larmes roulèrent sur ses joues.

—Oh, ma chérie ! Ne pleure pas, s'il te plaît ! Et puis tu n'as rien à te faire pardonner. Rien du tout !

—Qui c'était ? murmura-t-elle. Pourquoi ils m'ont fait ça ? Et pourquoi est-ce qu'ils vous en veulent autant ?

Il ferma les yeux et se pencha doucement pour poser son front contre le sien.

—Ne parlons pas de ça maintenant, s'il te plaît. Je préférerais nettement te dire que je t'aime et te raconter les mille et une façons dont j'ai prévu de te bichonner jusqu'à ce que tu sois rétablie – et au-delà.

Il y avait pourtant une autre question idiote qui lui brûlait les lèvres et qu'il fallait absolument qu'elle lui pose.

—Est-ce qu'on est réconciliés ?

Il rit doucement, et la douceur de son regard parvint à apaiser un peu de sa souffrance physique.

—Un peu, oui !

—Ouf ! fit-elle dans un souffle, soulagée.

—Oh, ma chérie, c'est une vraie torture d'être là, tout près de toi, et de ne pas pouvoir te prendre dans mes bras et te serrer contre mon cœur !

—Ce qui compte, c'est que tu sois là.

—Évidemment, que je suis là.

Elle ferma les yeux, épuisée, rattrapée par la douleur. Pourtant elle avait encore tant de questions à poser. Elle ignorait tout de la gravité de ses blessures – ou même de leur nature.

—Tout va bien, ma chérie. L'infirmière est arrivée. Dans quelques secondes, tu ne sentiras plus la douleur. Tiens bon.

—Parle-moi, Ash, supplia-t-elle. Je veux entendre le son de ta voix. Raconte-moi ce qui s'est passé et ce que j'ai exactement. J'ai besoin de savoir.

Il lui caressa doucement le front tandis que l'infirmière augmentait la dose d'antidouleur qui lui parvenait en intraveineuse. Elle sentit une étrange chaleur courir le long de son bras, aussitôt suivie par un soulagement bienvenu. En quelques secondes, elle eut l'impression de flotter sur un petit nuage, euphorique, puis brusquement elle eut l'impression que le plafond descendait sur elle. Elle poussa un petit cri étouffé.

—Ça va, ma belle ? s'enquit Ash, inquiet.

—Oui.

Après plusieurs secondes de silence, elle rouvrit les yeux, paniquée à l'idée qu'il ait pu s'en aller.

—Je suis là, Jodie. Je ne bouge pas, la rassura-t-il. Je te promets que je reste avec toi.

—Parle-moi, répéta-t-elle.

Elle sentait le sommeil la gagner mais ne voulait pas s'endormir trop vite.

Il lui déposa un baiser sur le front.

— Donne-moi juste une seconde, ma belle. J'ai quelque chose à demander à l'infirmière, mais je reviens tout de suite. Tu crois que tu peux rester éveillée encore un peu ?

Elle marmonna son accord et le sentit s'éloigner. Brusquement, une panique infernale la glaça jusqu'aux os, et ses lèvres se mirent à trembler, toutes gonflées.

Peut-être n'était-ce qu'un effet secondaire des médicaments ?

Mais pourquoi cela lui faisait-il tellement mal de respirer ? C'est alors qu'elle se rendit compte qu'un tube passait dans son nez pour l'alimenter en oxygène. Elle avait la poitrine comprimée et les muscles endoloris.

Avaient-ils essayé de la tuer ? Non, c'était impossible, puisqu'ils lui avaient confié un message à transmettre à Ash. S'était-elle acquittée de cette tâche ?

Une nouvelle vague de panique la fit suffoquer. Il fallait absolument qu'elle le mette au courant, sinon ces types risquaient de s'en prendre à Mia et à Bethany. Elle ne se le pardonnerait jamais s'il leur arrivait malheur parce qu'elle n'avait pas transmis le message à temps.

— Ash ! appela-t-elle de toutes ses forces.

Elle l'entendit revenir vers elle.

— Je suis là, ma belle. Qu'est-ce qui ne va pas ? Calme-toi, ma chérie. Respire doucement. Essaie de te calmer, s'il te plaît.

Elle inspira et tenta de souffler lentement, mais le poids qui lui comprimait la poitrine refusait de disparaître. Elle recommença l'opération, sans grand succès.

—Qu'est-ce qu'il y a, Jodie? Qu'est-ce qui te fait peur?

—Mia et Bethany, articula-t-elle d'une voix étranglée. Il risque de leur faire du mal. Il faut prévenir Gabe et Jace.

—C'est fait, ma chérie. Tu nous as fait passer le message. On s'est assurés que les filles étaient en sécurité, ne t'inquiète pas pour elles. Tiffany est avec Kai, qui est au courant aussi.

Elle voulut sourire et, à en juger par le regard amusé d'Ash, y parvint presque.

Puis la question qui la taraudait lui revint en mémoire. Il fallait absolument qu'elle la pose avant de sombrer dans le sommeil et de tout oublier de ses peurs et de sa douleur.

—Pourquoi?

Ash soupira mais n'essaya même pas de se défiler.

—À cause de moi – de nous trois, avoua-t-il d'une voix peinée. C'est un type avec qui on a failli faire affaire il y a quelques mois, sauf que Gabe l'a évincé parce que ce salaud avait essayé de s'en prendre à Mia. Ni Jace ni moi n'étions au courant de ce détail, mais c'est la raison pour laquelle il voulait se venger de nous : parce qu'on a refusé de travailler en partenariat avec lui et que ça l'a ruiné. Ce qui compte, Jodie, c'est qu'il ne s'en prendra plus jamais à nous. Tu as ma parole.

Jodie ne fut guère rassurée par la véhémence avec laquelle il lui fit cette promesse. Cela lui rappelait trop l'incident avec Michael et la façon dont Ash s'en était chargé.

—Qu'est-ce que tu as fait? demanda-t-elle dans un murmure.

—Rien qui puisse t'inquiéter, ma belle, dit-il en déposant un nouveau baiser sur son front.

Elle fronça les sourcils en s'efforçant de garder les yeux ouverts malgré ses paupières de plus en plus lourdes.

—Ce n'est pas une réponse, marmonna-t-elle.

—Bien sûr que si. Je ne veux pas que tu te préoccupes d'autre chose que de ta santé. Cette histoire n'a rien à voir avec toi, Jodie. Rien à voir du tout.

—Je ne veux pas te perdre, Ash…

Il lui caressa les cheveux avec une infinie tendresse.

—Tu ne vas pas me perdre, ma chérie. Je te le promets.

—OK.

—Maintenant, repose-toi et ne t'inquiète pas : je serai là à ton réveil.

Elle rassembla toutes ses forces pour murmurer les trois petits mots qu'elle ne lui avait encore jamais dits.

—Je t'aime.

Elle eut tout juste le temps de voir les beaux yeux verts d'Ash s'emplir de larmes avant de s'endormir.

—Moi aussi, je t'aime, ma chérie. Fais de beaux rêves, je veille sur toi.

Elle se sentit partir, happée par un sommeil réparateur, tout juste consciente d'une grande main chaude sur son front et de lèvres douces sur sa tempe.

Chapitre 34

—Elle va mieux ? s'enquit Mia lorsque Ash entra dans la salle d'attente des soins intensifs. Est-ce qu'elle s'est réveillée ?

Ash serra la jeune femme contre lui puis passa un bras autour des épaules de Bethany qui le dévisageait, l'air tendue. Cela lui faisait mal au cœur qu'elles aient été mises en danger par un déséquilibré.

Surtout, cela lui faisait de la peine que le passé de Mia revienne la hanter. Elle avait les épaules voûtées, comme si elle portait le poids d'une faute qui n'était pourtant pas la sienne. Elle n'était pas responsable de la misérable lâcheté de Charles Willis, cet individu pitoyable qui s'en prenait à des femmes sans défense pour obtenir ce qu'il voulait. Cela mettait Ash hors de lui que ce minable ait pu inspirer une telle angoisse à Mia et à Bethany – sans parler de ce qu'il avait fait subir à Jodie.

Il allait payer, ce n'était plus qu'une question de temps.

Gabe et Jace ne dirent rien mais lui adressèrent un regard interrogateur. Aucun d'entre eux n'avait dormi depuis que Jodie avait été admise aux urgences.

Mia et Bethany n'avaient pas été enchantées de se voir placées sous protection rapprochée, mais elles avaient accepté de bonne grâce.

— Oui, elle s'est réveillée, et on a pu discuter quelques minutes.

— Oh, c'est génial ! s'écria Bethany. Comment se sent-elle ?

— Elle a mal partout, la pauvre. L'infirmière a augmenté le dosage de ses antidouleur, ce qui l'a assommée. Elle ne savait plus très bien ce qui s'était passé et s'inquiétait pour vous, les filles. Elle avait oublié qu'elle m'avait déjà prévenu.

— Merde ! grommela Jace. Que dit le médecin ?

— Quand est-ce qu'on pourra la voir ? s'enquit Mia.

— Peut-être la prochaine fois qu'elle se réveillera, répondit Ash. Quant au médecin, il trouve son état encourageant. Ils ont pu lui retirer le masque à oxygène, ce qui est bon signe. Ils lui ont juste laissé une assistance respiratoire minimale. Elle devrait pouvoir quitter les soins intensifs dès demain si on ne décèle toujours pas de signe d'infection.

— Ouf ! Je suis soulagée, s'écria Bethany.

— Je m'en veux qu'elle ait dû subir un truc pareil, dit Mia, les yeux brillants de larmes.

Gabe la prit par la taille et l'attira contre lui d'un geste rassurant.

—C'est ma faute, poursuivit-elle. C'est à moi que cela aurait dû arriver.

Ash jeta un coup d'œil à Gabe qui semblait écrasé par le poids de la culpabilité. Il parut soudain bien plus âgé que ses trente-neuf ans.

—Ne raconte pas n'importe quoi! intervint Jace. Tu sais très bien que ce n'est absolument pas ta faute, Mia. Je t'interdis de dire ça!

—Non, en effet. C'est moi qui suis à blâmer dans cette histoire, gronda Gabe. Si je m'étais montré plus convaincant, Jodie ne serait pas dans un lit d'hôpital.

Ash ne le contredit pas, mais cela n'aurait servi à rien de l'accabler. Il échangea un regard avec Jace et comprit que celui-ci était du même avis, même s'il n'avait toujours pas pardonné à Gabe ce qui était arrivé à sa sœur.

—Ça n'a plus aucune importance, maintenant, dit Ash. Je m'en suis occupé, et il y a d'autres défis qui nous attendent.

Jace lui jeta un coup d'œil interrogateur mais accepta sans discuter ce changement de conversation.

—J'ai beaucoup à me faire pardonner auprès de Jodie, et pas uniquement le fait qu'elle se trouve ici et souffre le martyre à cause de moi et de HCM. Je tiens aussi à me racheter pour la peine que je lui ai causée en achetant ses tableaux sans le lui dire, mais, pour ça, j'ai besoin de votre aide.

—Tu sais bien que tu peux compter sur nous, déclara Bethany.

Ash lui sourit chaleureusement.

— Merci, ma puce. Ça me fait chaud au cœur.

— Comment est-ce qu'on peut t'aider ? demanda Gabe.

— Je veux organiser une exposition de ses œuvres, et j'aimerais faire les choses en grand. Alors, si par chance il vous est arrivé de rendre service à des personnes influentes, c'est le moment de vous rappeler à leur bon souvenir. Je pensais utiliser la salle de bal du *Bentley* et faire en sorte que le vernissage soit l'événement de l'année pour la bonne société new-yorkaise, en allant des personnalités politiques aux stars de cinéma. Je veux offrir à Jodie un cadre à la mesure de son talent pour qu'elle soit enfin reconnue à sa juste valeur. C'est tout ce qui lui manque pour réellement se faire un nom.

— Excellente idée. Tu prévois ça pour quand ? s'enquit Jace.

— On va devoir attendre au moins deux mois, histoire qu'elle soit complètement rétablie, répondit Ash. Ce serait dommage qu'elle ait encore la main dans le plâtre pour le grand soir. En revanche, j'aimerais qu'on s'y mette dès maintenant pour que tout se passe sans accroc.

— Aucun problème, dit Gabe.

— Merci, murmura Ash. Vous ne savez pas à quel point ça me fait plaisir de vous avoir à mes côtés.

Mia vint le serrer dans ses bras de toutes ses forces.

— Tu sais très bien qu'on t'adore, Ash – et qu'on adore Jodie aussi. On va tout faire pour t'aider. D'ailleurs, n'hésite pas à nous solliciter si tu as besoin d'autre chose.

— Eh bien, justement…, commença Ash avec un sourire.

— Quoi ? demanda Bethany. Dis-nous tout.

—Est-ce que vous pourriez rester ici au cas où Jodie se réveille en mon absence ? J'ai une bague à aller acheter.

Le sourire ravi des deux jeunes femmes lui réchauffa le cœur.

Il les embrassa sur la joue, puis sortit de l'hôpital.

Direction *Tiffany's*.

Chapitre 35

JODIE PARVINT ENFIN À S'ASSEOIR TOUTE SEULE, ADOSSÉE à plusieurs oreillers. Ce n'était pas un mince exploit, étant donné la souffrance que lui causaient ses côtes cassées. Après trois jours aux soins intensifs, elle avait enfin été transférée à l'étage des convalescents. Elle recommençait à pouvoir bouger un peu et – surtout – à pouvoir manger !

Elle n'avait pas encore droit à de la nourriture digne de ce nom, mais elle était tellement affamée qu'elle s'était jetée sur son bouillon et sa jelly comme s'il s'agissait du nectar et de l'ambroisie.

Ash l'avait laissée seule le temps d'aller accueillir Gabe, Jace, Mia, Bethany et Tiffany. Cela la gênait un peu qu'ils la voient dans cet état, mais elle avait trop hâte de les revoir pour réellement s'en soucier. Avec un peu de chance, les bleus qu'elle avait au visage disparaîtraient rapidement.

La plupart étaient déjà passés d'un brun violacé, presque noir, à une teinte jaunâtre. Elle ne voulait même pas savoir à quoi ressemblait le reste de son corps. Elle avait fermé les yeux quand Ash l'avait aidée à se doucher.

Enfin, la porte s'ouvrit, et elle sourit par anticipation. Ash entra le premier, suivi de Mia, de Bethany et de Tiffany, qui s'empressèrent de venir l'embrasser doucement sur la joue. Toutes s'exclamèrent qu'elle avait bien meilleure mine que la dernière fois – mensonge éhonté dont elle leur fut reconnaissante.

À sa grande surprise, Kai Wellington accompagnait Gabe et Jace. Elle jeta un coup d'œil malicieux à Tiffany, qui rougit comme une lycéenne prise en flagrant délit de baisers volés avec le capitaine de l'équipe de foot.

— Il a insisté pour venir, expliqua-t-elle. Il ne m'a pas quittée d'une semelle depuis ton agression.

— Je n'allais quand même pas courir le risque qu'un misérable lâche s'en prenne à toi, intervint Kai. C'est déjà bien assez moche qu'il ait fait du mal à Jodie.

— Ouah! Il a vraiment l'air accro, murmura Jodie à l'oreille de Tiffany. J'imagine que tout va bien entre vous?

— Oui! Super bien! répondit Tiffany en hochant la tête, les yeux brillants.

Jodie lui tendit sa main gauche – celle qui n'était pas plâtrée.

— C'est génial, je suis contente pour vous.

— Comment te sens-tu? s'enquit Mia.

—Mieux, merci.

Face au regard sceptique d'Ash, elle se reprit.

—Je n'ai pas dit que c'était la super forme, mais ça va quand même mieux. J'arrive à m'asseoir toute seule sans avoir l'impression qu'on m'a mis le feu au thorax et je n'ai plus du tout besoin d'assistance respiratoire.

—Ah! Ça, c'est une bonne nouvelle! s'exclama Bethany. Tu nous as fait une belle frayeur, tu sais.

—Et vous, les filles? Comment ça va? demanda-t-elle à voix basse.

Sa question s'adressait essentiellement à Mia. Ash lui avait raconté ses mésaventures avec Charles Willis.

—Ça va, répondit cette dernière. Je me sens toujours un peu coupable.

Jodie secoua la tête, puis grimaça à cause de la douleur que ce mouvement entraîna.

—Mia, ce type est un gros naze vicieux. Tu n'es absolument pas responsable de ses coups tordus.

—Elle a raison, tu sais, renchérit Ash.

—Ça me dégoûte d'avoir le même nom de famille que lui, intervint Bethany avec une grimace. Je ne voudrais pas qu'on puisse croire que je fais partie de sa famille!

—Oh, ne t'inquiète pas pour ça! la rassura Mia en riant. C'est super commun, comme nom.

—Et puis tu n'en as plus pour très longtemps, je te rappelle, renchérit Jace avec un sourire ravi. Bientôt, tu t'appelleras Bethany Crestwell.

Bethany rougit de plaisir et, par réflexe, jeta un coup d'œil au diamant qui scintillait à son doigt. C'était un solitaire de taille impressionnante sans être ostentatoire. Il lui correspondait parfaitement.

— D'ailleurs, en parlant de ça, est-ce que vous avez choisi une date ? demanda Jodie.

Bethany éclata de rire en voyant la mine dépitée de Jace.

— On en discute. Je voulais attendre que tu sois complètement remise pour lancer les préparatifs. Je veux que tu sois sur pied pour l'occasion.

Jodie ne chercha même pas à dissimuler son émotion.

— Tu sais que je ne manquerais ça pour rien au monde, même avec une main dans le plâtre ! s'écria-t-elle en riant. Ne t'en fais pas pour ça !

— Non. Je veux que tout le monde soit au mieux de sa forme. Caro m'a promis de revenir de Vegas exprès.

Kai se racla la gorge.

— Ça sera vite arrangé si Tiffany et moi allons nous établir là-bas : on pourra tous faire le trajet dans mon jet privé.

Jodie se tourna vers Tiffany, les yeux écarquillés.

— Tu vas le suivre à Las Vegas ?

— Oui, répondit Kai à la place de la jeune femme.

Ash fronça les sourcils mais n'intervint pas. Jodie devina qu'il allait avoir une longue conversation avec sa sœur un peu plus tard – ainsi qu'avec Kai.

— Merci, dit Bethany, intimidée par la prestance de ce dernier. C'est très gentil à toi de leur faciliter le trajet.

—Je ne veux pas rater ça, répliqua Kai avec un grand sourire. Peut-être que le spectacle de votre bonheur parviendra à convaincre Tiffany de tenter sa chance une seconde fois. Son premier mari était un imbécile qui ne la méritait pas, mais je suis prêt à lui faire oublier cette triste expérience.

Ouah! Ce type savait ce qu'il voulait. Jodie risqua un nouveau coup d'œil à Tiffany, visiblement moins pressée que lui. Pourtant, elle ne doutait pas qu'il finirait par la mener à l'autel.

—Vous n'auriez pas apporté un petit quelque chose à manger, par hasard? demanda-t-elle, pleine d'espoir. Je meurs de faim, on ne me donne que du bouillon et de la jelly, ici.

—Patience, ma chérie, la gronda gentiment Ash. Tu dois attendre demain pour avoir le droit de manger de la nourriture solide, et encore… Il va falloir y aller progressivement.

Elle poussa un soupir dépité.

—Ça ne coûtait rien de demander. Qui sait? Peut-être que les filles vont m'apporter des petites douceurs dès que tu auras le dos tourné, dit-elle avec un clin d'œil appuyé à ses amies.

Tous éclatèrent de rire.

—Compte sur nous, rétorqua Mia avec un regard d'avertissement à Ash.

Celui-ci secoua la tête.

—Fais ta maligne, mais je te rappelle que je monte la garde.

—Certes, mais il t'arrive de dormir, intervint Bethany d'une voix suave.

Ils rirent de plus belle. Jodie sentit le poids douloureux qui lui opprimait la poitrine se dissiper quelque peu. Elle allait s'en sortir. Le médecin lui avait dit qu'elle pourrait sans doute rentrer chez elle dans un jour ou deux. Elle n'en pouvait plus d'être immobilisée dans son lit d'hôpital.

Cela faisait plusieurs jours qu'elle ne se déplaçait que pour aller aux toilettes ou pour se doucher. Elle était impatiente de pouvoir se lever et s'étirer un peu.

Ils bavardèrent gaiement pendant encore quelques minutes, jusqu'à ce qu'Ash remarque que Jodie bâillait de plus en plus fréquemment. Il fit signe aux autres qu'il était temps de la laisser se reposer.

Ils s'empressèrent de prendre congé de la jeune femme, et même Kai l'embrassa sur la joue avant de retourner auprès de Tiffany.

— C'est nul que vous deviez déjà repartir, grommela-t-elle. Je m'ennuie à mourir, ici. Je vais finir par devenir chèvre !

— Mais non, ne t'inquiète pas ! la rassura Mia en riant. On revient bientôt, avec des victuailles, ajouta-t-elle avec un clin d'œil.

— Génial, dit Jodie avec un sourire.

Ash l'embrassa doucement sur les lèvres.

— Je vais les raccompagner, ma chérie. Est-ce que tu veux que je te rapporte quelque chose ? Le médecin a dit que tu avais droit au café et au chocolat chaud.

— Oh, le bonheur ! s'écria-t-elle. Tu veux bien me rapporter un *latte*, s'il te plaît ?

— Tout ce que tu veux, ma chérie.

— Oui, enfin, tout ce que je veux tant que ça ne se mange pas, grommela-t-elle.

Ash lui caressa la joue avec un sourire affectueux.

— Exactement, tant que ça ne se mange pas.

Elle le chassa d'un geste et reposa la tête contre ses oreillers. Cette petite visite l'avait épuisée. Elle n'était peut-être pas autant en forme qu'elle aurait voulu le croire, mais elle était heureuse qu'ils soient venus la voir.

Ils sortirent de la chambre, Ash en dernier. Avant de refermer la porte derrière eux, il se retourna et lui lança un regard si plein d'amour que sa gorge se serra.

Elle poussa un soupir de bonheur et ferma les yeux. Elle commençait à somnoler quand elle entendit la porte s'ouvrir. Cela ne faisait pourtant que quelques minutes qu'Ash était parti. Il n'aurait pas eu le temps de raccompagner ses amis, d'aller lui chercher son café et de remonter à son étage.

En ouvrant les yeux, elle reconnut les deux hommes en uniforme qui se tenaient sur le seuil. Il s'agissait des deux détectives qui avaient pris sa déposition le soir de son hospitalisation. Elle n'avait qu'un vague souvenir de cette première rencontre. Elle souffrait atrocement, et les antidouleur ne l'aidaient pas à se concentrer. Au moins avait-elle fait ce qu'elle aurait dû faire quand Michael l'avait attaquée. Elle avait porté plainte contre Charles Willis. Avec un peu de chance, les deux policiers venaient lui apprendre qu'ils l'avaient arrêté. Elle préférait ne pas imaginer ce qu'Ash lui ferait subir s'il le retrouvait avant eux.

—Mademoiselle Carlysle, nous aimerions vous poser quelques questions, si cela ne vous ennuie pas. Je ne sais pas si vous vous souvenez de nous : je suis l'inspecteur Starks, et voici Clinton, mon coéquipier. Nous nous sommes parlé juste après votre agression.

—Oui, inspecteur, je m'en souviens. Ça ne m'ennuie pas du tout de répondre à quelques questions. Vous avez arrêté Willis ?

—Non, justement. C'est pour ça que nous sommes ici, expliqua Starks d'une voix calme et posée.

Les deux hommes échangèrent un regard qui mit Jodie sur ses gardes.

—Le corps de Charles Willis a été retrouvé ce matin. Il a été sauvagement assassiné, et nous recherchons le coupable.

Chapitre 36

Jodie dévisagea les deux détectives, abasourdie. Terrifiée. Ash n'avait quand même pas… Non, il n'aurait pas fait ça! C'était impossible. Quoique… Une folle panique lui comprima la poitrine, et son souffle se fit laborieux, douloureux.

— Mademoiselle Carlysle? Tout va bien? demanda Clinton d'un air inquiet.

— Non, tout ne va pas bien, rétorqua-t-elle dans un murmure. Vous venez de m'annoncer que mon agresseur s'était fait tuer…

Soudain, une idée lui traversa l'esprit, et elle regarda tour à tour les deux hommes.

— Ne me dites pas que je fais partie des suspects, reprit-elle. Je suis à peine capable de me lever.

En revanche, elle savait pertinemment qu'Ash figurerait sur la liste. Il n'avait pas cherché à dissimuler sa rage lors de la première visite des détectives. Jodie elle-même était incapable de faire taire ses soupçons.

—Non, évidemment, rétorqua Starks. C'est de M. McIntyre que nous voulons vous parler. Savez-vous où il se trouvait hier soir entre 19 et 22 heures ?

Étourdie par un immense soulagement, elle agrippa la bordure métallique du lit de la main gauche. Ash était innocent ! Il avait passé toute la soirée de la veille avec elle.

—Oui, il était ici, avec moi, répondit-elle d'une voix ferme. Vous pouvez demander confirmation aux infirmières de garde : il est arrivé en fin d'après-midi et a dormi sur le canapé, là.

Clinton griffonna quelques notes dans un calepin, mais Starks continua de la toiser d'un regard qui finit par la mettre mal à l'aise.

—Heureux hasard, vous ne trouvez pas ? L'homme qui vous a sauvagement agressée se fait brutalement assassiner quelques jours plus tard…

—Qu'est-ce que vous insinuez, inspecteur ? Je vous rappelle que, si vous aviez fait votre travail et arrêté Charles Willis après ma déposition, il serait toujours en vie à l'heure qu'il est. J'ai répondu à votre question : Ash était avec moi. Vous n'avez qu'à interroger le personnel de l'hôpital si vous ne me croyez pas.

—Nous comptions le faire, de toute façon, mais j'ai une autre question pour vous. Savez-vous où se trouvaient M. Crestwell et M. Hamilton hier soir?

Elle blêmit.

—Vous êtes fou ou quoi? Pourquoi voudraient-ils tuer Charles Willis?

—Répondez à la question, mademoiselle Carlysle, intervint Clinton.

—Non, je ne les ai pas vus hier soir, mais je suis sûre qu'ils ont un alibi.

—Ça, c'est à nous de le découvrir, rétorqua Starks.

Au même instant, Ash entra. Il s'immobilisa en apercevant les deux détectives et plissa les yeux.

—Qu'est-ce qui se passe, ici?

—Monsieur McIntyre, dit Starks en le saluant d'un geste. Nous sommes venus poser quelques questions à Mlle Carlysle au sujet du meurtre de Charles Willis.

Ash cilla.

—Il est mort?

Clinton hocha la tête.

—Tant mieux.

Jodie tressaillit. Ces paroles véhémentes n'allaient pas arranger leur affaire.

—Tu fais partie des suspects, Ash! le prévint-elle.

—Vraiment? s'enquit Ash en haussant un sourcil.

—Vous ne semblez pas exactement bouleversé par l'annonce de sa mort, commenta Starks.

Ash le toisa, furieux.

— Rappelez-vous l'état dans lequel se trouvait Jodie lors de votre première visite, inspecteur ! Si c'était votre femme que ce salaud avait failli tuer, est-ce que vous seriez bouleversé d'apprendre qu'il s'est fait descendre ?

Clinton toussa, mal à l'aise, et Starks eut l'élégance de baisser la tête un instant.

— Mon avis sur la question n'a aucune importance, rétorqua-t-il. Un meurtre a eu lieu, et c'est mon devoir d'enquêter.

— Alors enquêtez, mais laissez Jodie tranquille. Si vous avez d'autres questions à nous poser, appelez mon avocat. Il organisera un rendez-vous. Pour le moment, elle souffre encore terriblement et elle est épuisée. Elle n'a pas besoin que vous veniez lui poser des questions qui risquent de la contrarier et de perturber son rétablissement.

— Dans ce cas, auriez-vous l'amabilité de nous suivre dans le couloir pour nous livrer votre version des faits ? s'enquit Starks sèchement.

— Non, répondit Ash. Je refuse de laisser Jodie seule trop longtemps. Comme je vous l'ai déjà dit, vous n'avez qu'à appeler mon avocat.

— Pourquoi compliquer les choses ? intervint Clinton. Nous avons seulement quelques questions à vous poser.

— Combien de fois dois-je vous le répéter ? Contactez mon avocat. Voici son numéro, ajouta-t-il en sortant de son portefeuille une carte qu'il tendit à l'inspecteur.

Les deux détectives lui jetèrent un regard mécontent mais n'insistèrent pas.

—Nous allons mener une enquête sur vous, monsieur McIntyre. Si vous avez la moindre responsabilité dans le meurtre de Charles Willis, comptez sur nous pour le découvrir, promit Starks.

—Je n'ai rien à cacher, répliqua Ash. En revanche, si vous vous penchez sur les agissements de Charles Willis, vous allez trouver plein de suspects potentiels parmi ses partenaires professionnels. Ce n'est pas en fouinant dans mes affaires que vous trouverez le coupable, c'est en regardant de plus près les siennes.

Les deux hommes échangèrent un regard agacé.

—Nous vous recontacterons, leur lança Starks.

Puis ils sortirent, et Ash referma la porte derrière eux avec un peu plus de force que nécessaire.

—Je suis désolé, ma chérie, dit-il en revenant vers le lit. Je ne pensais pas qu'ils oseraient venir t'interroger ici, comme ça. Je m'en veux de ne pas avoir été là quand ils sont arrivés. Je vais m'assurer que ça ne se reproduise plus, mais, si jamais ils reviennent en mon absence, ne leur dis rien. Exige la présence d'un avocat et appelle-moi aussitôt.

Elle hocha la tête. Ash remarqua qu'elle tremblait et lui prit gentiment la main, lui caressant la paume avec son pouce.

—Ils m'ont demandé où tu étais hier soir entre 19 et 22 heures, bredouilla-t-elle. Ils pensent que tu l'as tué.

—Tu sais très bien que j'étais ici, avec toi, la rassura-t-il.

— Oui, c'est ce que je leur ai dit, mais ils m'ont posé des questions sur Jace et sur Gabe. Il faut que tu les préviennes. Ash, dis-moi que vous n'avez rien à voir là-dedans, plaida-t-elle d'une voix angoissée.

Il secoua lentement la tête.

— Je ne l'ai pas tué, Jodie. J'étais avec toi.

— Oui, mais est-ce que tu as chargé quelqu'un d'autre de le faire ? demanda-t-elle dans un murmure.

Il se pencha sur elle et appuya ses lèvres sur son front pendant un long moment.

— Je n'en ai pas eu besoin. C'était un homme malhonnête, qui a escroqué pas mal de monde, y compris des types peu recommandables. C'était inévitable que sa tête soit mise à prix une fois l'étendue de ses arnaques étalée au grand jour.

Jodie lui jeta un regard perplexe.

— Et comment la nouvelle de ses agissements s'est-elle répandue ?

Ash lui adressa un sourire qui n'avait rien de chaleureux. Elle frissonna. La façade charmante et enjouée de cet homme cachait un caractère inflexible qu'il valait mieux ne pas froisser.

— Il se peut qu'une certaine personne bien renseignée ait commis une légère indiscrétion.

Elle retint son souffle un instant.

— Tu veux dire que tu as quelque chose à voir avec son meurtre ?

— Non. Je me suis contenté de transmettre des informations importantes à des individus influents. Après, ce qu'ils en ont fait ne me regarde plus. Je n'ai pas tué Charles Willis. Je ne l'ai pas fait tuer. En revanche, j'ai révélé ses agissements à des personnes qui, du coup, ont pu vouloir le tuer. Est-ce que tu peux vivre avec ça ? Avec moi ?

Elle hocha la tête lentement, toujours sous le choc mais profondément soulagée. Elle n'aurait pas supporté qu'Ash soit envoyé en prison alors qu'ils avaient la vie devant eux.

— Ce type était une ordure qui ne méritait pas de vivre, souffla-t-elle. Je n'aurais jamais imaginé dire ou même penser ça un jour. Il y a quelque temps, ça m'aurait révoltée que quelqu'un se fasse justice lui-même, comme ça.

— Et maintenant ?

— Tu m'as changée, Ash. Je ne suis pas sûre que ce soit entièrement en bien – ou en mal –, mais le fait est que j'ai changé à ton contact. J'ai l'impression d'être une meilleure personne par certains aspects, même si ma morale est devenue un peu douteuse.

— Ma chérie, je ne veux pas que tu te sentes salie par ma faute. Certes, il m'arrive d'agir un peu en marge de la stricte légalité, mais il ne faut pas que ça t'affecte. Tu rayonnes de bonté et de pureté, et je ne veux surtout pas gâcher ça. Si tu es d'accord, on ne parlera plus jamais de cette histoire. Est-ce que ça te paraît faisable ?

— Oui, répondit-elle dans un murmure. Ça me paraît tout à fait faisable.

— Si tu savais comme je t'aime ! s'écria-t-il dans un souffle. Je ne mérite sans doute pas ta bonté, mais j'en ai besoin pour respirer. Tu illumines ma vie, Jodie, et je ne veux plus jamais retourner dans les ombres dont tu m'as tiré.

— Alors reste avec moi au soleil, loin des ombres, répliqua-t-elle doucement.

— Toujours. Je ne laisserai jamais rien t'atteindre, ni toi ni nos enfants. Tu fais partie de ma famille maintenant, au même titre que Gabe, Jace, Mia et Bethany. Je serais prêt à mourir pour vous – pour que vous puissiez rester au soleil, comme vous le méritez.

— Toi aussi, tu le mérites, Ash. Je veux que tu vives toujours au soleil, à mes côtés. (Elle s'interrompit soudain.) Attends une minute, là. Tu as parlé de nos enfants ?

Il sourit, lentement, avec cette certitude proche de l'arrogance qu'elle trouvait terriblement sexy.

— Tu m'as bien entendu, ma belle. Je veux que tu portes mes enfants. À toi de décider combien tu en veux. J'aimerais bien avoir des garçons d'abord, puis une petite fille… Comme ça, elle aura des grands frères pour prendre soin d'elle et pour la protéger. On formera une vraie famille.

Jodie lui sourit, émue.

— Oui, on formera une vraie famille. Au fait, j'en veux six, tu crois que tu vas tenir le coup ?

— Six ?! s'écria-t-il, l'air abasourdi. Il ne va pas falloir traîner, alors !

Elle hocha la tête solennellement.

— On ferait bien de s'y mettre sans tarder.

—Je suis d'accord! Si on attend trop, je risque d'être trop vieux pour me mettre à quatre pattes et jouer avec notre petit dernier. Mais, pour le moment, il faut que tu te rétablisses, ma chérie.

Après une seconde d'hésitation, il se leva et sortit une petite boîte de sa poche.

—Je voulais attendre une occasion spéciale, reprit-il, mais je ne vois pas ce qu'il peut y avoir de plus parfait que cet instant, alors qu'on discute de nos futurs enfants.

Il ouvrit l'écrin, révélant une bague magnifique sertie d'un diamant étincelant, qui captura les rayons du soleil et éblouit presque la jeune femme.

Ash s'agenouilla à côté du lit et prit sa main gauche.

—Veux-tu m'épouser, Jodie? Acceptes-tu de devenir ma femme, la mère de mes enfants, et de me supporter jusqu'à ce que la mort nous sépare? Personne ne t'aimera jamais comme je t'aime, et je tiens à passer chaque jour de ma vie à te le rappeler.

—Oui! s'écria-t-elle, la vue brouillée par les larmes. Oui, Ash! Je t'aime tellement! Je veux être ta femme et avoir tes enfants! Plein d'enfants!

Rayonnant, il glissa la bague à son doigt puis se releva et, avec mille précautions, la prit dans ses bras avant de déposer un doux baiser sur ses lèvres.

—Moi aussi, je t'aime, Jodie. N'en doute jamais. Je sais que j'ai beaucoup à me faire pardonner et, justement, j'y travaille, mais ça va devoir attendre que tu sois rétablie et de retour à la maison. Alors, je vais te dorloter comme une princesse.

Elle leva la main gauche et lui caressa doucement la joue, son diamant étincelant au soleil.

—J'ai hâte de voir ça, mon amour.

Chapitre 37

—Je n'en reviens toujours pas que tu aies fait tout ça pour moi! s'écria Jodie, émerveillée.

Elle se tenait au beau milieu de la salle de bal du *Bentley Hotel*, qui était bondée.

Ash lui passa les bras autour de la taille et l'attira tout contre lui.

—Je n'ai rien fait du tout, ma chérie. Tout le mérite te revient. Tes tableaux ont un succès fou! Je ne serais pas étonné si ta collection de nus se vendait en moins d'une heure. Les gens ont commencé à surenchérir sur les prix indiqués. Ils se les arrachent!

Jodie survola du regard la foule qui admirait ses œuvres tout en buvant du champagne. Elle n'en croyait pas ses yeux: le maire était là en personne, ainsi que plusieurs stars de cinéma! Et toutes ces célébrités étaient venues pour voir ses toiles!

Elle leva la tête vers Ash.

—Ça ne te dérange pas que tout le monde ait accès à ces nus ? Je pensais que tu voulais te les réserver.

Il l'embrassa doucement.

—J'ai le modèle vivant, alors je peux bien leur laisser les tableaux. Ils ne peuvent qu'imaginer ce qu'ils ne voient pas, tandis que moi, j'ai le droit d'y toucher et de m'en régaler. Je peux bien me montrer généreux envers ceux qui n'ont pas ce privilège. (Elle éclata de rire.) Bon, en revanche, si tu te lançais dans une série encore plus érotique que ça, j'achèterais toute la collection, que ça te plaise ou non.

Elle rit de plus belle et lui donna un petit coup de coude.

—Tu n'as aucun souci à te faire. J'ai quand même un peu de pudeur !

—Bon, tant mieux ! Ça m'embêterait de devoir faire expulser de potentiels clients parce qu'ils bavent sur les toiles.

—Oh, les filles sont arrivées ! s'exclama Jodie.

Elle courut vers les nouvelles venues.

—Jodie ! s'écria Tiffany en la serrant dans ses bras. Tu es déjà célèbre ! C'est incroyable ! Tu as vu ça ? Les gens se battent pour acheter tes tableaux !

Jodie sourit et croisa le regard amusé de Kai qui se tenait un peu en retrait. Aussitôt que Tiffany la lâcha, Mia et Bethany se précipitèrent vers elle, Gabe et Jace non loin derrière.

—Les filles, vous êtes superbes ! dit-elle en inspectant leurs petites robes. Oh, j'adore vos chaussures ! Je crois que je connais déjà le programme de la fin de soirée, ajouta-t-elle dans un murmure.

Elles éclatèrent de rire, puis Mia intercepta un serveur.

—Champagne pour tout le monde! Il faut fêter ça dignement!

Les quatre hommes firent mine de râler, mais leurs yeux étincelaient à la perspective de ce qui les attendait.

Jodie elle-même était impatiente de voir ce qu'Ash lui réservait. Pendant sa convalescence, il s'était montré tellement doux et attentionné qu'elle avait dû prendre les choses en main et lui sauter dessus. Il avait trop peur de lui faire mal et s'était contenté de lui faire l'amour avec toute la tendresse du monde. Jodie ne s'en plaignait pas, mais elle avait hâte de retrouver le mâle dominateur qui lui faisait perdre la tête.

De toute évidence, il voulait éviter de lui rappeler la violence qu'elle avait subie, mais elle savait qu'elle ne craignait rien avec lui. Au contraire, elle adorait qu'il s'aventure dans les eaux troubles entre douleur et plaisir, et qu'il déchaîne toute la force de son désir pour les mener à l'extase.

Elle frissonna rien que d'y penser. Ce soir, elle ne lui laisserait pas le choix. Elle voulait ressentir le claquement du cuir sur ses fesses, la ferme douceur de la corde de soie autour de ses poignets, la domination d'Ash…

—Ne m'en veuillez pas, mais je vais emmener Jodie faire un petit tour de la salle, histoire de la présenter à quelques personnalités, annonça justement celui-ci.

Les filles leur firent un petit signe de la main puis reportèrent leur attention sur leurs hommes respectifs.

Ash la mena d'un petit groupe à l'autre. Heureusement qu'il était là pour user de son charme. Jodie ne savait pas quoi dire à toutes ces impressionnantes célébrités qui vantaient son talent avec chaleur. Elle n'aurait jamais osé rêver pareil accueil pour ses tableaux. C'était à Ash qu'elle devait cette reconnaissance subite.

— Merci, murmura-t-elle en lui passant un bras autour de la taille tandis qu'ils traversaient la foule en direction de leurs amis. C'est la plus belle soirée de ma vie !

— Je suis ravi, ma chérie. C'est ton grand soir, et je suis content que tu en profites à fond. Cela dit, je suis persuadé que ce n'est que le premier d'une longue série. Étant donné la vitesse à laquelle tes toiles se vendent, ta cote va rapidement monter. Je vais peut-être même finir par le regretter : tu vas recevoir tellement de demandes que tu vas passer tout ton temps à peindre et que tu vas complètement m'oublier.

— Pas question ! rétorqua-t-elle en riant. Tu passes avant tout le reste, Ash.

Il l'embrassa longuement, fougueusement, sans se préoccuper de la foule qui les observait. Elle poussa un soupir de bonheur. Ces quelques mois s'étaient révélés tellement riches en événements ! Elle avait dû rester presque deux semaines à l'hôpital. Les détectives les avaient convoqués par l'intermédiaire de l'avocat d'Ash pour leur poser davantage de questions. Ils avaient mené une enquête approfondie sur Ash, Gabe et Jace, mais n'avaient rien trouvé pour les incriminer.

Ce n'était que quand ils avaient concentré leurs recherches sur les agissements de Charles Willis qu'ils avaient trouvé des éléments significatifs. De fait, ils étaient tombés sur une mine d'or. Willis avait multiplié les arnaques à grande échelle, mais il avait eu les yeux plus gros que le ventre et avait fini par multiplier des erreurs qui l'avaient ruiné.

Cela ne lui aurait sans doute pas coûté la vie s'il n'avait eu la mauvaise idée de s'en prendre à de dangereuses figures du crime organisé. Peut-être ne s'était-il pas rendu compte à temps du genre d'individus à qui il avait affaire. Pour sa part, Jodie avait été choquée de découvrir que la mafia existait toujours, et pas seulement dans les romans ou au cinéma.

Les détectives soupçonnaient un homme en particulier, mais, comme souvent dans ces cas-là, ils n'avaient pas réussi à prouver quoi que ce soit. Au moins, même si l'enquête était toujours ouverte, Ash ne faisait plus partie des suspects.

Jodie dormait plus tranquille depuis qu'elle avait appris cette nouvelle. Ash et elle avaient tenu leur promesse et n'avaient plus jamais reparlé de l'affaire. Ce n'était peut-être pas très bon pour son karma, mais Jodie ne parvenait pas à éprouver la moindre pitié pour Charles Willis. Ce qui lui était arrivé n'était que la conséquence logique de ses propres erreurs.

Cela ne la concernait plus. Elle avait toute la vie devant elle. Une vie avec Ash.

—Ma chérie, j'ai une question à te poser, murmura celui-ci tout près de son oreille.

Elle leva la tête vers lui, surprise par le sérieux de sa requête.

—Jace et Bethany m'ont demandé si on aimerait se marier en même temps qu'eux. Au cours d'une cérémonie commune, je veux dire. Je leur ai promis de t'en parler, mais c'est toi qui décides. Je sais que Jace est très impatient. Si tu as envie de prendre ton temps et de ne pas presser les choses, ou si tu préfères avoir ton grand jour rien qu'à toi, ce n'est pas grave. Ce qui compte, c'est que tu sois heureuse.

—Mais… et toi? De quoi as-tu envie? demanda-t-elle.

—Moi, j'ai envie que tu deviennes officiellement ma femme, que tu portes mon nom. Le reste m'importe peu, même si j'aime autant ne pas trop attendre.

—J'aime beaucoup l'idée de nous marier en même temps que Jace et Bethany, avoua-t-elle à mi-voix. Jace est ton meilleur ami, et j'adore Bethany, alors oui! J'accepte!

—Ça ne t'embête pas que Jace soit aussi pressé? Il veut faire ça dès que possible. Il pensait se marier sur une plage, à Bora Bora, par exemple.

—Oh, quelle merveilleuse idée! s'écria-t-elle. Tu sais, Ash, tout ce qui compte pour moi, c'est de devenir ta femme. Le reste, c'est du bonus.

Il l'embrassa tendrement.

—Alors, allons leur annoncer la nouvelle! Il va falloir célébrer ça!

Elle lui prit le bras, et ils rejoignirent leurs amis. Leur famille. L'idée qu'elle faisait partie de ce cercle aimant lui réchauffa le cœur.

Tiffany et Kai filaient le parfait amour. Ils s'étaient installés à Las Vegas mais revenaient souvent passer quelques jours à New York. Jodie était heureuse qu'Ash ait renoué des liens avec sa sœur. Ses parents n'avaient pas cherché à le contacter depuis qu'il avait téléphoné à son grand-père. Il ignorait quelle décision ce dernier avait prise pour son testament et il s'en lavait les mains. Il avait tenu sa promesse, le reste ne dépendait plus de lui.

Tiffany et lui étaient devenus très proches, et Jodie avait trouvé en la jeune femme une amie sincère.

Tous applaudirent à la nouvelle avec enthousiasme. Bethany serra Jodie dans ses bras, puis tout le monde trinqua.

—J'espère que vous nous ferez tous l'honneur d'assister à notre mariage, à Tiffany et à moi, annonça Kai avec un grand sourire. Elle m'a enfin dit oui, aujourd'hui même.

Tiffany leva sa main gauche pour exhiber un magnifique diamant que Jodie n'avait pas remarqué jusque-là. Elle avait les joues roses de plaisir et les yeux pleins d'étoiles.

—Décidément, que de bonnes nouvelles! lança Ash en riant. Je lève mon verre à Kai et à Tiffany!

Ils trinquèrent de nouveau.

—Au merveilleux succès de Jodie! ajouta Tiffany.

—Aux copines! cria Mia en levant un nouveau verre de champagne.

—Oui! dit Bethany en faisant tinter sa coupe contre celles des autres jeunes femmes.

—Et aux soirées entre copines! renchérit Jodie avec un sourire coquin.

—Je veux bien trinquer à ça, moi aussi, intervint Ash.

—Oui! dit Jace en riant.

—Pareil, commenta Gabe.

—Je promets de mettre mon jet à la disposition de Tiffany pour ces fameuses soirées, annonça Kai avec un sourire amusé.

Jodie fit signe à ses amies de s'approcher et leur tendit à chacune un nouveau verre de champagne. Elles levèrent leur coupe et trinquèrent en s'écriant en chœur:

—Aux soirées entre copines!

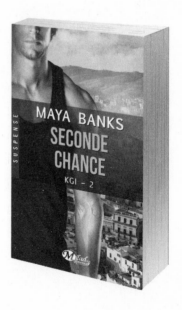

Achevé d'imprimer en mai 2014
N° d'impression 1403.0245
Dépôt légal, juin 2014
Imprimé en France
81121246-1